Mach Neu aus Alt

Henrietta Thompson
Illustrationen Neal Whittington

Mach Neu aus Alt

Welt retten, Geld sparen, Style haben

Für Olivia, die Wortspielereien liebt, zur Inspiration.

Edel Books
Ein Verlag der Edel Germany GmbH

Neumühlen 17, 22763 Hamburg
www.edel.com
6. Auflage 2015

Published by arrangement with Thames & Hudson, London.

This edition first published in Germany in 2009
by Edel Germany GmbH, Hamburg

Übersetzung ins Deutsche: Wiebke Krabbe, Damlos, und
Scriptorium GbR Brigitte Rüßmann & Wolfgang Beuchelt, Köln
Satz & Redaktion der deutschen Ausgabe:
Christiane Manz für bookwise medienproduktion GmbH, München
Projektkoordination: Constanze Gölz
Covergestaltung: Groothuis. Gesellschaft der Ideen und Passionen mbH
www.groothuis.de

Printed and bound in China by C&C Offset

ISBN 978-3-941378-25-4

Dieses Buch ist auf Cyclus Offsetpapier gedruckt, das zu 100 % aus
gereinigtem Altpapier hergestellt wurde.

Hinweis: Die Tipps und Anleitungen in diesem Buch sind als Anregungen
für eigene Ideen und Projekte gedacht. Es liegt in der Natur der Sache,
dass verschiedenste Materialien und Werkzeuge zum Einsatz kommen
und dass die Ergebnisse je nach handwerklichem Können und den zur
Verfügung stehenden Ausgangsmaterialien unterschiedlich ausfallen.
Das beinhaltet selbstverständlich auch das Risiko des Scheiterns.
Die Autorin hat mit größter Sorgfalt darauf geachtet, dass die Tipps in
diesem Buch fehlerfrei sind, aber sie dienen dennoch nur der allgemeinen
Information. Lesen Sie vor dem Gebrauch Handbücher und Bedienungs-
anleitungen aller verwendeten Werkzeuge und Chemikalien sorgsam
durch und befolgen Sie die Sicherheitshinweise des Herstellers. Bevor Sie
Arbeiten an Strom- oder Wasserleitungen vornehmen, lassen Sie sich von
einem Fachmann beraten und vergessen Sie nicht, Sicherungen auszu-
schalten bzw. den Wasserhaupthahn zu schließen. Die beschriebenen
Arbeitstechniken sollten nicht von Personen unter 18 Jahren angewendet
werden. Die Autorin und die edel GmbH übernehmen keine Verantwortung für Schäden, Verluste oder Verletzungen, die aus der Anwendung
der hier beschriebenen Techniken entstehen. Damit ist jegliche Haftung
für Personen-, Sach- und Vermögensschäden ausgeschlossen, soweit
gesetzlich zulässig. Bei den Ratschlägen und Empfehlungen handelt es
sich um unverbindliche Auskünfte gemäß § 676 BGB.

Inhalt

Einführung

Das Design ist die Erfindung ...

Dieses Buch bewegt sich an der Grenze zwischen Design und Notwendigkeit – es zeigt einfallsreiche, praktische Alltagsideen aus aller Welt, die zum modernen Lebensstil passen. Früher musste man aus allem, was man besaß, das Äußerste herausholen. Heute führen Veränderungen von Umwelt und Wirtschaftslage dazu, dass kreative Köpfe das Prinzip „Umfunktionieren und Reparieren" neu entdecken. Erwarten Sie keine Tipps zum Bräunen der Beine mit Teebeuteln, wohl aber viele gute Ideen für einen praktischen Alltag und eine stylishe Wohnung. Ob bewährte Tricks aus Großmutters Zeit oder innovative Ideen heutiger Künstler und Designer: Fast alles ist bereits erfunden worden, man sollte nur wissen, wo man suchen muss.

Hocker Mezzadro –
Achille und Pier Giacomo Castiglioni

Knüpfsessel Cappillini –
Marcel Wanders für Droog

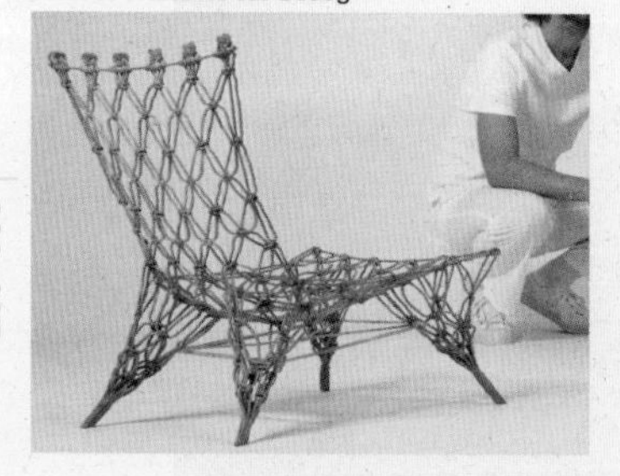

Seit es Mülltonnen gibt, stöbern Designer darin herum. Eines der ersten Beispiele hierfür ist der Hocker *Mezzadro*, den Achille und Pier Giacomo Castiglioni 1957 aus einem alten Traktorsitz konstruierten. Dass sie Bauteile aus der Industrie verwendeten, hatte damals weder mit mageren Zeiten noch mit dem Streben nach umweltfreundlichem Design zu tun. Die Brüder Castiglioni wollten einfach eine Neuinterpretation der Herstellung und Nutzung von Möbeln sowie der dafür denkbaren Rohmaterialien anbieten.

Das Umfunktionieren und Recyceln wird gern als neuer Trend im modernen Design präsentiert; tatsächlich existiert das „Umwidmen" als ästhetischer Ansatz aber schon seit mindestens 50 Jahren. Bereits 1917 verwendete Marcel Duchamp industriell gefertigte Keramik-Urinale als Kunstobjekte – nur ein Beispiel der vielen „Readymades" (Alltagsgegenstände, die fast unverändert zu Kunst werden), die er im Lauf seiner Karriere gestalten sollte. Picasso packte den Stier „Zweckentfremdung" bei den Hörnern und schuf 1943 eine stierähnliche Skulptur aus Sattel und Lenker eines Fahrrads. Um die gleiche Zeit errang Joseph Cornell mit seinen Werken aus Müll internationales Renommee. Der stark vom Surrealismus beeinflusste New Yorker Künstler wurde vor allem mit seinen *Boxes*, Installationen aus Fundobjekten, bekannt.

In die Architektur fand das Konzept ebenfalls Eingang, wenn auch in etwas anderem Gewand. 1968 prägte der Theoretiker Charles Jencks den Begriff *adhocism* (Adhocismus) für den Ansatz, „ein verfügbares System oder eine gegebene Situation auf neue Weise zu nutzen, um ein Problem schnell und effizient zu lösen". Für Jencks war dieser Ansatz „eine Gestaltungsmethode, die hauptsächlich auf direkt verfügbare Ressourcen zurückgreift" – Dinge, die ad hoc entstanden, waren von Natur aus demokratisch und nicht für die Massenproduktion gedacht, sondern konnten von jedem, der ähnliche Mittel zur Hand hatte, nachempfunden werden.

Der Müll der postindustriellen Zeit diente in den 1980er-Jahren einer ganzen Schar unangepasster Designer als Lieblingsmaterial und führte zur Entwicklung einer lebendigen Designbewegung. Das

Umfunktionieren von Industrieabfällen und Dingen aus Massenproduktion war das Gegenstück der Designer zum anarchischen Punkrock, der die Musikszene eroberte: In beiden ging es um Rebellion.

Einer der führenden Köpfe des postindustriellen Müll-Chic der frühen 1980er-Jahre war Ron Arad, der eine Reihe interessanter, experimenteller Stücke aus Gerüstteilen und alten Autositzen entwickelte und 1983 die Galerie One Off in der Londoner Neal Street eröffnete. Hier konnten Gleichgesinnte ihre Werke ausstellen und verkaufen, unter ihnen Tom Dixon mit seinem Projekt Creative Salvage und Danny Lane, dessen Möbel aus gebrochenem Glas großes Medieninteresse weckten. Typisch für das Programm der Galerie waren zusammengeschweißte Metallobjekte aus Geländern, Gullydeckeln und anderen „Fundstücken" der Straße. Ebenso wie die Bewegung das Gegenstück zum Punkrock darstellte, entsprach Dixons Gruppe Creative Salvage, die er 1984 mit Mark Brazier-Jones und Nick Jones gründete, den Sex Pistols. Die Gruppe wandte sich gegen „teure, anonyme Hightechprodukte aus Massenproduktion" und präsentierte durch „das Recycling von Müll" einen „dekorativeren, menschlicheren Ansatz". Dixon selbst war kein ausgebildeter Künstler oder Designer, darum erschienen seine Arbeiten umso demokratischer, frecher und kontroverser.

Bald wurden die exklusiven Unikate der Bewegung zu hohen Preisen gehandelt, und das antibourgeoise Antikonsum-Ethos verblasste. Arad und Dixon wandten sich anderen Experimenten zu, vergaßen aber ihre Anfänge im Recycling nicht. 2000 veröffentlichte Dixon ein Buch mit dem Titel *Rethink*, in dem er sich für Wiederverwertung und Recycling im Design von einem praktischen, weniger einem modischen Standpunkt ausspricht.

Der ersten wilden Recyclingwelle folgte in den 1990er-Jahren eine zweite. Dies ist in hohem Maß den Brüdern Castiglioni zuzuschreiben, die bis heute durch originelle Ideen wie die berühmte Bank *Fix* für Da Padova bekannt sind. Der britische Designer Jasper Morrison griff Duchamps Konzept der Readymades auf, allerdings mit leicht ironischem Unterton. Er stand am Anfang seiner Karriere, und seine Werke wurden nicht in größerem Stil produziert. Insofern war es schlichtweg praktisch, Fertigprodukte zu verwenden – etwa Tonblumentöpfe als Unterbau für einen Tisch, der später von Cappellini hergestellt wurde.

Morrisons einfacher, kostengünstiger, vielseitiger und (manchmal) eleganter Stil des Umfunktionierens und Zweckentfremdens inspirierte eine ganze Designergeneration. 1992 veranstaltete die Designhistorikerin Renny Ramakers eine kleine Ausstellung mit Möbeln, die junge niederländische Designer aus preiswerten Industriematerialien, Fundstücken, gebrauchten Schubladen und Altholz entworfen hatten. Die Ausstellung wurde in verschiedenen Städten Belgiens und der Niederlande gezeigt. Die Werke von Designern wie Jan Konings und

Bank Tree Trunk – Jürgen Bey für Droog

Leuchte Set Up Shades – Marcel Wanders für Droog

Jürgen Bey, Piet Hein Eek und Tejo Remy fanden großen Anklang, wenn sie sich auch nur schleppend verkauften. Ramakers ging dann eine Zusammenarbeit mit Gijs Bakker ein, Produktdesigner und Lehrer an der Designakademie Eindhoven. Gemeinsam gründeten sie im folgenden Jahr Droog Design und produzierten unter anderem Marcel Wanders' Leuchten *Set Up Shades* und eine Badematte von Hella Jongerius. Die Droog-Kollektionen besaßen denselben rebellischen Stil wie die Werke von Creative Salvage, aber auch einen besonderen Humor, der ihnen zu großem Erfolg verhalf. Um die gleiche Zeit wurden in den USA Constantine und Lauryn Boym mit Projekten wie *Searstyle* – einer Möbelkollektion aus alten Sears-Produkten – und verschiedenen anderen Readymades bekannt. Mit ihrem erfrischenden Witz schlugen die Werke von Boym einen ähnlichen Ton an wie der britische Designer Michael Marriott, ebenfalls ein Pionier des Zweckentfremdens, der beispielsweise eine Kommode aus Sardinendosen baute, um auf ihr dekoratives Design hinzuweisen. Als er in einem gelben Eimer das Potenzial für einen Lampenschirm entdeckte, hatte er kein hehres Recycling-Ethos im Kopf, sondern einfach Spaß an der Idee, in den Eimerboden ein Loch für die Lampenfassung zu schneiden.

Searstyle – Constantine und Lauryn Boym

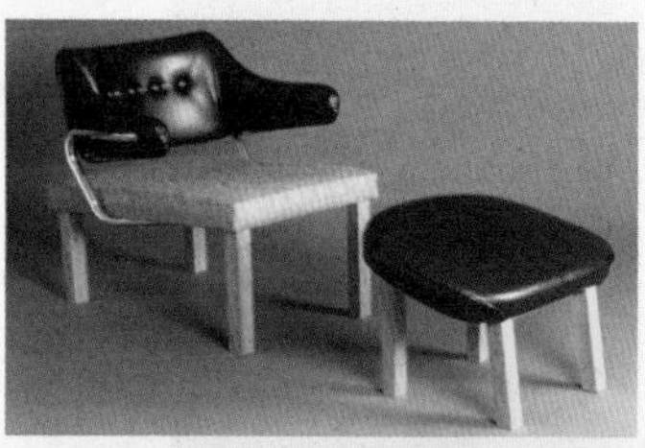

Der niederländische Designer Jürgen Bey ging das Zweckentfremden anders an: Er umgab alte Objekte mit neuer Technologie. 1999 entwickelte er für Droog die Serie *Kokon* aus alten Tischen und Stühlen, die er in versponnenes PVC hüllte. Die Originalformen waren klar erkennbar, aber von einer „Zeitkapsel" geschützt.

Witz und Nostalgie waren nicht Tord Boontjes Anliegen, als er 1994 seine Kollektion *Rough and Ready* präsentierte – zweckmäßige Möbel aus Altholz und gebrauchten Materialien. Boontje hatte gerade sein Designstudium abgeschlossen und hinterfragte die Relevanz von Nobeldesign in einer Welt, in der sich viele Menschen nur improvisierte Möbel aus Restmaterialien leisten können. Seine Ausstellung kontroverser Entwürfe mit bewusst schlechter Qualität erregte beträchtliches Aufsehen. Die Konstruktionszeichnungen stellte Boontje jedem, der die Stücke nachbauen wollte, kostenlos zur Verfügung; Zehntausende wurden veröffentlicht.

Gebrauchte Materialien werden auch von zeitgenössischen Künstlern häufig verwendet. Leo Fitzmaurice beispielsweise wird gern als „urbaner Andy Goldsworthy" bezeichnet, wenn er auch selbst das Etikett *„Detourist"* (etwa: Tourist auf Umwegen) bevorzugt. Im Rahmen eines seiner bekanntesten Projekte reiste er 2004 bis 2006 zwischen Berlin, London, Shanghai, Stavanger, Zürich und seiner Heimatstadt Liverpool hin und her und produzierte kurzlebige öffentliche Kunst, indem er gefundene Materialien wie Kataloge, Flugblätter und Pappe neu arrangierte. Für das Projekt *Craterform* nahm er den Katalog des großen britischen Versandhauses Argos und riss Löcher in alle Seiten, um ein „schwarzes Loch im Versandhandel" zu erzeugen.

Viele Probleme der heutigen Zeit lassen sich durch Umfunktionieren und Zweckentfremden lösen, und die Designer, die selbsternannten Problemlöser der Welt, haben weitere gute Gründe, diese Techniken einzusetzen. Gerade für junge Designer mit knappen finanziellen Mitteln ist der Weg attraktiv, erst recht in einer Zeit wachsenden Umweltbewusstseins. Beispiele ihrer Arbeiten sind auf den folgenden Seiten zu sehen. Der Trend zum Recyceln und Umfunktionieren mag, ungeachtet seiner Hintergründe, wieder abflachen, aber er wird nie ganz verschwinden, denn er ist in allen seinen Anwendungsbereichen – Kunst, Design, Architektur und Handwerk – per definitionem zeitlos.

... der die Not zugrunde liegt

Wer seine Kreativität auf Touren bringen will, hat viele Möglichkeiten, die unterschiedlich wirkungsvoll sind – Brainstorming, lange Spaziergänge, bewusstseinserweiternde Drogen ... Ein Blick auf die Geschichte zeigt jedoch, dass die Menschen vor allem in schweren Zeiten zu Höchstleistungen fähig sind.

Wenn es hart auf hart kommt, haben die Harten die Oberhand, und verzweifelte Zeiten verlangen oft nach verzweifelten Maßnahmen – was uns nicht umbringt, macht uns stark. *Per aspera ad astra*, wie schon Seneca wusste, oder: Über raue Pfade gelangt man zu den Sternen.

Einige der besten Recyclingideen (wenn man sie auch damals noch nicht so nannte) entstanden in den mageren 1930er-Jahren. Damals warf man alte Strümpfe nicht weg, sondern stopfte sie selbstverständlich – an empfindlichen Stellen manchmal sogar vorsorglich. Heute tauschen japanische Großstadtbewohner angesichts hoher Lebenshaltungskosten in einheimischen Fernsehshows *urawaza*, Spartipps für den Haushalt, aus. Um eine Lösung für fehlende Elektrizität und Nahrungsmittelknappheit am Rand der Sahara zu finden, entwickelte ein nigerianischer Lehrer einen „Kühlschrank" aus zwei Tongefäßen und feuchtem Sand. Wie ein weiteres Sprichwort schon sagt: Not macht erfinderisch.

Überall auf der Welt facht der Überlebenskampf in Zeiten von Krieg und politischen Unruhen die Kreativität der Menschen an. Als während des Zweiten Weltkriegs Brennstoff und Textilien rationiert waren, kochten die Hausfrauen in Europa, Amerika und Australien das Essen in Kisten mit Stroh und nähten Strümpfe aus Fallschirmseide. „Instandsetzen und reparieren" lautete das Motto, das die Regierungen jener Zeit propagierten – und das auch einige der Tipps in diesem Buch vertreten.

Der zeitgenössische russische Künstler Wladimir Archipow stellt in einem Buch und einer Ausstellung mehr als 100 Produkte vor, die ganz gewöhnliche Russen „erfanden", als während des Zusammenbruchs des Sowjetregimes die verschiedenen Produkte knapp waren – darunter ein Papierkorb aus einer alten

Kokon-Möbel – Jürgen Bey für Droog

Heukiepe, eine Garnspule aus einer Plastikwasserflasche und einigen Strohhalmen, ein Badewannenstöpsel aus dem Gummiabsatz eines alten Schuhs mit einer Gabel als Griff. Der Künstler bezeichnet diese handgefertigten Kreationen mit dem Sammelbegriff *„thingamyjigs“* (etwa: alles mögliche Zeugs). Da er selbst in einem Haushalt aufwuchs, in dem die Fernsehantenne aus ausrangierten Gabeln bestand, betrachtet er solche einfallsreichen Lösungen als typisch russisch. Im Lauf seiner mehrjährigen Recherchen hat er jedoch auch herausgefunden, dass die Menschen überall auf der Welt seit Jahrhunderten solche Wege beschreiten. Ein bekannter Archäologe stellte in Archipows Ausstellung überrascht fest, dass einige Objekte altägyptischen Funden ähnelten, über deren Zweck er seit Jahren gegrübelt hatte.

Detourist – Leo Fitzmaurice

Ein persönlicher finanzieller Engpass kann den Einfallsreichtum ebenso anfeuern wie eine Weltwirtschaftskrise, erfuhr Jose Avila. Als der Programmierer 2005 von Kalifornien nach Arizona zog, saß er in der Klemme. Er musste noch Miete für seine ehemalige Wohnung in Kalifornien zahlen, hatte kaum Geld und keine Möbel, sondern verfügte nur über einige alte FedEx-Kisten und über Geschick im Umgang mit einem Teppichmesser. So konstruierte er aus den Kisten Stühle und Tische, Regale, ein Sofa und einen Schreibtisch. Dann stellte er seine Werke im Internet der Welt vor. Die Website fedexfurniture.com war ein großer Erfolg, und seine Botschaft *„it's OK to be ghetto“* verbreitete sich in alle Welt. Natürlich wusste die Welt das bereits, denn viele Kulturtraditionen, die wir heute als selbstverständlich hinnehmen, sind ursprünglich auf diesem Nährboden gewachsen.

Jede Kultur scheint ein typisches Objekt zu besitzen, das man für fast alle Zwecke nutzen kann. Douglas Adams hat jedem „Anhalter durch die Galaxis“ beigebracht, dass ein simples Handtuch ins Gepäck des interstellaren Reisenden gehört. Man kann damit im Notfall winken, es auf einem Floß auf dem Fluss Moth als Segel benutzen oder sich darin einwickeln, wenn man die kalten Monde von Jaglan Beta passiert. Für eine amerikanische Pionierfamilie der 1880er-Jahre war das Äquivalent zu Adams' Handtuch der handgenähte Quilt aus alten Kleidern, der im Lauf seines Lebens verschiedenste Funktionen erfüllte. Packte die Familie ihre Habe für den langen Treck nach Westen in den Planwagen, wickelte man Zerbrechliches in den Quilt. Unterwegs diente er als Schlafdecke, Sitzpolster oder zum Abdichten von Rissen in der Wagenplane gegen Wind und beißende Staubwolken. Angeblich wurden Quilts manchmal sogar als Schutz vor den Pfeilen angreifender Indianer außen am Planwagen befestigt. Kam die Familie schließlich ans Ziel, dienten sie als Vorhänge an Fenstern und Türen oder als Raumteiler in den kargen Einraum-Blockhütten.

Das japanische Gegenstück zum amerikanischen Quilt heißt *furoshiki*. Es ist ein traditionelles Wickeltuch, in das man Kleidung, Geschenke und andere

Dinge hüllte, manchmal sogar sich selbst. Der Begriff *furoshiki* (grob übersetzt „Badetuch") geht zurück auf die Edo-Periode, als man seine Kleidung in öffentlichen Bädern zu Bündeln verschnürte. Letztlich handelt es sich dabei um eine praktische Form des Origami, für die statt Papier Stoff benutzt wird. Das Tuch kann immer wieder für die unterschiedlichsten Zwecke benutzt werden. Im heutigen Japan wird es gern zum Einschlagen und Transportieren von Bento-Boxen oder Lunchboxen verwendet und dient, wenn ihr Inhalt verspeist wird, als Tischdecke. Ein besonders schöner Stoff kann zur Geschenkverpackung werden, ein alter taugt noch für einen praktischen Wäschebeutel. Nach dem Zweiten Weltkrieg hatten Plastiktragetaschen eine Zeit lang die Oberhand, doch durch das wachsende Umweltbewusstsein der letzten Jahrzehnte ist die Technik des *furoshiki* wieder im Kommen.

In der heutigen Zeit haben wir Möglichkeiten gefunden, unseren Einfallsreichtum auch dann auszuleben, wenn keine Not herrscht. Eine neue Kundengeneration betreibt „Ikea-Hacking" – das Verändern und Umfunktionieren preiswerter Massenmöbel, um sie den eigenen Bedürfnissen anzupassen. In dem schwedischen Möbelhaus kann man nicht nur preiswerte Stühle, witziges Besteck und praktische Starterpakete für die erste Wohnung kaufen. Viele Dinge aus dem Angebot sind zwar nicht dafür gedacht, eignen sich aber bestens als Rohmaterial für originelle Eigenkreationen, die wesentlich günstiger sind als alles, was man fertig kaufen kann. Viele der einfachen, geradlinigen Modelle bestehen aus Modulen und austauschbaren Elementen, die dem potenziellen Ikea-Hacker viel Spielraum lassen. Und den Inbusschlüssel gibt es kostenlos dazu.

2006 richtete die in Kuala Lumpur lebende Autorin Mei Mei Yap den Blog ikeahacker.blogspot.com ein, um die kreativsten Ideen zu veröffentlichen. Sehr bald stand sie (deren Online-Pseudonym nach ihrem Ikea-Lieblingssessel „Jules" lautet) an der Spitze einer wachsenden, internationalen Gemeinde von Ikea-Hackern. Die Firma unterstützt die Seite zwar nicht offiziell, ist aber klug genug, nicht gegen das Umfunktionieren ihrer Produkte vorzugehen. Nur wenige Hacker unterlaufen das Firmenethos, die meisten wollen lediglich die Möbel besser auf ihre eigenen Bedürfnisse zuschneiden. Es mag sein, dass Not die Mutter der Erfindung ist. Aber im Hintergrund gibt es da auch einen großen schwedischen Papa, und der Nachwuchs der beiden ist nicht zu bremsen.

Mit dem 20. Jahrhundert ging auch die „Wegwerfgesellschaft" dem Ende zu, und die Traditionen von Recycling, Wiederverwertung und Zweckentfremdung vereinen ungleiche Gemeinschaften über alle Länder- und Generationsgrenzen hinweg. Was man früher mit Not und Mangel assoziierte, wird heute von Künstlern, Designern und Umweltaktivisten aufgegriffen und von betuchten, designbewussten Kreisen begeistert angenommen.

Detourist – Leo Fitzmaurice

01

MÖBELSTÜCKE

Betten, Stühle, Tische, Schreibtische, Hocker, Ablagen, Bänke, Sofas und Gartenmöbel

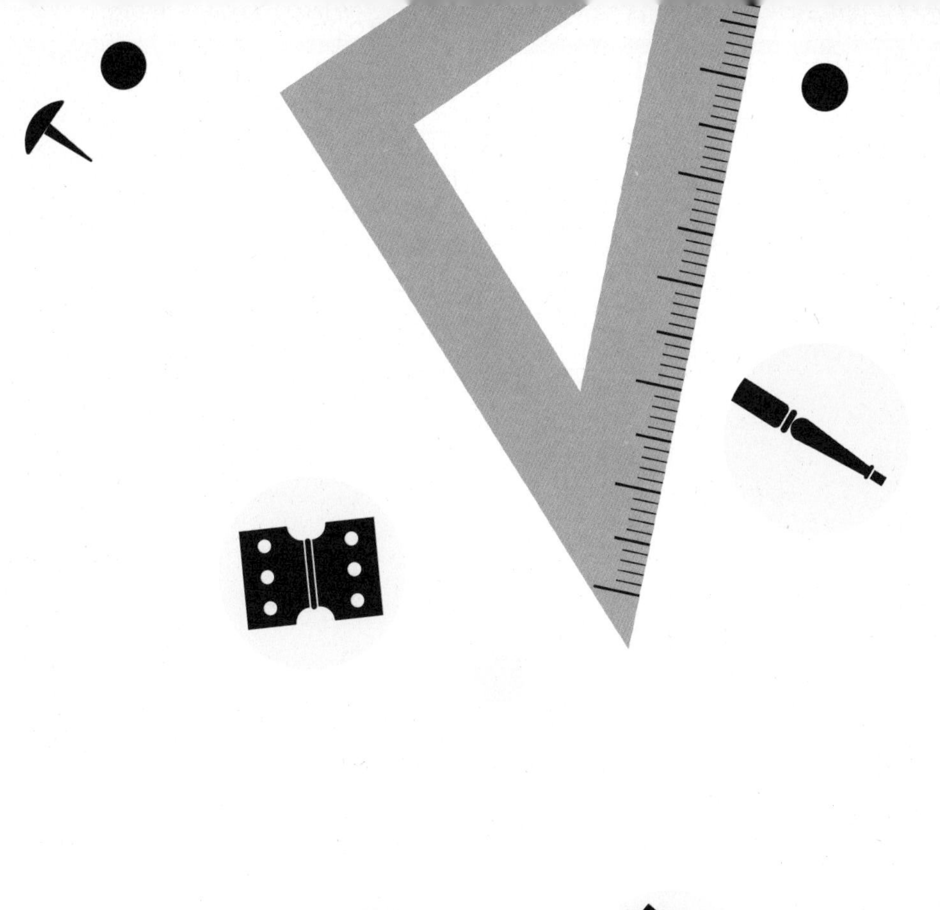

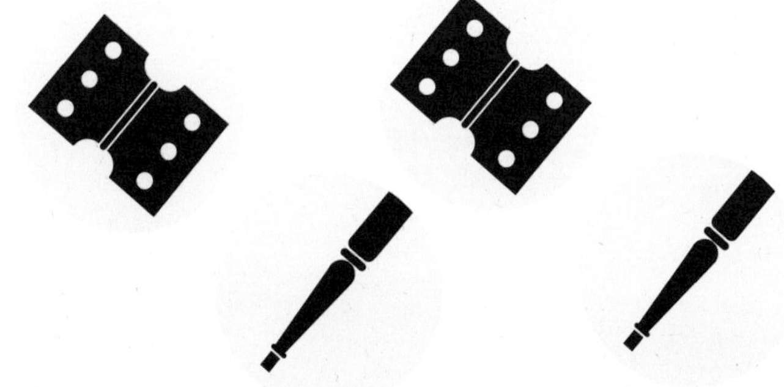

-- Fundgrube --

Viele Städte und Gemeinden, von den Barrios Barcelonas bis zu den Hügeln Tokios, haben offizielle Sperrmülltermine, zu denen man seine alten Möbel und andere sperrige Gegenstände auf die Straße stellen kann. Ehe die Müllabfuhr die Sachen zur Deponie fährt, lässt sich noch nach Herzenslust stöbern. Die Termine erfahren Sie bei Ihren städtischen Abfallwirtschaftsbetrieben. Es lohnt sich – hier gibt es immer wieder wahre Schätze zu bergen!

-- Gute Bindung --

Hat man einige brauchbare Riemen (etwa alte Gürtel oder Kofferbänder) auf Lager, kann man aus nahezu allem ganz schnell die verschiedensten Möbel improvisieren. So lassen sich Magazine und Bücher zu Sitz- oder Tischblöcken verschnüren; Decken, Kissen, Kleider und Lumpen geben wunderbar weiche Sessel ab. (Nehmen Sie Abstand von Klebeband, vor allem wenn Sie die Sachen noch einmal verwenden oder die Schnürung irgendwann wieder lösen wollen.)

-- Klapp's dir auf --

Aus alten Sofakissen lässt sich leicht ein Futon machen. Nähen Sie dazu die Kissen an den Rändern zusammen, sodass der Futon nicht den Zusammenhalt verliert, wenn er als Matratze genutzt wird, sich aber auch leicht zusammenlegen und im Regal oder Schrank verstauen lässt. Meist kann man die Kissenbezüge zum Waschen abziehen, deshalb sollte man beim Zusammennähen darauf achten, die Reißverschlüsse nicht zuzunähen. Am besten lässt man sie entlang der Außenkante verlaufen, statt sie beim Zusammennähen nach innen zu legen.

-- Ein echter Hummer --

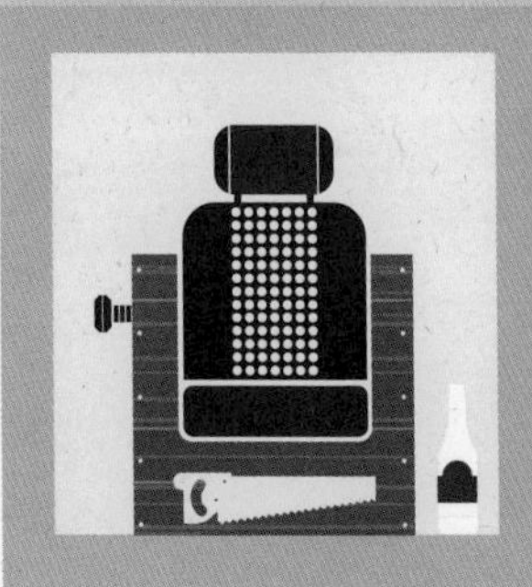

Der moderne Soldat mag des Öfteren fern der Heimat operieren und unter eher schlichten Bedingungen hausen, ist aber meist sehr versiert im Improvisieren von Mobiliar. Eine neue Entwicklung ist der „Hummersessel“: eine Holzkiste, auf die der Sitz eines ausgedienten Autos geschraubt wird und so zum bequemen und robusten Sessel wird. Man darf allerdings nicht vergessen, die Rückenlehne mit einer Schraube zu sichern, sonst findet man sich vielleicht unerwartet in der Waagerechten wieder – möglichst auch noch vor den Augen der versammelten Kameradschaft.

Design!

Menimal
Magazine Bench

Der mexikanische Designer Menimal (Francisco Cavada Cantú) hat für eine Ausstellung bei der DesignWeek Monterrey eine Bank aus alten Magazinen gebaut. Gestützt werden die in Blöcke geschnittenen Zeitschriften von einer einfachen Stahlstruktur.

Design!

Maybe Design
Sitbag

Mit diesem charmanterweise „Sitzsack“ genannten Möbel verleiht Maybe Design alten Hartschalenkoffern mit dicken Polstern und schicken Chrombeinen neues Leben als Lounge-Sessel. Das in Wien und Istanbul beheimatete Maybe Design ist ein multidisziplinäres Design- und Kunstbüro, das 2004 von Erdem Akan, Bora Akcay, Susanne Akcay und Bogac Simsir gegründet wurde.

Design!

Martino Gamper
100 Chairs in 100 Days

Zu allen Zeiten haben Designer und Architekten versucht, den perfekten Stuhl zu kreieren – den es jedoch laut Martino Gamper gar nicht gibt. Im Rahmen eines experimentellen Ausstellungsprojekts machte sich der Designer aus Südtirol daran, in 100 Tagen 100 Stühle zu bauen. Vom 2. Dezember 2006 bis zum 25. Februar 2007 zerlegte er einen Vorrat aus weggeworfenen und gespendeten Stühlen und schuf daraus neue Formen. Es war ein durchweg spontaner Prozess: Die Entscheidung über die zukünftige Form fiel erst beim Auseinandernehmen und stückweisen Verstehen der Konstruktion und der verwendeten Materialien.

Design!

Junktion
Suitcase Furniture

Es gibt zwei Grundregeln, die jeder kennen sollte, der mit leichtem Gepäck durchs Leben reisen möchte. Erstens: Hat man keinen Träger, braucht der Koffer Rollen. Zweitens: Wenn man von der ganzen Schlepperei müde ist, setzt man sich am besten erst einmal hin. Die israelische Designergruppe Junktion muss diese beiden Maximen im Kopf gehabt haben, als sie die Koffermöbelserie entwarf – zu der auch eine Truhe auf Rädern und ein Koffer mit Sitzkissen gehören.

Design!

Rotor
Manon Table

Die Platte dieses Tischs besteht aus weißem Carraramarmor, der einst die Bibliothek der Humanwissenschaften der Université Libre de Bruxelles schmückte. Als das Gebäude nach rund einem Jahrzehnt eine neue Fassade brauchte, rettete Rotor einige der Verkleidungsplatten. Die Unterkonstruktion ist eine alte Werkbank aus einer nicht mehr existierenden Firma, die einst Aluminiumfenster baute.

-- Dazugestellt --

Couch- und Beistelltische gehören zu den Möbelstücken, die sich am einfachsten improvisieren lassen, da sie gemeinhin nur aus zwei Elementen bestehen: einer glatten Fläche und einem Untergestell. Als Platte lassen sich Türen, Fenster, Tafeln, Tabletts, Spiegel, stabile Pappe, ja sogar der Oberdeckel eines alten Flügels verwenden. Als Untergestell eignen sich viele Objekte. Gerne werden hierfür Porenbetonsteine, Ziegel, Bücherstapel, Flaschen, Blumentöpfe, Laufrollen, Goldfischgläser oder Gartenzwerge verwendet. Als einzelne Mittelsäule haben alte Weinfässer eine lange Tradition.

-- Klopf, klopf! --

Alte Türen, ob aus dem eigenen Haus oder von jemand anderem, geben ganz hervorragende Tischplatten ab. Damit typische Türmerkmale nicht stören, kann man versuchen, sie praktisch zu nutzen: Durch das Loch fürs Türschloss lassen sich die Kabel von Computer oder Stereoanlage führen, und stellt man unterhalb einer Briefklappe den Abfalleimer auf, kann man sie als Abfallloch nutzen, oder man installiert dort direkt den Schredder – viel Spaß!

-- Weit gereist --

Herrlich abgenutztes Leder? Ja! Eingeprägte Initialen? Ja! Elegantes Design? Ja! Alte Reisekoffer sind schön, aber selten wirklich noch als Reisegepäck nutzbar. Keine Rollen? Kaputter Griff? Eingerissenes Futter? Ja, ja und ja! Trotzdem wäre es eine Schande, diese alten Koffer einfach wegzuwerfen. Sie sind weit gereist, ja sie stammen aus der großen Zeit des Reisens. Natürlich kann man sie einfach als Aufbewahrungskästen benutzen. Mit Kissen gefüllt, sind sie aber auch schöne Bettchen für den Chihuahua, und mit Beinen versehen, lassen sie sich rasch in einen hübschen Beistelltisch verwandeln.

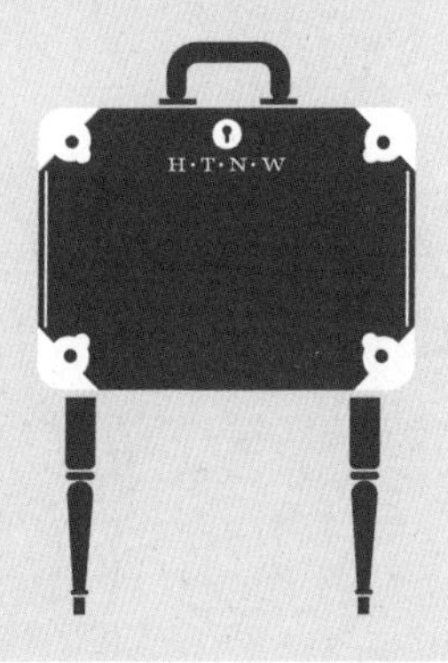

Design!

Jasper Morrison
Flowerpot Table

Jasper Morrison ist vielleicht der Meister der Reduktion. Am Anfang seiner Karriere nutzte er viele Readymades bzw. fertige Produkte – teils natürlich, weil er noch keinen Zugang zu größeren Fertigungsanlagen hatte. Für einen seiner frühen Erfolge, den *Flowerpot Table* (1984 für Cappellini entworfen), verwendete er einen Stapel Terrakotta-Blumentöpfe als Fuß, so wie er es in einem Berliner Baumarkt gesehen hatte.

Design!

Jasper Morrison
The Crate

2006 wurde Jasper Morrison von der Möbelmanufaktur Established & Sons engagiert, einen Nachttisch zu entwerfen. Nachdem er mehrere Ideen ausprobiert hatte, stellte er fest, dass die alte hölzerne Weinkiste, die neben seinem Bett stand, eigentlich nicht zu schlagen war. „Nichts schien gleichermaßen geeignet wie sie“, sagt Morrison. So beschloss er, die Kiste aus gutem Holz – Douglastanne statt rissiger Kiefer – und mit stabileren Verbindungen zu reproduzieren. Mit dem entsprechenden Preisschild versehen, ließ das Design die Verkaufszahlen von Wein in Kisten enorm in die Höhe schnellen – kostenloser Nachttisch inklusive.

-- Na dann, gute Nacht! --
Verwandeln Sie einen alten Polsterhocker doch in einen Nachttisch, indem Sie das Polster einfach gegen eine Platte, etwa ein Tablett oder ein Stück Holz, austauschen. Aber auch alte Hartschalen-Aktenkoffer, Rollcontainer, Hängeregister oder andere Büroorganisationssysteme mit der passenden Größe eignen sich gut als Nachttische und bieten zudem Platz für all die Kleinigkeiten, die man gerne neben dem Bett, aber nicht unbedingt immer im Blick haben möchte.

-- Von der Piste auf die Kiste --
Alte Möbel aus Holz, die unbrauchbar, kaputt oder einfach hässlich sind, lassen sich problemlos zerlegen und weiterverwenden. Suchen Sie aber auch anderweitig nach nutzbaren Materialien. Ein altes Snowboard beispielsweise kann, auf eine Kiste geschraubt, zu einer hübschen Bank werden, genauso wie sich alte Skier recht leicht zu Stühlen oder auch Tischen verarbeiten lassen.

-- Total vernagelt --

Holzreste sind meist schnell zu finden – fast jeder Sperrmüll enthält alte Regalbretter, Bodendielen, Bettleisten oder Holzpaletten. Mit Säge, Hammer und einigen Nägeln bewaffnet, hat man solche Bretter schnell in einen hübschen Nachttisch oder Beistelltisch verwandelt. Man muss nicht mal Tischler sein oder sich perfekt mit Holzverbindungen auskennen – einfache Tischchen bestehen schlicht aus zwei senkrechten Brettern und einer Platte. Bei dieser Gelegenheit lassen sich die Schreinerkenntnisse aber ein wenig ausbauen.

-- Hoch gestapelt --

Wenn Sie Ihr Bügelbrett nur selten benutzen oder es einfach nirgends verstauen können, verwenden Sie es doch als „Bibliothekstisch" in Ihrem Arbeitszimmer und stapeln Sie Bücher und Papier darauf. Wichtig ist, dass es so aussieht, als ob das Bügelbrett dorthin gehört, und nicht, als ob Sie nur keine Lust zum Aufräumen hätten. Je schöner Ihr Brett ist, desto besser, doch mit einer Blumenvase und einem hübschen Stück Stoff dekoriert, wird es auf jeden Fall zum Schmuckstück.

SCHRITT FÜR SCHRITT

Über die Planke

Wollte man die Evolution des Stuhldesigns nachverfolgen, stünde ganz am Anfang der Baumstamm. Dieser Stuhl wurde etwa zu der Zeit erfunden, als der Mensch anfing, Bretter zuzuschneiden, und ist damit eines der fundamentalsten und einfachsten Sitzmöbel überhaupt; Varianten finden sich sowohl in China also auch in Afrika und Südamerika. Er eignet sich am besten für schlichte Zwecke wie Picknicks, hat aber auch die perfekte Höhe und Neigung zum Computer- und Videospielen.

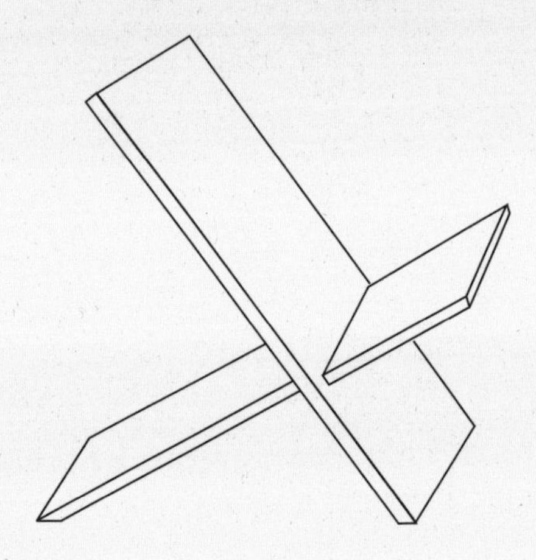

Sie brauchen:

_ 1 langes Holzbrett
_ Fuchsschwanz
_ Stift
_ Bohrmaschine
_ Stichsäge
_ Schleifpapier und Lack

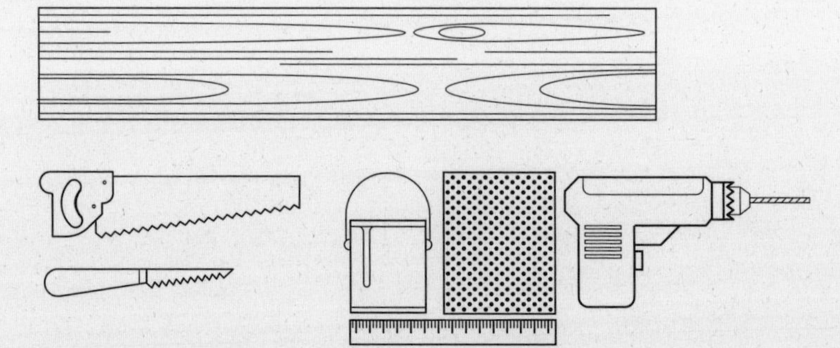

1_ Legen Sie die Maße des Stuhls fest. Das Brett muss breit genug sein, damit man bequem darauf sitzen kann, und stabil genug, um das Gewicht des Sitzenden tragen zu können. Sägen Sie das Brett in zwei Hälften.

2_ Sägen Sie von den Seiten einer Bretthälfte, dem hinteren Bein, zwei 5 cm breite und 40 cm lange Streifen ab.

3a_ Sägen Sie in die zweite Bretthälfte einen Schlitz, in den das hintere Bein passt. Zeichnen Sie den Umriss dafür mithilfe des anderen Bretts an.

3b_ Bohren Sie innerhalb des Umrisses ein Ansatzloch, das das Sägeblatt der Stichsäge aufnehmen kann, und sägen Sie den Schlitz sauber aus.

4_ Stecken Sie beide Teile zusammen und sitzen Sie Probe. Bearbeiten Sie die Kanten im Schlitz nach, sodass beide Teile im rechten Winkel zueinander sitzen.

5_ Schleifen Sie die Bretter glatt und verzieren Sie sie mit Schnitzereien, Farbe oder anderen Dekorationen. Machen Sie es sich bequem.

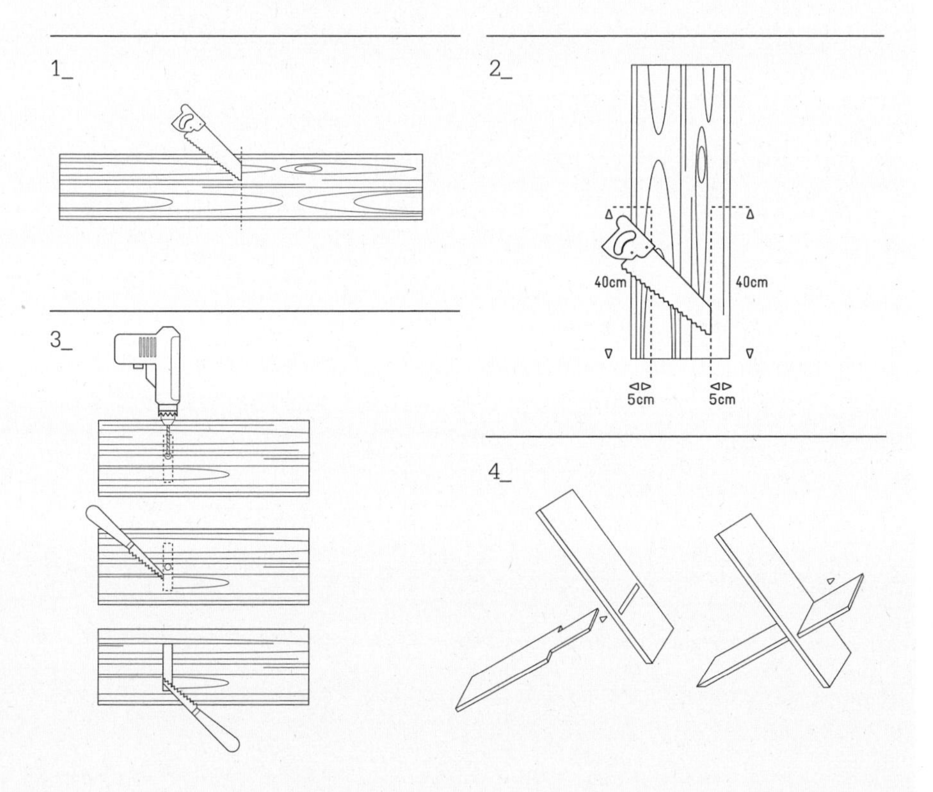

-- Einfach mal hochgestapelt --

Gestapelt und mit Polster versehen, werden alte Bücher oder Zeitschriften im Handumdrehen zu netten Möbeln. Eine Stoffhülle mit etwas Füllung macht aus einem Bücherquader wahrscheinlich den praktischsten Hocker der Welt. Er kann auf die perfekte Höhe gestapelt und schnell weggeräumt werden. Da Bücherstapel recht schwer werden, sollte man zum Heben am besten noch einen flachen Griff mit annähen.

-- Tatort Badezimmer: von der Obst- zur Seifenschale --

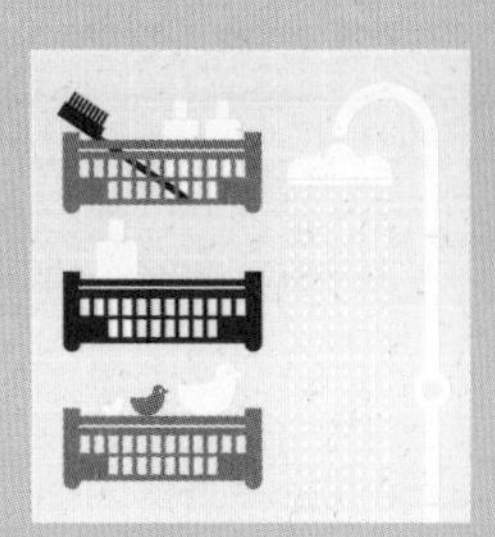

Obstschalen aus Kunststoff, wie man sie im Supermarkt bekommt, wenn man eine ganze Kiste kauft, bieten so tolle Aufbewahrungsmöglichkeiten fürs Badezimmer, dass man fast meinen könnte, die Entwickler hätten eine Zweitverwertung dieser Art im Hinterkopf gehabt. Je nach Platz kann man sie als Regale an die Wand schrauben oder in einem selbst gebauten Wagen als Schubladen verwenden.

-- Heiße Beine --

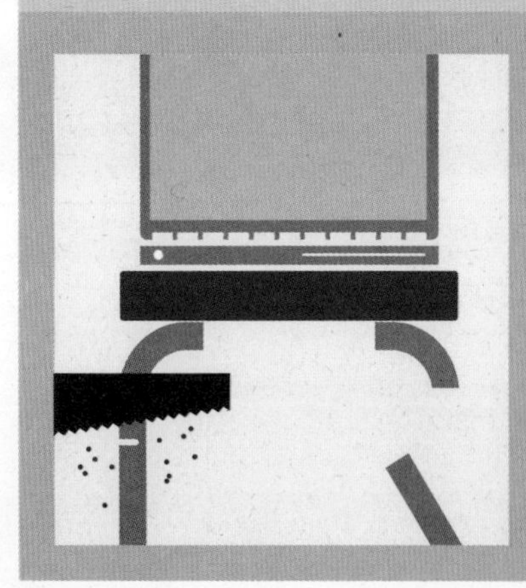

Laptops sind vermutlich in Wirklichkeit gar nicht dazu gedacht, auf dem Schoß zu liegen. Zumindest weiß jeder, der das schon einmal ausprobiert hat, dass es darunter ein wenig heiß werden kann. Und ein heißes Paar Beine mag ja etwas Ansehnliches sein, ist aber vollkommen fehl am Platz, wenn man gerade an einem wichtigen Bericht arbeitet. Aus diesem Grund gibt es spezielle Laptop-Tischchen. Wer nicht so viel Geld ausgeben möchte, nimmt einfach einen alten Hocker und sägt die Beine kurz. So bekommt man gleichzeitig noch ein nettes Knietablett fürs nächste Frühstück im Bett dazu.

-- Eine runde Sache --

Fahrradteile sind für jeden Bastler nützliches Grundmaterial; vor allem die Felgen erweisen sich als universell einsetzbar. Wer kein altes Fahrrad hat, holt sich Räder vom nächsten Schrottplatz. Ohne Speichen und Nabe bilden zwei davon einen idealen Rahmen, den man mit Holzresten auffüllen kann (wie Uhuru rechts). Oben und unten glatt abschneiden, und schon hat man einen hübschen Tisch. Als Füllmaterial eignen sich auch aufgerollte Zeitschriften.

Design!

Tom Ballhatchet
TV Packaging Stand

Tom Ballhatchets *TV Packaging Stand* ist eine Transportverpackung, die nach dem Auspacken des Fernsehers als Videomöbel dient, und unternimmt den Versuch, eine umweltbelastende Situation (das Verursachen von Styropormüll) in etwas Positives umzuwandeln. Ballhatchet geht davon aus, dass sich sein Konzept der kontextuellen Wiederverwendung von Abfallmaterialien auch für andere Dinge, wie Drucker, Scanner oder Laptops, eignet.

Design!

Uhuru
Stoolen Lite

Getreu der Maxime der Shaker, „Schönheit beruht auf Zweckmäßigkeit“, versucht die New Yorker Designfirma Uhuru, Möbel und Produkte mit einem klaren Blick für Materialien und Kunstfertigkeit zu schaffen. Im Brooklyner Studio von Uhuru wird jedes Stück von Hand aus vor Ort gefundenen oder recycelten Materialien gebaut. Besonders geschätzt wird antikes Kiefernholz, das heute aufgrund der Überforstung vor 100 Jahren nur noch bei der Entkernung alter Gebäude aufzutreiben ist. Tische und Stühle der Serie *Stoolen Lite* bestehen aus Holzabfällen aus den Werkstätten der Umgebung; bei einigen Modellen werden sie von einer alten Fahrradfelge zusammengehalten.

Design!

Fernando und Humberto Campana Banquete

Die brasilianischen Brüder Fernando und Humberto Campana sind bekannt für ihr Talent, alles, vom alten Gartenschlauch bis zum Kuscheltier, in ein begehrtes und dekadentes Designmöbel zu verwandeln. Nach dem Jura- bzw. Architekturstudium hatte keiner der Brüder ernsthaft vor, Designer zu werden; das macht ihre Werke immer frisch und überraschend. Und sehr brasilianisch: Sie verwenden für ihre Designs Gegenstände und Sperrmüll aus ihrer Heimatstadt São Paulo. Durch die Kombination von Resten und Fabrikabfällen mit traditionellem Kunsthandwerk und modernen Fertigungstechniken haben die Campana-Brüder dem zeitgenössischen Design einen unverkennbar brasilianischen Akzent verliehen. Für das in limitierter Auflage gefertigte *Banquete* (2003) haben sie Stofftiere mit einem schlichten Metallgestell zu einem Sessel verbunden, der ebenso kuschelig wie surreal ist.

Design!

Fernando und Humberto Campana Sushi Chair

Der für Edra geschaffene *Sushi Chair* (2002) besteht aus bunten Plastikstreifen und Teppichunterlagen, die in einer Version eng zusammengerollt und in einen schlichten Rahmen gepresst wurden, während sie bei einer anderen aus der Mitte herabhängen.

Design!

Tejo Remy
Rag Chair

Das niederländische Designerkollektiv Droog wurde 1993 von der Designhistorikerin Renny Ramakers und dem Designer und Pädagogen Gijs Bakker gegründet. Ihre erste Ausstellung zeigte Tejo Remys *Accumulation of Drawers Without a Cabinet* und seinen *Rag Chair*, die beide 1991 aus recycelten Materialien entstanden. Mit ihrem Do-it-yourself-Stil und ihrem Umweltbewusstsein waren sie seinerzeit Trendsetter. Für den Sessel *Rag Chair* band Remy alte Textilien und Kleider mit Metallbändern zusammen.

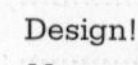

Design!

Karen Ryan
Custom Made

Entnervt von den Abfallbergen, die bei modernen Inneneinrichtungen anfallen, konstruierte die Londonerin Karen Ryan ihre Sitzmöbelkollektion *Custom Made* aus ausgemusterten Stühlen aller Stilrichtungen, die sie aufeinanderstapelte und miteinander verschmolz. Das Resultat ist eine stetig wachsende Serie fantastisch hybrider Monsterstühle.

Design!

Maarten Baas
Hey Chair, Be A Bookshelf!

Bei seinem gewissermaßen selbsterklärenden Projekt („Hey Stuhl, sei ein Bücherregal!“) verwandelte Maarten Baas die Funktion ansonsten überflüssiger Möbel und anderer Gegenstände, indem er sie übereinanderstapelte, mit Kunstharz versteifte und von Hand mit Polyurethanlack anstrich. So wurde ein Stuhl zum Bücherregal, eine Lampe zur Vase und eine Violine zur Garderobe. Beim Design arbeitete Baas mit mehreren Secondhandshops in der Umgebung von Eindhoven zusammen und verwendete unverkäufliche Ladenhüter. Da die Ausgangsmaterialien immer andere sind, ist jedes Stück ein Unikat.

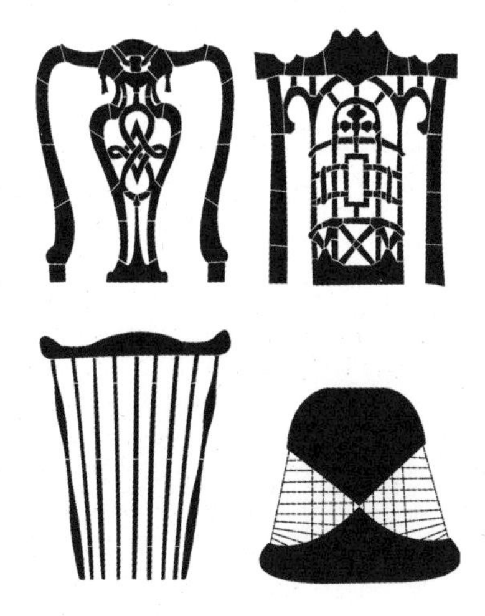

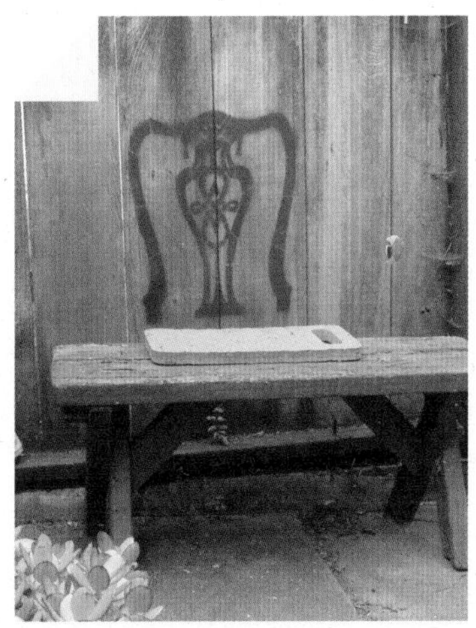

Design!

Will Gurley
Chair Back Stencils

Will Gurley möchte es jedermann ermöglichen, an beliebigen Orten Möbel herzustellen. Mit seinem Schablonensatz für Rückenlehnen und einer Farbsprühdose werden Mauern, Fenster, jeder Baum und jede senkrechte Fläche zum Stuhl. Gurley hat vier Stuhllehnen entworfen: den Windsor-Stuhl, zwei Chippendale-Muster sowie „Charles Eames’ Drahtgeflecht-Stuhl“, eine Hommage an den US-amerikanischen Designer. Die Schablonen lassen sich aus dem Internet herunterladen, abschnittsweise ausdrucken und auf ein großes Stück Karton übertragen.

-- Aufgetischt --

Sommerliche Musikfestivals sind immer eine schöne Inspirationsquelle. Wenn Menschen, die einen gewissen Grad von Bequemlichkeit gewohnt sind, plötzlich für ein Wochenende eher spartanisch leben müssen, werden sie erfinderisch. Auch die Caterer benötigen robustes Mobiliar – und so entstand der Bambustisch. Dazu wird ein kräftiges Bambusrohr in den Boden eingelassen, auf das eine schlichte Sperrholzplatte mit Loch in der Mitte gesteckt wird, die auf dem obersten Ring des Rohrs ruht. Der Tisch ist nicht nur erstaunlich stabil, sondern auch schnell aufzubauen, billig und transportabel.

-- Flecken und Decken --

Für einen Tisch, der schon allzu oft den Inhalt von Kaffeetassen und Weingläsern abbekommen hat, könnte der Weg zur Neubelebung schlicht in einem Tapetenrest liegen. Das ist eine sauberere Lösung als ein Tischtuch, und man benötigt nur ein zugeschnittenes Stück Tapete und etwas Kleister dafür. Obendrauf kann man als Abschluss eine zugeschnittene Glas- oder Acrylplatte legen – oder gleich ein Wachstuch nehmen, das resistent gegen Feuchtigkeit und Flecken ist. Für edle Familienerbstücke ist dieser Tipp zugegebenermaßen nicht geeignet, aber damit sollte man ja sowieso etwas vorsichtiger umgehen.

-- Schöner schaukeln --
Wenn Ihr alter Lieblingsstuhl auch schaukeln soll und Sie über etwas handwerkliches Geschick verfügen, können Sie Holzreste zu Kufen umfunktionieren. Vielversprechend sind alte runde Tischplatten oder auch Holzschlitten.

-- Kopfschmuck --
Manche Türen besitzen zu viele Ornamente oder sind zu groß, um als Tischplatte dienen zu können, sehen aber als Kopfbrett für ein Bett hervorragend aus. Wenn Sie nicht gerade in ein Schloss oder eine alte Kirche eingezogen sind, wo solche Schätze zu finden sind, sollten Sie auf Recyclinghöfen, im Antiquitätenhandel oder im Internet Ihr Glück versuchen.

Design!

WEmake
Rockit

Die Londoner Designergruppe WEmake ist mit dem Anspruch angetreten, „den kreativen Prozess offenzulegen und mit allen zu teilen“. Anders ausgedrückt: Wir bauen deren Produkte. Gewissermaßen. WEmake-Kreationen, wie etwa der Bausatz *Rockit*, der aus einer Schablone für Holzkufen besteht, die man an eine Gartenbank schrauben kann, sind dazu gedacht, den Benutzer zum aktiven Schaffen zu animieren.

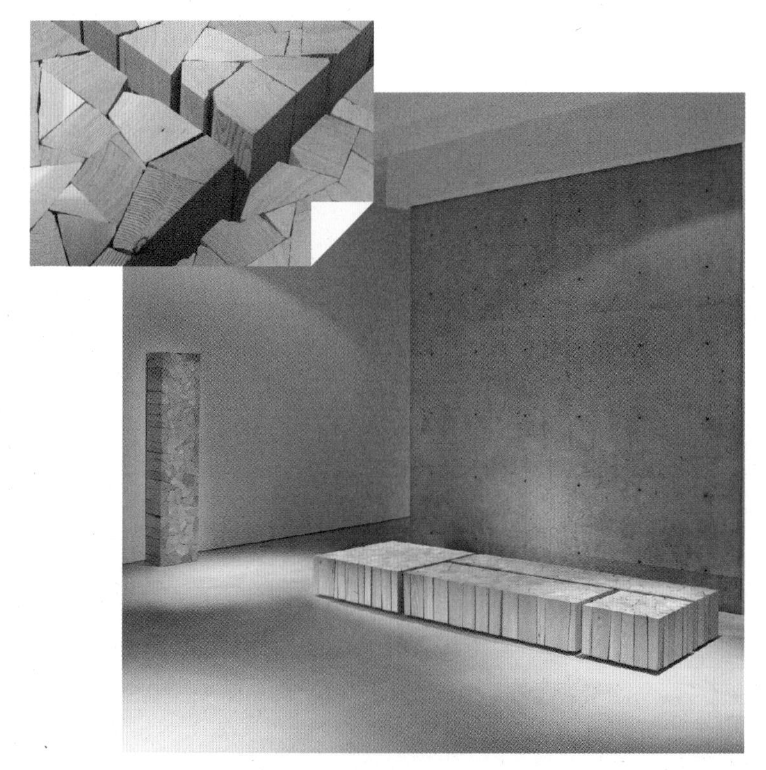

Design!

Brent Comber
Shattered

Der kanadische Designer Brent Comber verwendet Holz von umgestürzten oder bereits gefällten Bäumen sowie Abfälle aus Möbelfabriken und Sägewerken, um daraus Möbel, Kunstwerke und Installationen zu schaffen, die nicht nur fantastisch aussehen, sondern auch die Umwelt so gut wie nicht belasten. Hobelspäne und Sägemehl werden kompostiert und so dem Boden als Nährstoffe wieder zugeführt.

Design!

Graypants
Scrap Furniture

Seth Grizzle und Jonathan Junker aus Seattle haben Architektur studiert, gründeten dann aber Graypants, um sich dem Design und der Herstellung von Möbeln und anderen Produkten ganz praxisbezogen widmen zu können. Eines ihrer populärsten Werke ist die Möbelserie *Scrap* mit Stühlen, Tischen und Leuchten. Die Möbel aus Sperrholzresten, Pappe oder Zeitungspapier sind „allein das Resultat von Streifzügen durch Abfälle, um daraus elegante und nützliche Dinge zu schaffen".

Scrapile

Bart Bettencourt und Carlos Salgado, die Scrapile 2003 in New York gründeten, haben eine effiziente Methode entwickelt, die Holzabfälle aus den holzverarbeitenden Betrieben der Stadt zu sammeln und wiederzuverwenden. Die stetig wachsende Möbelserie, die unter dem Scrapile-Banner entsteht, besitzt mit ihren verschiedenfarbigen Streifen aus miteinander verleimten Holzschichten einen starken Wiedererkennungswert.

-- Teilen und Schlafen --
Paravents und Raumteiler sind praktisch, solange der fragliche Raum groß genug ist, um sinnvoll unterteilt werden zu können. Ist dem nicht so, kann man den Raumteiler auch als Kopfbrett fürs Bett nutzen.

-- Bohnenplatte --

Krönen Sie einen kleinen Bohnensack mit einer runden Holzplatte, und Sie erhalten einen praktischen Beistelltisch für Sofa und Bett, der Platz für einen Laptop oder einen Teller bietet. Ein größerer Sack fungiert als Fußhocker oder auch als schicker Couchtisch.

-- Phonomöbel --

Wenn es Sie nach einem besonderen Tisch gelüstet, Sie aber kein Geld für ein Designermöbel ausgeben möchten, seien Sie kreativ. Vielleicht haben Sie noch ein altes Tonbandgerät, von dem Sie sich nicht trennen mögen, einen riesigen Fernseher oder ein sperriges, aber stabiles Mitbringsel von weither. Normalerweise kann man diese Dinge bei Bedarf stabilisieren oder auf Rollen montieren und sie mit einer Glasplatte abdecken, die den ungewöhnlichen Fuß voll zur Geltung kommen lässt. Gummistopfen von Gehstöcken oder Korkstücke schützen das Glas und verhindern, dass es wegrutscht.

-- Spieglein, Spieglein an der Wand --
Es ist meist wesentlich kostengünstiger, einen alten Spiegel vom Glaser oder einem Rahmengeschäft zuschneiden zu lassen und selbst auf ein Brett, eine Tischplatte oder eine Schranktür zu kleben, als verspiegelte Möbel zu kaufen. Nüchtern reflektiert (Wortspiel beabsichtigt!), sind Spiegel auch eine prima Methode, alte Möbel zu sanieren, deren Oberfläche stark überholungsbedürftig ist.

Nendo
Cabbage Chair

Der aus Papierabfällen aus der Stoffindustrie gefertigte *Cabbage Chair* entstand für die Tokioter Ausstellung XXIst Century Man des japanischen Modegiganten Issey Miyake. Für dieses nur scheinbar schlichte Stück wickelte die japanische Designergruppe Nendo das Papier zu einem Zylinder auf, schlitzte diese Rolle dann auf einer Seite senkrecht bis auf halbe Höhe auf und schälte die Lagen als Sitzfläche zurück. Die während der Papierherstellung zugesetzten Harze verleihen der Form Stabilität, während die Falten für Elastizität sorgen. Der Sessel entsteht ohne den Einsatz von Nägeln oder Schrauben.

SCHRITT FÜR SCHRITT

Himmlische Ruh

Man muss weder Millionen auf der Bank noch einen Palast besitzen, um sich die Dekadenz zu gönnen, jeden Morgen in einem Himmelbett aufzuwachen. Dazu ist nur wenig nötig. Es gibt unzählige Variationen des Themas, aber diese hier ist vermutlich die einfachste und preiswerteste, solange man nur eine Vorhangstange aufhängen kann. Damit jetzt aber keine verfrühte Müdigkeit aufkommt, geht es frisch ans Werk.

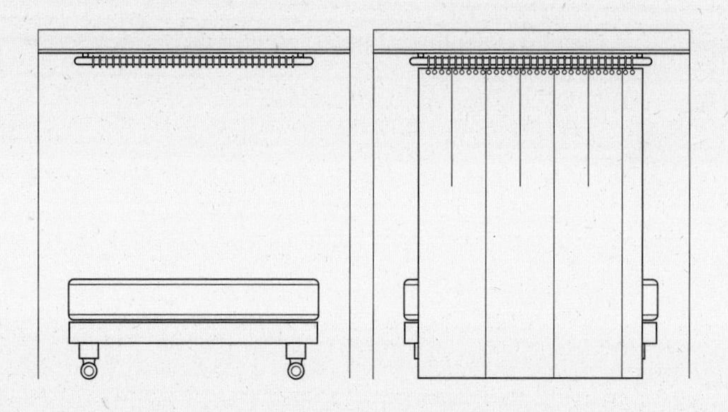

Sie brauchen:

_ 1 Bett
_ 3 Vorhangstangen, Besenstiele oder dicke Holzdübelstangen von der Länge einer Schmal- und zweier Längsseiten des Betts
_ Vorhangringe (nicht nötig, wenn die Vorhänge Schlaufen haben)
_ Leitungssucher
_ Stift
_ Bohrmaschine
_ Schrauben (ca. 5–7 cm lang) und passende Dübel
_ Schraubendreher
_ 6 kurze Kunststoffrohrstücke (à 2 cm), wenn Ihre Vorhangstangen keine Abstandshalter besitzen
_ 3 Vorhänge, passend zu den Stangen (alte weiße Bettlaken eignen sich auch); sie sollten von der Stange bis zum Boden reichen.

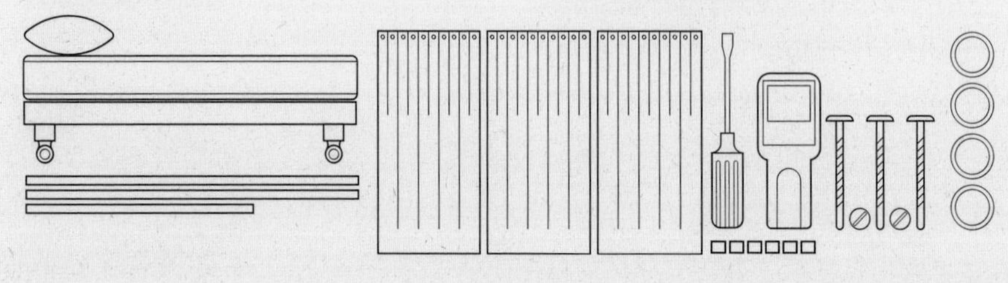

1_ Bestimmen Sie den besten Standort für das Bett.

2_ Fädeln Sie die Vorhangringe auf die Stangen (außer Sie verwenden Schlaufengardinen).

3a_ Suchen Sie mithilfe eines Leitungssuchers bzw. Ortungsgeräts nach Strom- und Wasserleitungen sowie nach Stahlträgern in der Decke. Informieren Sie sich im Zweifelsfall in den entsprechenden Heimwerkerratgebern nach einer sicheren Methode zur Verankerung der Vorhangstangen in der Decke. Stellen Sie sicher, dass Sie keine Stromleitung anbohren.

3b_ Zeichnen Sie die Positionen der drei Vorhangstangen rund ums Bett an der Decke an.

4a_ Wenn Sie keine Deckenhalterungen haben, durchbohren Sie die Stangen jeweils 2,5 cm von jedem Ende entfernt.

4b_Halten Sie die Stangen in ihrer endgültigen Position an die Decke und zeichnen Sie die Position der Schraublöcher an. Achten Sie auf unter Putz verlegte Leitungen.

4c_ Bohren Sie die benötigten Löcher in die Decke und setzen Sie geeignete Dübel ein.

5_ Wenn Sie keine Deckenhalterung verwenden, drehen Sie die Schrauben direkt durch die vorgebohrten Löcher in den Stangen und setzen Sie jeweils ein Stück Kunststoffrohr als Abstandshalter zwischen Stange und Decke.

6_ Schrauben Sie die Vorhangstangen an die Decke.

7_ Befestigen Sie die Vorhänge an den Ringen, schlüpfen Sie in Ihren Pyjama und machen Sie es sich in Ihrem neuen Himmelbett gemütlich.

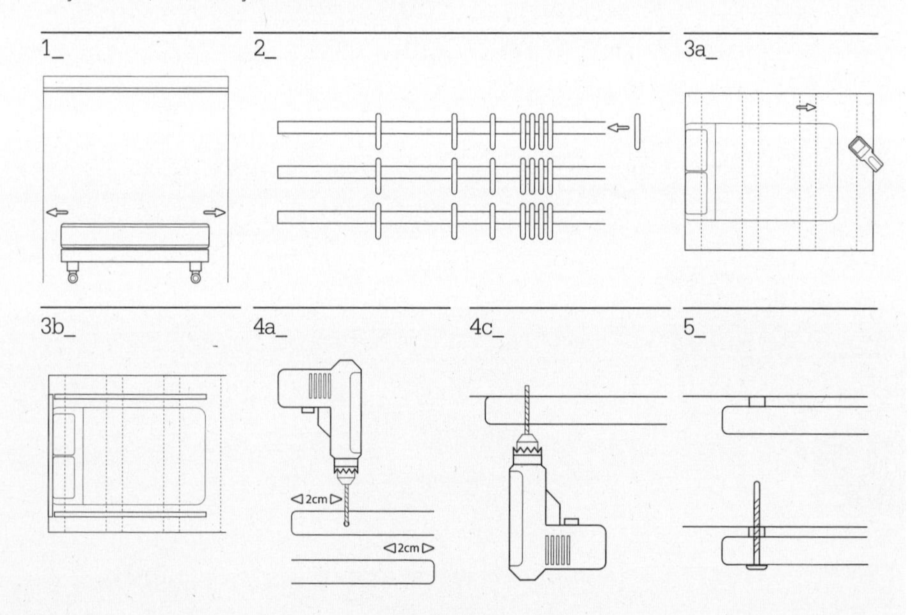

Design!

Stanker Design
Motxo

Denkt man an Pariser Chic, kommen einem recycelte Ölfässer nicht gerade als Erstes in den Sinn; diese verwendet der französische Designer François Royer jedoch schon seit 2003, als er noch in Paris arbeitete, für seine Beistelltische. Als ökologisch engagierter Künstler entwirft Royer all seine Unikate entsprechend seinem Grundsatz, Materialien zu recyceln und ökonomisch zu verwenden. Mittlerweile ist er nach Südfrankreich umgezogen und kreiert in der Tradition der Ölfässer Stühle aus ausgemusterten Einkaufswagen, einen Lampentisch aus einer alten Waschmaschinentrommel und Stifthalter aus Malerrollen-Abstreifgittern.

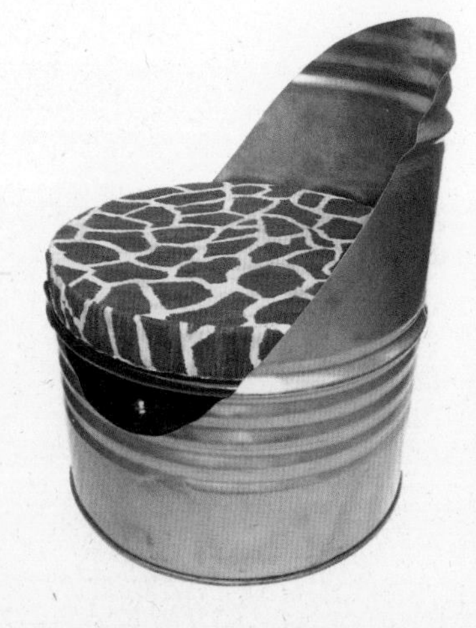

Design!

Jens Fager
RAW

Der schwedische Designer Jens Fager kam schlagartig zu internationalem Ruhm, als er – frisch von der Hochschule kommend – eine Serie von Stühlen, Tischen und Leuchtern für Tommy Myllymäkis Restaurant in Julita Gård, Sörmland, entwarf. Die ursprünglich *Grovhugget* (rustikal) getauften Möbel werden mit der Bandsäge aus Kiefernholz gesägt, die groben Oberflächen lackiert. Ihre Form ist von der Struktur naiver Cartoonzeichnungen inspiriert. Später wurde die Serie von der schwedischen Firma MUUTO produziert.

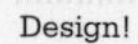

Design!

Amy Hunting
Patchwork Furniture

Die in London lebende Norwegerin Amy Hunting ist Designerin und Illustratorin. Ihre 2008 aufgelegte Serie *Patchwork Furniture* besteht aus Holzabfällen und Verschnitt aus dänischen Fabriken. Die Holzstücke werden zusammengeleimt und zu neuen Teilen für Stühle, Ablagen und eine Serie von zwölf Lampen gefräst. Bei der Herstellung kommen keine Schrauben zum Einsatz, sodass die Stücke leicht zu recyceln sind, falls jemandem tatsächlich irgendwann der Sinn danach stehen sollte.

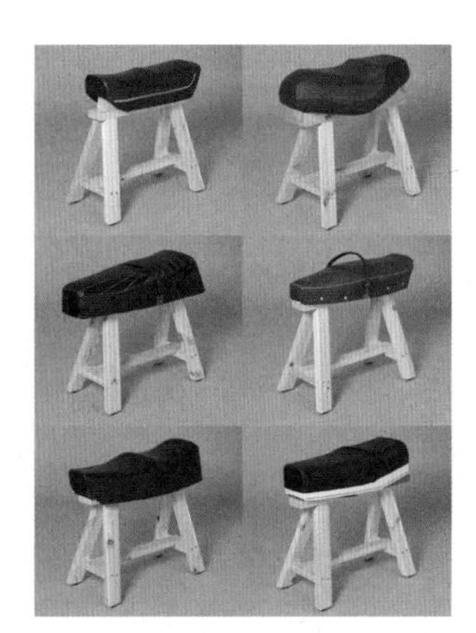

Design!

Emiliana Design
Vespa Cavallet

Ana Mir und Emili Padrós lernten einander 1992 während ihres Industriedesignstudiums am Londoner Central Saint Martins College of Art and Design kennen. Vier Jahre später richteten sie ihr Studio Emiliana in Barcelona ein und machten sich schon bald mit cleverem Design einen Namen. *Vespa Cavallet* ist eine Übung in Ad-hoc-Mobiliar unter Verwendung eines Rollersitzes. Mir und Padrós haben mehrere Versionen des Hockers aus diversen Motorradmarken und -baujahren entworfen. Dabei wurde die Basis aus Kiefernholz dem jeweiligen Sitz individuell angepasst.

-- Runde Sache --

Das Rad ist vermutlich die wichtigste Erfindung aller Zeiten – ohne es gäbe es keine Reifenschaukeln. Besorgen Sie sich einen runderneuerten Reifen (Lkw-Reifen für Erwachsene, Pkw-Reifen für Kinder), ein dickes Seil oder eine Kette und suchen Sie sich einen kräftigen Baum mit einem Ast, der das Gewicht von Mensch und Reifen tragen kann. Schön ist ein Standort neben einem Teich, einem See oder einem Wasserlauf. Befestigen Sie ein Ende des Seils am Reifen und das andere am Ast und achten Sie vor der ersten Benutzung darauf, dass die Knoten das Gewicht und die Bewegung aushalten.

-- Flechtwerk --

Hier ist eine innovative Möglichkeit, den Bezug eines alten Sitzpolsters durch Ledergürtel zu ersetzen. Die Gürtel müssen eng miteinander verflochten und unter der Sitzfläche verschlossen werden. Stechen Sie bei Bedarf mit einem Hobbymesser oder einer Ahle neue Löcher und schneiden Sie überstehendes Leder ab.

-- Solide Federung --

Während erfahrene Bastler immer wieder gern zu Fahrradteilen greifen und auch Autoteile vom Schrottplatz vielfältige Verwendung finden, werden Gebrauchtteile von Nutzfahrzeugen regelmäßig übersehen. Dabei kann beispielsweise eine gebrauchte Lkw-Feder genau die richtige Basis für einen federnden Hocker sein. Man sollte nur wissen, wo man suchen muss: Auf dem Schrottplatz und bei Autoverwertern findet sich eigentlich immer etwas Passendes.

-- Klappsitz mal anders --

Ein alter Hartschalenkoffer lässt sich mit einer ordentlichen Polsterung in beiden Schalen gut zu einem leichten und transportablen Picknick- oder Spielstuhl umfunktionieren. Bringen Sie an den Seiten zwischen Boden und Deckel Packgurte an, damit der Koffersessel im rechten Winkel geöffnet bleibt und ansonsten leicht wegzupacken ist.

Design!

Refunc.nl
Tyre Furniture

Anstatt von einem Design auszugehen, improvisiert das niederländische Büro Refunc lieber Lösungen für existierende Probleme mithilfe der vor Ort verfügbaren Abfallmaterialien. Diese Sitzgelegenheit aus Autoreifen im südafrikanischen Durban war beispielsweise die Reaktion der Designer auf „die schlimmsten Bushaltestellen, die wir je gesehen hatten“. Aus 5000 brandneuen Reifen, die wegen Produktionsfehlern unbrauchbar waren, entstand eine Reihe Sessel. Für die Biennale in Venedig bauten sie später eine weitere Sitzinstallation aus Autoreifen; diese Reifen mussten sie allerdings gegen Bootsbesitzer verteidigen, die sie als Fender haben wollten.

SCHRITT FÜR SCHRITT

Gemütlich abhängen

Eine Hängematte hat einen ausgesprochen romantischen Touch. Sie ist leicht anzufertigen und ungemein gemütlich, wenn man beim Nickerchen im heimischen Garten von Kokospalmen und weißem Sand träumt. Sie lässt sich hervorragend verstauen und leicht waschen, und man kann sie sowohl in der Wohnung (am besten vor einem Fenster mit einer schönen Aussicht) als auch draußen aufhängen. Denken Sie daran, dass man leicht rausfallen kann – suchen Sie den Standort also klug aus und überprüfen Sie alle Knoten, bevor Sie Ihrer Konstruktion Ihr volles Gewicht anvertrauen.

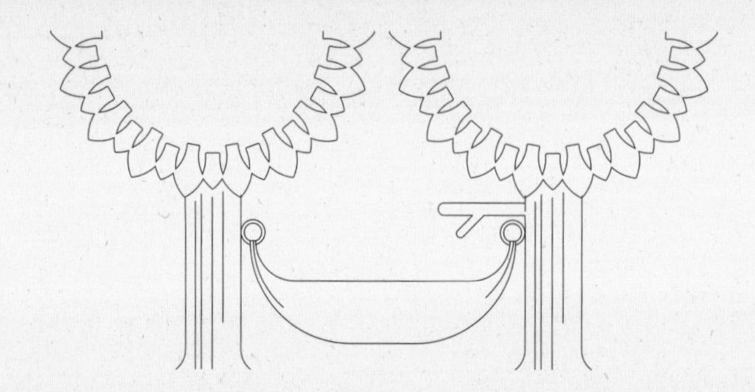

Sie brauchen:

_ 1 großes Laken oder 1 großes Stück stabilen Stoff, etwa Segeltuch (ca. 3,5 m lang). Soll die Hängematte draußen hängen, empfiehlt sich witterungsbeständiger Stoff.
_ Nähmaschine und starkes Garn
_ 2 Dübelhölzer (2 cm x 1,5 m)
_ 6 Ringschrauben (à 5 cm)
_ 6 gleich lange Stücke Kletterseil (oder anderes Seil, das geeignet ist, das Gewicht eines Menschen zu tragen). Die Länge hängt davon ab, wie weit die Stützen auseinanderstehen; Sie brauchen 3 für jede Seite.
_ Leitungssucher (für Wände im Haus)
_ 2 große Ringschrauben mit Dübeln
_ Bäume oder Mauern (idealerweise mit 3–5 m Abstand)

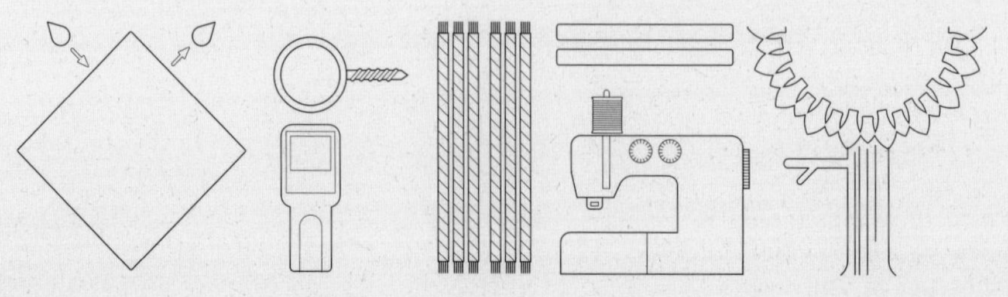

1_ Schlagen Sie an den beiden Enden des Tuchs je 5 cm Stoff um und nähen Sie mit Nähmaschine und starkem Garn zwei Umschläge, in die Sie die Dübelhölzer schieben.

2_ Drehen Sie in jedes Dübelholz in gleichmäßigem Abstand drei Ringschrauben.

3_ Befestigen Sie an jeder Ringschraube ein Stück Seil mit einem Palstek (siehe Schritt 6) oder einem Rundtörn mit zwei halben Schlägen.

4_ Verflechten Sie die Seile an beiden Enden der Hängematte.

5_ Dübeln oder schrauben Sie die großen Ringschrauben in Mauern oder Bäume und spannen Sie die Hängematte auf.

6_ Befestigen Sie die verflochtenen Seile jeweils mit einem Palstek oder einem Achterknoten an den Ringen.

1_

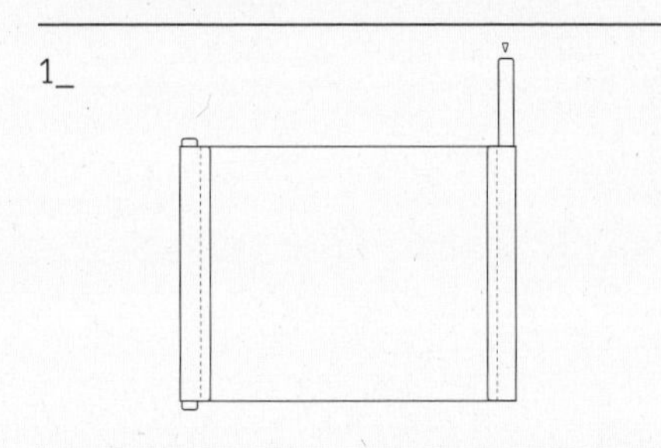

2_

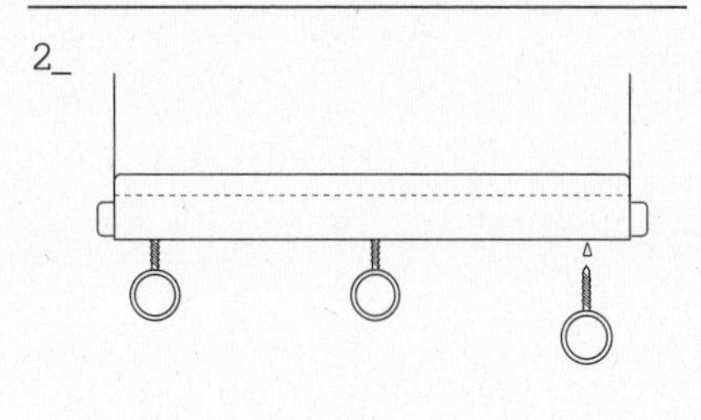

3_

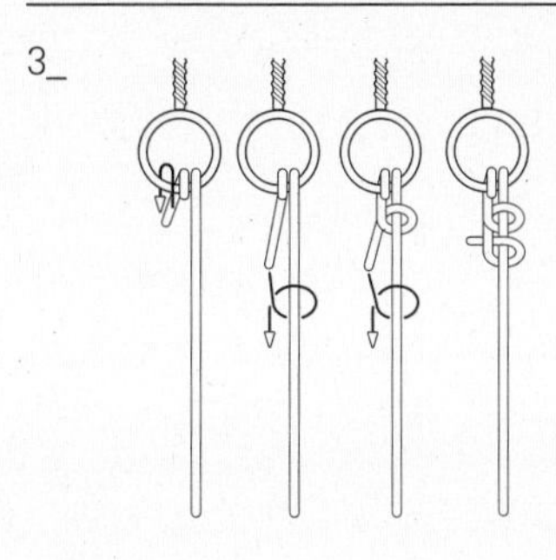

4_

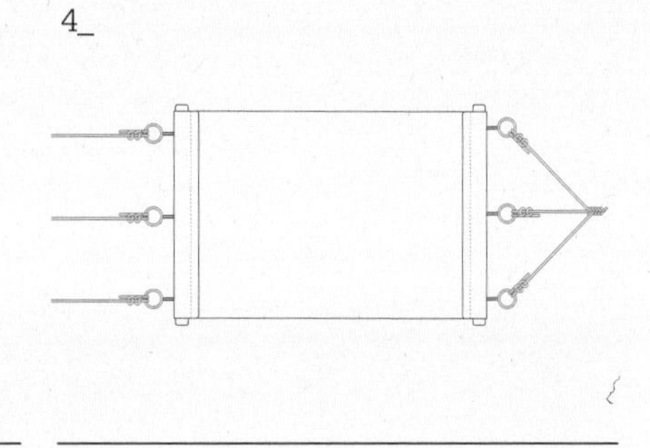

5_

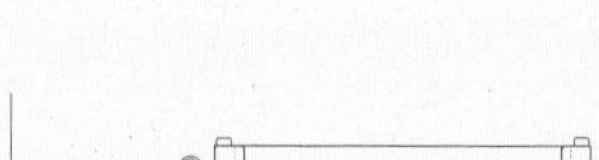

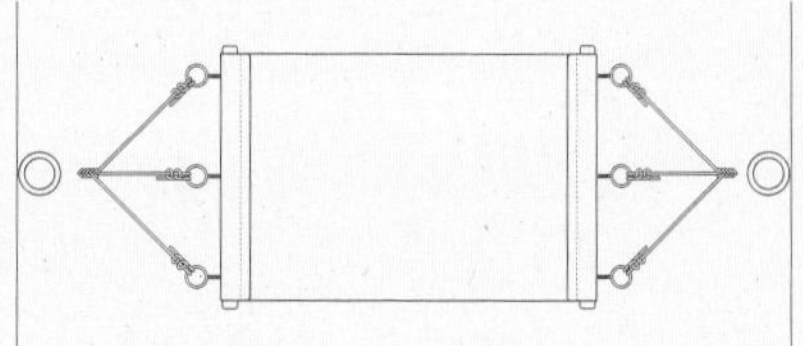

6_

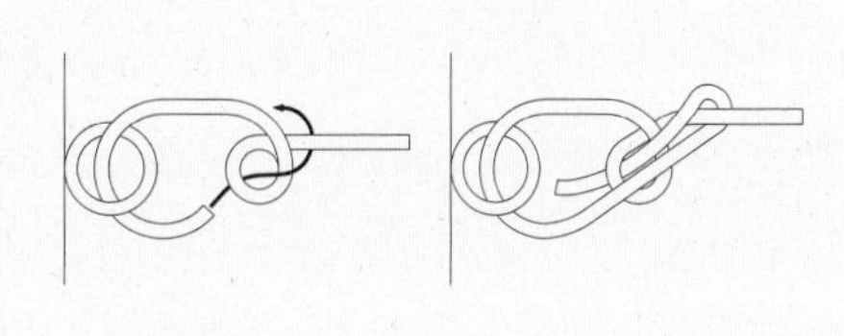

Design!

&made
Lost & Found

Die Serie *Lost & Found* des britischen Designerduos &made besteht aus ausgemusterten „Fundmöbeln“, die schnell und schlicht mit etwas Farbe und wiederverwendetem Holz umgestaltet wurden.

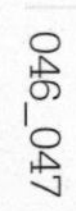

Design!

Ineke Hans
Fracture

Die Serie *Fracture* (Bruch) der niederländischen Designerin Ineke Hans bezieht ihre Inspiration aus gebrochenen Gliedern und nutzt den traditionellen Gipsverband als strukturgebendes Material.

Design!

Frank Willems
Madam Rubens

Matratzen gehören zu den maschinell am schwierigsten zu recycelnden Gegenständen, weil sie unvermeidlich Schredder verstopfen, und bereiten den Ingenieuren deshalb schlaflose Nächte. Mit seiner kurvenreichen Kollektion *Madam Rubens* rettet der niederländische Designer Frank Willems alte Matratzen vor dem Reißwolf und schnürt sie auf antike Stühle, bevor er das ganze Bündel mit wasserfestem Schaum überzieht und anstreicht.

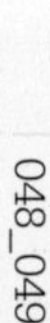

Design!

Anarchitect
Seamless

Das britische Architektur- und Designbüro Anarchitect feierte 2004 mit seiner Möbelserie *Seamless* große Erfolge. Für eine Neubewertung des Konzepts der Polstermöbel wurde gebrauchten und „gefundenen“ Gegenständen mit einem nahtlosen Kunststoffüberzug neues Leben eingehaucht. Ein Tauchbad in Latex modernisierte die Möbel nicht nur, sondern machte sie auch wasserfest.

Design!

Studiomama
Pallet Furniture

Die Designerin Nina Tolstrup studierte am Institut Les Ateliers in Paris Industriedesign, bevor sie in London Studiomania eröffnete. Das Palettenprojekt war ein Auftrag für eine Handelsmesse und wurde zum großen Erfolg. Anstatt aber die Möbel selbst zu bauen, verkauft Nina Tolstrup lieber die Bauanleitungen für die ganze Serie über ihre Website. Der *Pallet Chair* besteht aus zwei Paletten und 50 Schrauben. Für die Stehlampe benötigt man nur eine Palette, 15 Schrauben, eine Mutter, etwas gebrauchtes Kabel und eine Lampenfassung.

Design!

Raw Nerve
Life is Suite

Life is Suite ist eine Polstermöbelserie der Grafikdesigner von Raw Nerve, die die Erinnerungen und Vorstellungen ihrer Kunden in maßgeschneiderte Grafiken umwandeln und dann auf ein altes Lieblingssofa übertragen. Die Idee entstand, als die Kreativköpfe ein altes, heruntergekommenes Sofa fanden. Zurück im Studio, fantasierten die Designer, was das offensichtlich geliebte Sofa wohl in seinem langen Leben so alles erlebt haben mochte. Es war vielleicht die Burg eines Kindes gewesen, hatte zwei junge Liebende beherbergt oder war möglicherweise Zeuge der Tragödie einer gescheiterten Ehe – am Ende wurde man sogar etwas sentimental … Raw Nerve verwendet gern gebrauchte Geschirrtücher und Küchenschürzen als Bezug.

Design!

Majid Asif
Arm Chair

Majid Asifs *Arm Chair* gilt als Reinkarnation der alten Kunst der Papiermascheetechnik und besteht aus 120 Lagen Zeitungspapier über einer aufblasbaren Form. Jedes Möbel ist ein Unikat, dessen Oberfläche je nach Papier unterschiedlich ausfällt, aber Form und Größe des Sessels sind immer identisch.

SCHRITT FÜR SCHRITT

Gut gepolstert

Mit der Magie des Polstererhandwerks lässt sich der unattraktive Beistelltisch in einen schönen und gemütlichen Fußhocker verwandeln. Je nach den Ausgangsmaterialien kann man so auch eine Polsterbank für die Diele oder das Fußende des Betts anfertigen.

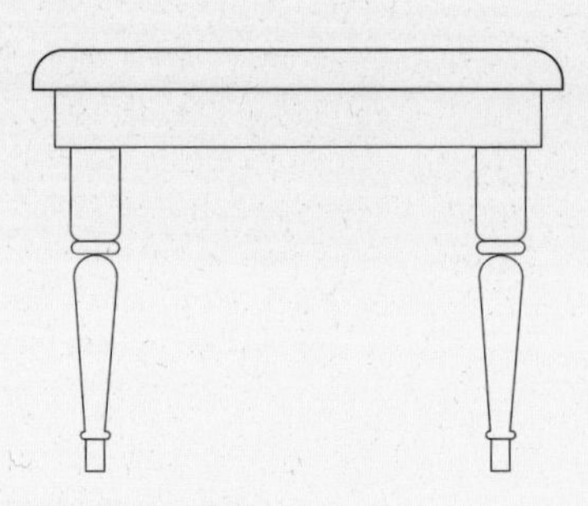

Sie brauchen:

_ 1 alten Beistelltisch (sorgen Sie nur dafür, dass Ihre Urgroßmutter sich nicht im Grab umdreht, weil Sie ein Familienerbstück umbauen)
_ Schleifpapier, Grundierung und Lack (optional)
_ Schaumstoff (ca. 7 cm dick, je 2,5 cm länger und breiter als die Tischplatte)
_ elektrisches oder herkömmliches Sägemesser
_ Sprühkleber
_ Schere
_ Textilwatte
_ Tacker und Tackerklammern
_ Schlitzschraubendreher zum Entfernen der Klammern (für den Notfall)
_ Polsterstoff

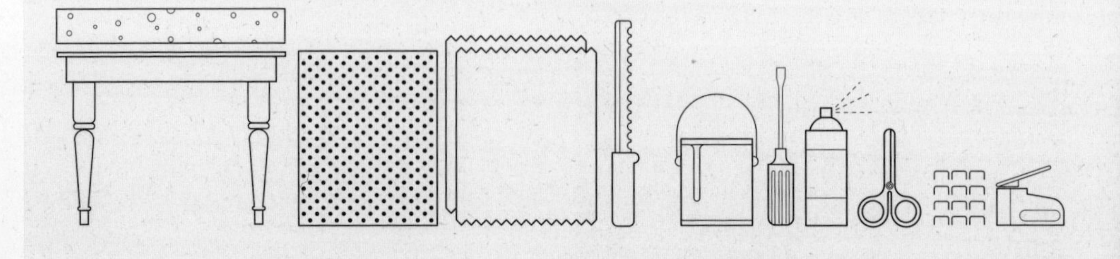

1_ Schleifen und streichen Sie den Tisch nach Wunsch. Wenn er in schlechtem Zustand ist, müssen Sie ihn leicht anschleifen und grundieren. Bei Bedarf können Sie auch die Beine etwas kürzen.

2_ Legen Sie den Schaumstoff flach auf der Arbeitsfläche oder dem Boden aus und stellen Sie den Tisch kopfüber darauf. Zeichnen Sie den Umriss der Tischplatte mit 2,5 cm Zugabe an.

3_ Schneiden Sie den Schaumstoff mit dem Sägemesser (mit der Klinge im rechten Winkel) zu.

4_ Besprühen Sie die Unterseite des Schaumstoffs mit Kleber und kleben Sie ihn auf die Tischplatte.

5_ Schneiden Sie die Textilwatte so zu, dass sie mit 6 cm Überhang auf den Schaumstoff passt. Tackern Sie sie fest. Auf einer rechteckigen oder quadratischen Platte beginnen Sie in der Mitte jeder Seite und enden 6 cm vor jeder Ecke. Dadurch können Sie die Ecken so behandeln, wie man ein Laken um die Ecken einer Matratze legt: falten, unterstecken und straff ziehen. Dann können Sie sie festtackern.

6_ Ziehen Sie den Polsterstoff über die Polsterung und tackern Sie ihn fest. Schneiden Sie zum Abschluss den überstehenden Stoff sauber ab.

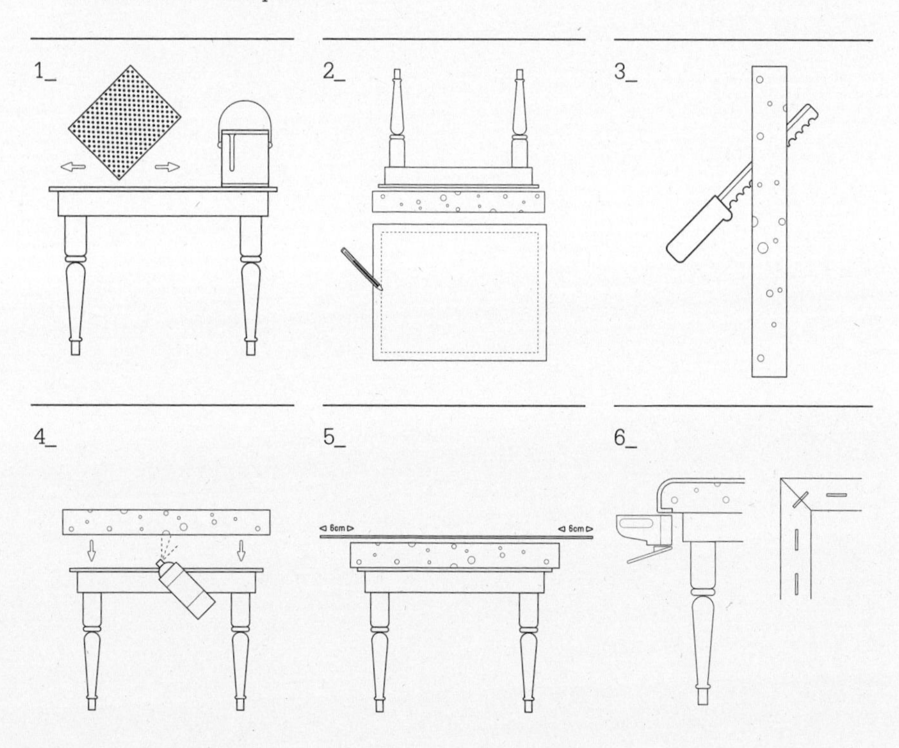

AUFBEWAHRUNG

Kästen, Schubladen, Stehsammler, Haken,
Konserven, Töpfe, Stangen und Regale

02

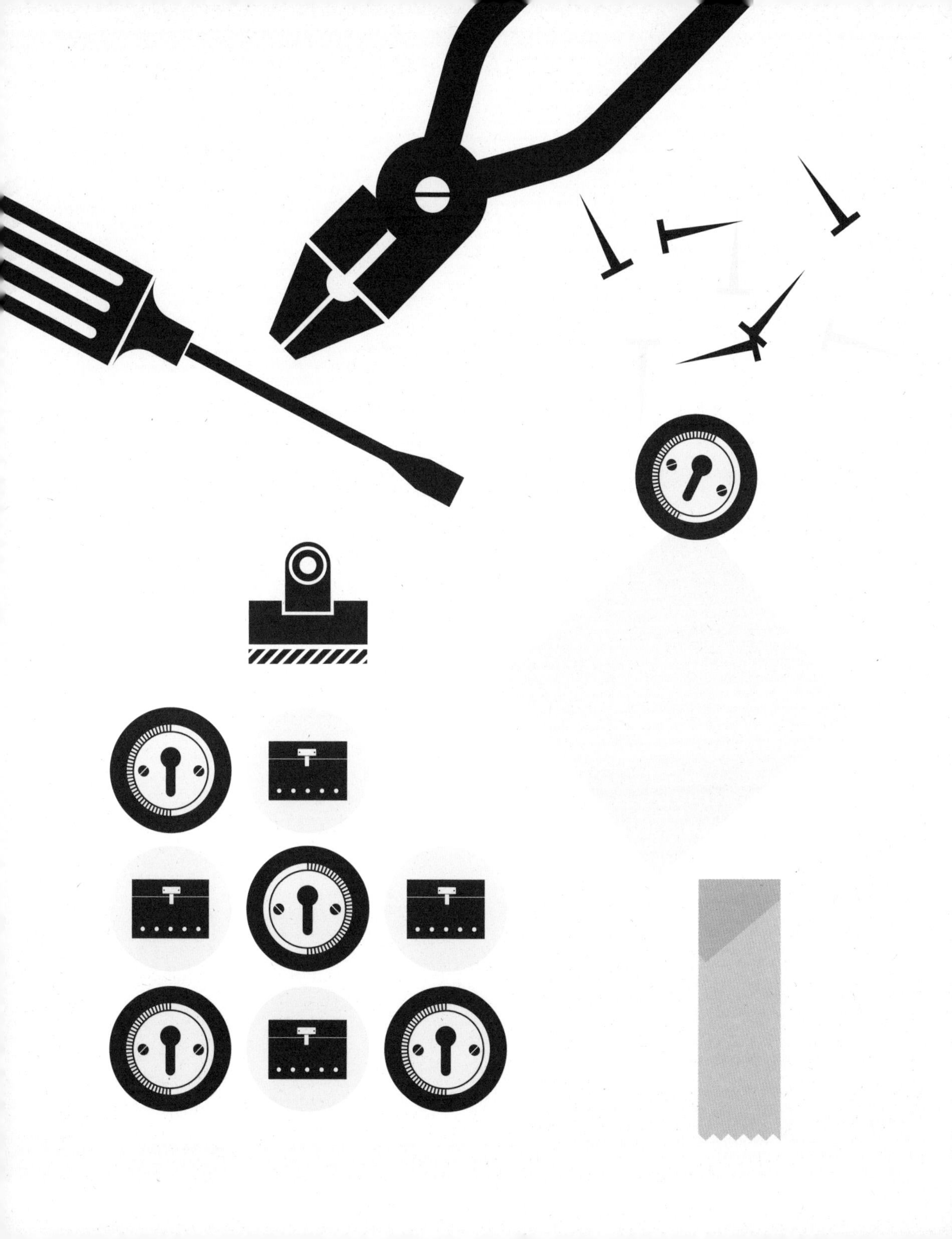

-- Gut sortiert --

Sie sehen vielleicht nicht immer besonders schick aus, lassen sich aber ganz einfach dekorieren: Tetrapaks von Milch, Säften oder Soßen sind praktisch, um Kleinteile zu sortieren oder im Regal zu lagern. Gründlich auswaschen und trocknen lassen, dann kann man Nüsse, Körner, Perlen, Bänder, aber auch Schrauben, Muttern oder andere Kleinteile darin aufbewahren.

-- Falten, stopfen, fertig --

Plastiktüten sind frei herumfliegend eine Plage in jedem Haushalt. In große Schraubgläser (zum Beispiel alte Marmeladengläser) gestopft, lassen Sie sich überall dort aufgewahren, wo sie nützlich sein könnten – etwa im Handschuhfach im Auto, unter der Küchenspüle oder im Bad.

-- Tic-Taktik --

Um Kleinkram wie Samen, Perlen, Pailletten oder Pillen aufzubewahren, bieten sich die kleinen Kunststoffbehälter atemerfrischender Minzdragees an. Durch ihre rechteckige Form lassen sie sich zudem platzsparend in größeren Behältern verstauen.

-- Alter Kasten --

Die inzwischen überflüssigen Plexiglaskästen für Floppy Discs werden vielleicht irgendwann wertvolle Sammlerstücke; sehr wahrscheinlich ist das aber nicht. Einstweilen haben sie die ideale Größe, um als „Karteikästen" für Pflanzensamenbriefchen zu dienen. Alphabetisch oder nach Jahreszeiten sortiert, sind diese in den wasserdichten Behältern zudem geschützt.

Design!

Boym Partners
Tin Man Canisters

Auch wenn es sich hier nicht um wiederverwendete Konservendosen handelt, so verkörpert die Serie *Tin Man Canisters*, zu der Boym Partners Alessi bewegen konnte, doch den Geist des Recyclings. Die Dosen sind zwar mit stärker glänzender Oberfläche produziert, als von Boym Partners ursprünglich intendiert, dennoch wurde das Endprodukt zur Designikone. Die Boyms betonten damit die strukturelle Stabilität und die taktile Qualität dieses universellen Produkts; als Verbesserung fügten sie nur einen kleinen Deckel hinzu. Ähnlich zelebriert der Entwurf eines Gewürzregals für Droog Design aus dem Jahr 1998 die schlichte Form des einfachen Marmeladenglases.

Design!

Jorre Van Ast
Jar Tops

Mit diesen Schraubdeckeln aus Kunststoff lassen sich handelsübliche Konservengläser im Handumdrehen in unzählige praktische Behälter verwandeln, wie Zuckerstreuer, Gewürzdose, Milchkännchen, Schokoladenstreuer, Trinkbecher, Wasserkanne, Essig- und Ölspender. Mit einem der Deckel wird das Glas schlicht zur Aufbewahrungsdose. So wirkt die Küche des geübten Hobbybastlers gleich viel ordentlicher.

-- Strumpfrollen --

In alten Strumpfhosen mit Laufmaschen lassen sich Poster oder Geschenkpapierrollen aufbewahren, ohne dass sie verstauben oder Knicke bekommen. Einfach die Hose über einen Bügel hängen und jedes Bein mit mehreren Rollen füllen.

-- Dank dem edlen Spender --

Die Kunststoffspender für Babypflegetücher können hervorragend als Spender für Papiertücher wiederverwendet werden. Sie sind besonders dort praktisch, wo die üblichen Kartonspender Feuchtigkeit ziehen, wie etwa im Badezimmer.

-- Genuss unter Verschluss --

Die stabilen, wiederverschließbaren Behälter von Speiseeis sind ideale Gefrierdosen oder Frühstücksboxen, eignen sich aber auch als schützende Aufbewahrung für die Erste-Hilfe-Ausstattung in Küche oder Badezimmer.

-- Brett vorm Kopf --

Wenn Ihnen das alte Kopfbrett des Betts zwar noch gefällt, aber eben nicht am Bett, lässt es sich ganz leicht in ein dekoratives Bord verwandeln. Sägen Sie es einfach waagerecht in der Mitte durch, schrauben Sie die beiden Teile mit passenden Winkeln aneinander und streichen Sie sie passend zum übrigen Raum an.

-- Der volle Durchblick --

In einer Klarsichthülle am Kühlschrank hat man Gutscheine, Eintrittskarten oder auch Quittungen immer im Blick. Dies funktioniert übrigens auch mit einer alten CD-Hülle: Den Deckel etwa im 30-Grad-Winkel öffnen, mit Klebeband fixieren, die seitlichen Öffnungen mit Stoff oder Geschenkpapier überspannen und das Ganze mit auf die Rückseite geklebten Magneten am Kühlschrank befestigen.

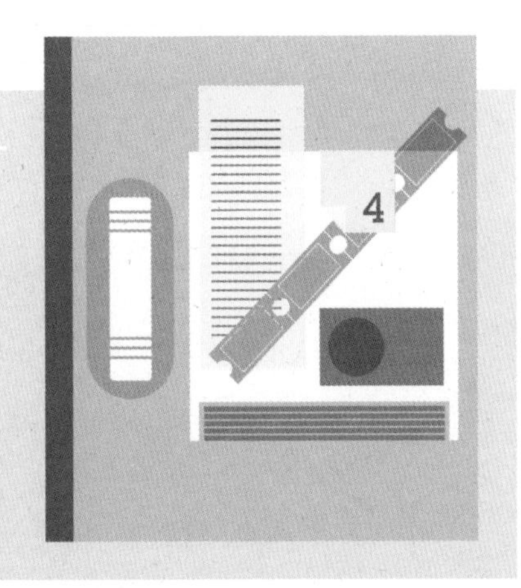

-- Schirmherrschaft --

Regenschirme und ihre Hüllen führen häufig ein getrenntes Leben, und oft überleben die Hüllen noch lange, obwohl die Schirme längst kaputt sind. Sie eignen sich prima zum Verstauen von Stoffeinkaufstaschen; diese bleiben dann auch in Handtasche oder Aktenkoffer an Ort und Stelle.

-- Spendebereit --

Leere Spenderkartons von Papiertüchern lassen sich als Spender für Abfallbeutel wiederverwenden. Erstens wickeln sich die Abfallbeutelrollen darin nicht so schnell ab, und zweitens findet man beim Herausziehen die Perforation schneller. Die Kartons sind aber auch praktisch, um darin Plastiktüten aufzubewahren.

-- Kräutermedizin --

Wer kommt heute noch regelmäßig auf den Wochenmarkt? Ein kleiner Küchenkräutergarten lässt sich aber auch in der Küche anlegen. Man schneidet mit dem Küchenmesser die oberen zwei Drittel von den leeren Milchkartons weg, sticht ein paar Löcher in den Boden, damit das Wasser ablaufen kann, füllt die Kartons mit Erde und sät dann Kräuter wie Petersilie, Schnittlauch, Salbei, Rosmarin oder Thymian aus.

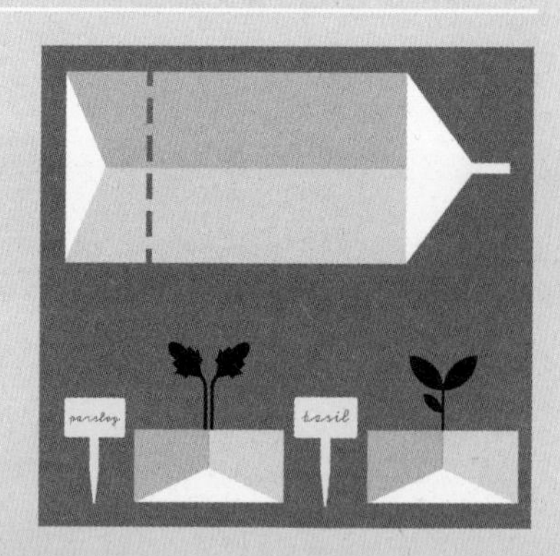

-- Runde Sache --

Die runden Kartonboxen, in denen viele Whiskys verkauft werden, eignen sich gut zum Aufbewahren von Stricknadeln. Wenn Sie von den Boxen die obere Hälfte abschneiden, können Sie auch Küchenutensilien darin aufbewahren. Bitte leeren Sie aber nicht Ihre ganze Whiskyflasche auf einmal, nur um an den Karton zu kommen – denn das kann böse enden.

Design!

Tim Brown
Idea* Cardboard Products

Tim Browns *Idea** besteht aus einer Reihe von Kartons, die zwar wie Produktverpackungen aussehen, es aber nicht sind. Stattdessen stellen sie einen interessanten Kommentar zum geringschätzigen Umgang der Menschen mit Verpackungsmaterial dar. Hier ist der Karton selbst das Produkt. Auseinandergenommen und umgekehrt wieder zusammengesetzt, wird er zum Möbel.

SCHRITT FÜR SCHRITT

Stehsammler

Dinge produktiv auf die lange Bank zu schieben will gelernt sein. Am häufigsten nehmen wir als Übersprungshandlung kleine Snacks zu uns, machen die Ablage und pflegen soziale Netzwerke. Dies alles lässt sich nun sinnvoll verbinden: Essen Sie alle Cornflakes auf, basteln Sie aus den Kartons Stehsammler und verschenken Sie diese an ihre Facebook-Freunde.

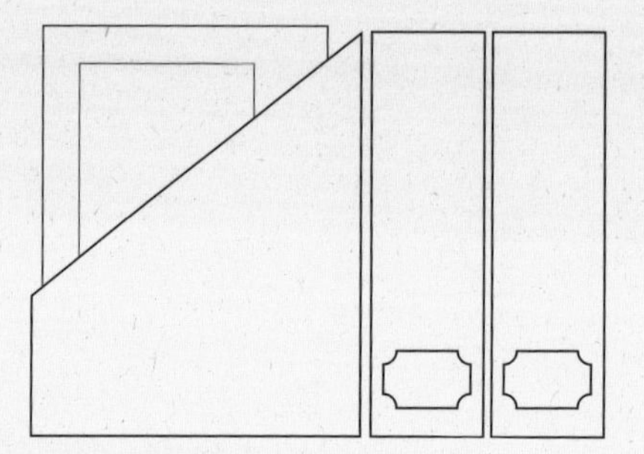

Sie brauchen:

_ leere Kartons von Frühstücksflocken (groß genug für Zeitschriften)
_ Stift und Lineal
_ Teppichmesser
_ dickere Pappe zur Verstärkung
_ Klebstoff oder Klebeband
_ Etiketten und dekorative Motive (optional)

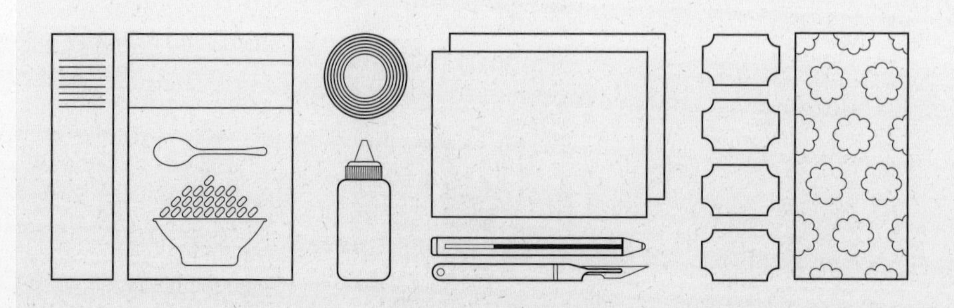

1_ Je nachdem, wie der fertige Stehsammler aussehen soll, können Sie den Karton so belassen oder ihn auseinandernehmen und die schlichte braune Innenseite als Außenseite verwenden.

2_ Stehsammler auf dem Karton anzeichnen, wie abgebildet.

3_ Die Form entlang der Linien mit dem Teppichmesser zuschneiden.

4_ Wollen Sie Schweres wie Magazine oder Kataloge darin aufbewahren, sollten Sie den Stehsammler verstärken: Schneiden Sie identische Stücke aus festem Karton zu und kleben Sie sie auf die Innenseite des Kartons. Abschließend können Sie die Außenseite nach Wunsch verzieren.

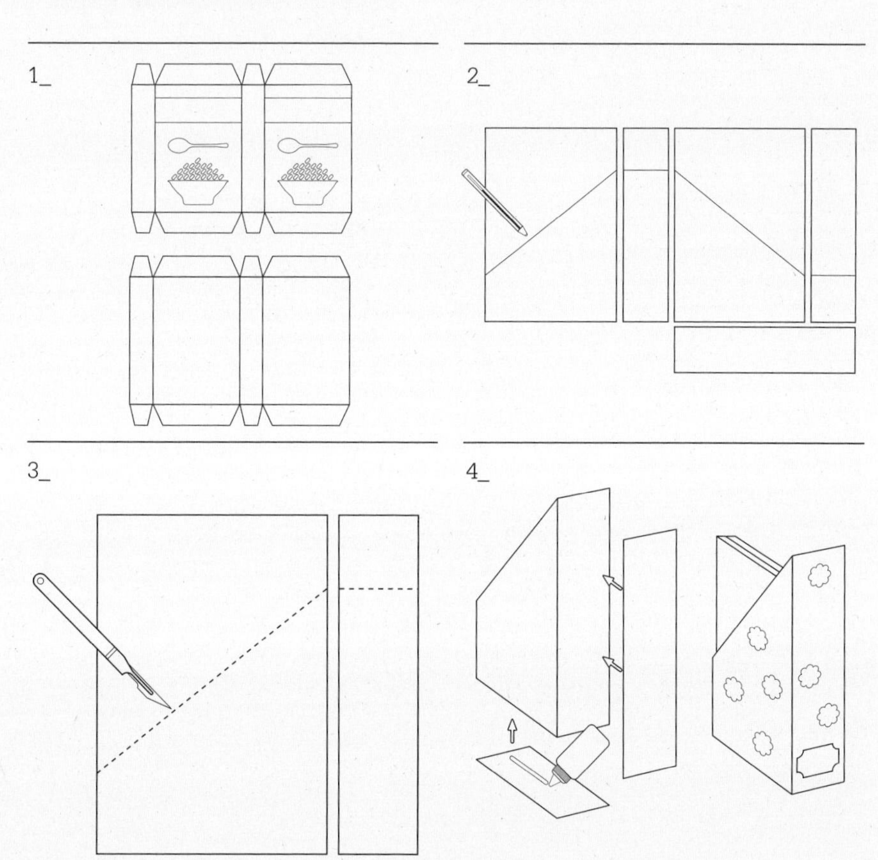

-- Popeye ohne Spinat --

Popeyes geliebter Spinat wurde als Kraftnahrung bei Bodybuildern vom Proteinpulver verdrängt. Aber was macht man mit den riesigen Dosen, wenn dieses aufgebraucht ist? Man füllt sie mit Sand und befestigt oben am Deckel einen Riemen – und schon hat man eine Kettlebell-Kugelhantel. Alternativ kann man die großen Dosen in Gegenden mit extremem Wetter als Survivalpaket nutzen. Für jede Person füllt man eine Dose mit haltbarer Fertignahrung: drei Frühstücke, drei Mittagessen und drei Abendessen. Damit überlebt man zumindest so lange, bis der nächste Superheld (oder ein Rettungswagen) kommt. Als alltägliche Überlebenshilfe lässt sich der Behälter auch zur Keksdose umfunktionieren.

-- Untertassen-Ordnung --

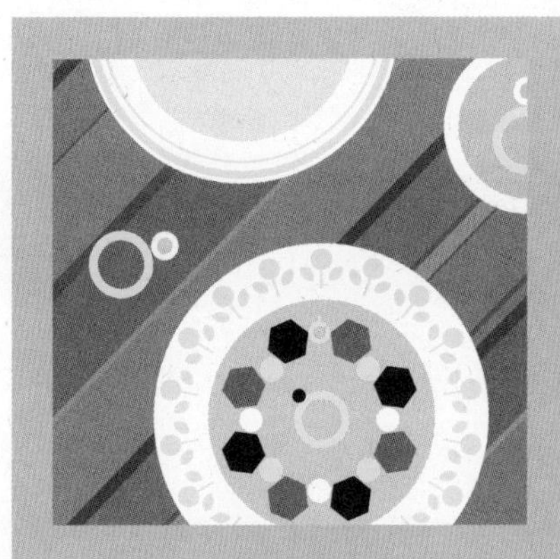

Ketten und anderer Schmuck verknoten sich nicht, wenn man ihn statt in einer Schachtel sorgfältig auf verwaiste Untertassen verteilt, die man nebeneinander in einer Schublade aufbewahrt. Legt man die Schublade vorher mit Filz oder Samt aus, rutschen die Untertassen auch nicht umher.

-- Den Wald vor lauter Bäumen ... --

Ein gut sortierter Küchenschrank bietet viele Delikatessen, überfüllt und unsortiert, ist er eher frustrierend. Das Fläschchen Lebensmittelfarbe ganz hinten findet sich viel einfacher wieder, wenn Sie Ihre Vorräte in alte Keksdosen oder Schachteln sortieren. Sie lassen sich einfach herausnehmen, machen alles überschaubar und halten den Schrank zudem sauberer, indem sie Tropfen und Krümel auffangen.

-- Hoch gestapelt --

Im Glasschrank lässt sich mit einem alten Tablett schnell ein Zwischenboden hinzufügen. Bespannen Sie das Tablett mit Wachspapier, damit die Gläser nicht rutschen oder verkratzen. Stellen Sie zunächst gleich hohe Gläser, die Sie seltener benutzen, umgekehrt in den Glasschrank. Auf die Böden dieser Gläser legen Sie das Tablett und sortieren darauf dann die Gläser ein, die häufig in Gebrauch sind.

-- Doppelt genäht hält besser --

Ein altes Einmachglas lässt sich mit einem Nadelkissen auf dem Deckel gut zum Nähkasten umfunktionieren. Den Gummi-Einmachring als Schablone verwenden, dann hat das Nadelkissen aus einem Stoffrest und einer Füllung (etwa Füllwatte oder Volumenvlies) schnell die richtige Größe für den Deckel und kann einfach draufgeklebt werden. Garnrollen, Scheren, Nadeln und Fingerhüte sind im Glas gut aufgehoben.

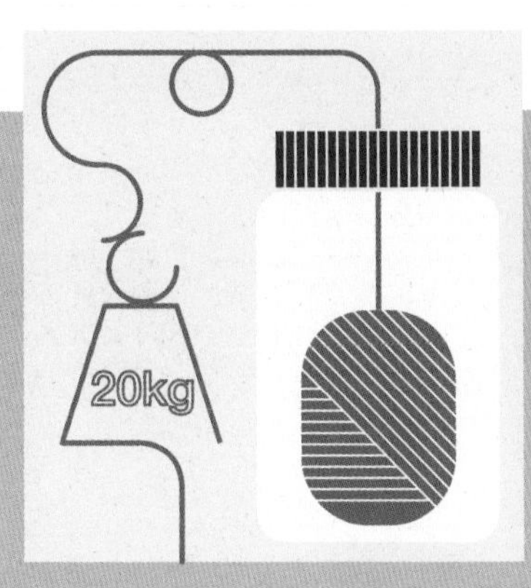

-- Unverfangen --

Wer als Bodybuilder weniger auf Überlebenstraining steht (siehe Tipp links), aber gerne mal strickt, kann die Plastikdose des Proteinpulvers auch in einen praktischen Wollknäuelbehälter verwandeln. Einfach ein Loch in den Deckel bohren und die Ränder glatt feilen, damit die Wolle nicht hängen bleibt oder durchgescheuert wird. Das Knäuel hineinlegen, die Wolle durch das Loch fädeln – und schon kann man nach Herzenslust losstricken, ohne Angst haben zu müssen, dass die Wolle sich verknäult.

-- Nachricht, Nachricht an der Wand --

Mit einem alten flachen Tablett, einem kräftigen Karton oder einem Sperrholzbrett lässt sich schnell eine Pinnwand improvisieren. Besonders dekorativ wirkt es, wenn man es zuerst mit Farbe oder Papier verschönert. Dann in einem Gittermuster mit kräftigen Gummibändern bespannen und Notizen, Urlaubsfotos oder auch den Einkaufszettel dahinterklemmen.

Design!

Studio Elmo Vermijs
Cratecupboard

Das in den Niederlanden beheimatete Studio Elmo Vermijs betätigt sich in den Disziplinen Architektur und Design, mit Spezialisierung auf objektbezogene Projekte, die sich mit der Nutzung des Raums beschäftigen. Das Regalsystem *Cratecupboard* (Kistenschrank) ist aus gebrauchten Auktionskisten, Regalteilen, Balken und Resthölzern zusammengesetzt und kann leicht auf- und abgebaut werden. Beim Umzug lassen sich die Kisten sogar als Transportbehälter benutzen.

-- Oft getragen --

Bei räumlich sehr beengt lebenden Menschen dient so mancher Regalträger gleichzeitig als Kleiderstange. Wählen Sie Ihre Wandkonsolen also mit Bedacht (mit mehreren Öffnungen durchbrochene eignen sich am besten) und montieren Sie sie dort, wo Sie Ihre Kleider hängen haben möchten. Das Regalbrett obendrauf kann für T-Shirts und Pullover genutzt werden.

-- Kisten und Kästen --

Hübsch verzierte alte Obstkisten aus Holz eignen sich zur Aufbewahrung von fast allem. Montiert man vier Möbelrollen darunter, sind sie sogar beweglich. Je nachdem, was man darin aufheben möchte, lohnt sich das Auskleiden mit zusätzlichem Holz (für mehr Stabilität), Papier (für die Hygiene) oder Kunststoff (um Verschüttetes aufzufangen).

-- Das Handtuch werfen --

Wenn die Holzleiter nicht mehr trittsicher ist, kann sie trotzdem noch einen tollen Handtuchhalter im Badezimmer abgeben. Streichen Sie sie einfach nett an und lehnen Sie sie vor der Heizung an die Wand.

-- Ab in die Kiste --

Alte Wachstuch-Tischdecken lassen sich gut zum Auskleiden von Kisten und Körben verwenden. Das Material ist robust und wasserdicht, lässt sich einfach abwaschen und muss nicht umsäumt werden. Schneiden Sie je einen Streifen in der Länge und der Breite der Kiste zu, die kreuzweise übereinander in die Kiste gelegt den Boden und die Seite bedecken und auf der Außenseite ein wenig überhängen. In die Ecken der Überhänge stanzen Sie je ein Loch und binden die Ecken dann mit einer durch die Löcher gefädelten Schnur zusammen.

Design!

Piet Hein Eek
Scrapwood Cupboards

Die *Scrapwood Cupboards* des niederländischen Möbeldesigners Piet Hein Eek, die er seit 1990 aus gefundenen Altholzmaterialien herstellt, wurden sein Markenzeichen. Seine Entwürfe, die die unterschiedlichen Oberflächen des Materials eher zelebrieren, als sie zu verstecken, bieten eine erfrischende Alternative zu den Möbeln aus Massenproduktion. Die Kollektion erweiterte sich über die Jahre und umfasst heute einzigartige Patchworkschränke, -esstische, -stühle und -sofas.

Design!

Checkland Kindleysides
1 Fournier Street

Die Timberland Boot Company engagierte die Innenarchitekturfirma Checkland Kindleysides mit der Schaffung einer ganz neuen Art von „Verkaufsraum" in einem alten Lagerhaus für Bananen. Mit dem Ziel, so wenig wie möglich umzubauen, gaben die Designer den vorhandenen Einrichtungsgegenständen neue Verwendungszwecke: Im Keller gefundene Rollregale verwandelte man zu Auslagen, und aus alten gestapelten Bananenkisten wurde im hinteren Teil des Ladens schnell ein Warenlager.

ORGANIC BANANAS
BONITA
PREMIUM BANANAS

Design!

MCDBLJ

Crates

Für eine Ausstellung mit dem Namen *Redesign Your Mind* funktionierten die Belgrader Designer MCDBLJ 2007 eine Reihe von alten Obstkisten zu einem Regal um. Die Ausstellung zeigte auch Schränke aus ehemaligen Wahlurnen.

Design!

M:OME

Doublewood Shelf

Die amerikanischen Architekten Laura Joines-Novotny und Tom di Santo gründeten mit MOMElife 2002 eine eigene Produktlinie für ihr Büro M:OME. Mit der Zielsetzung, für eine größeres Umweltbewusstsein zu werben, will das Paar „modernes Design schaffen, das seinen Daseinszweck überdenkt“. Für das *Doublewood Shelf* haben sie ungewöhnlich geformte Holzreste genutzt, die normalerweise weggeworfen würden.

-- Eiszeit --

Man muss keine Tupperware-Party besuchen, um preisgünstig an Haushaltsdosen zu kommen. Die Plastikbehälter von Eis und alte Marmeladengläser eignen sich genauso gut zum Einfrieren oder Aufbewahren von Speisen im Kühlschrank, und sie werden sozusagen gratis mit dem Produkt geliefert.

-- Hübsch eingewickelt --

So manchen bastelfreudigen Umweltschützer schmerzt es, die hübsche Zellophanfolie wegzuwerfen, in die der letzte Blumenstrauß eingewickelt war. Stattdessen hebt er sie lieber auf und macht zur Weihnachtszeit heimelige kleine Geschenktütchen für hausgemachte Plätzchen und andere Leckereien daraus. Aber bitte die Folie gut abwaschen, bevor sie für Lebensmittel genutzt wird.

-- Kleine braune Pakete --

In den braunen Tüten vom Wochenmarkt kann man Obst und Gemüse, besonders Avocados und Tomaten, prima reifen lassen, wenn man sie an einem dunklen Ort lagert. Befindet sich außerdem eine Limette oder ein reifer Apfel in der Tüte, beschleunigt das die Reifung, denn die beiden enthalten das die Reifung bewirkende Pflanzenhormon Ethylen.

-- Hängende Knollen --

Strümpfe sind sehr praktisch, um frischen Knoblauch darin zu lagern. Man lässt eine Knolle hineinfallen, macht einen Knoten und fährt so fort, bis der Strumpf voll ist. Nun kann man immer eine Knolle abschneiden. In der Küche oder der Speisekammer aufgehängt, hält sich der Knoblauch viel länger als lose im Regal oder irgendwo hinten im Kühlschrank, wo man ihn leicht vergisst.

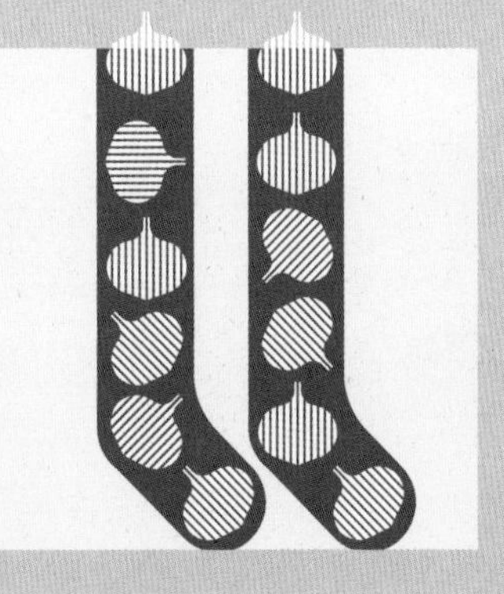

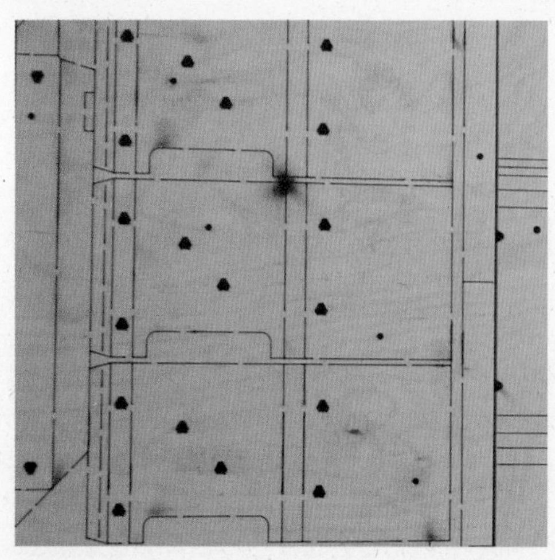

Design!

Rotor
Kitchen Units

Rotor aus Brüssel hat sich bei seinen Architektur- und Designprojekten auf die Wiederverwendung industrieller Abfallstoffe spezialisiert. Die Fronten dieser Küchenschränke bestehen aus lasergeschnittenem Sperrholz, das vorher in der industriellen Herstellung von Kartonagen als Stanzschablone für die Verpackung von Luxusgütern gedient hat.

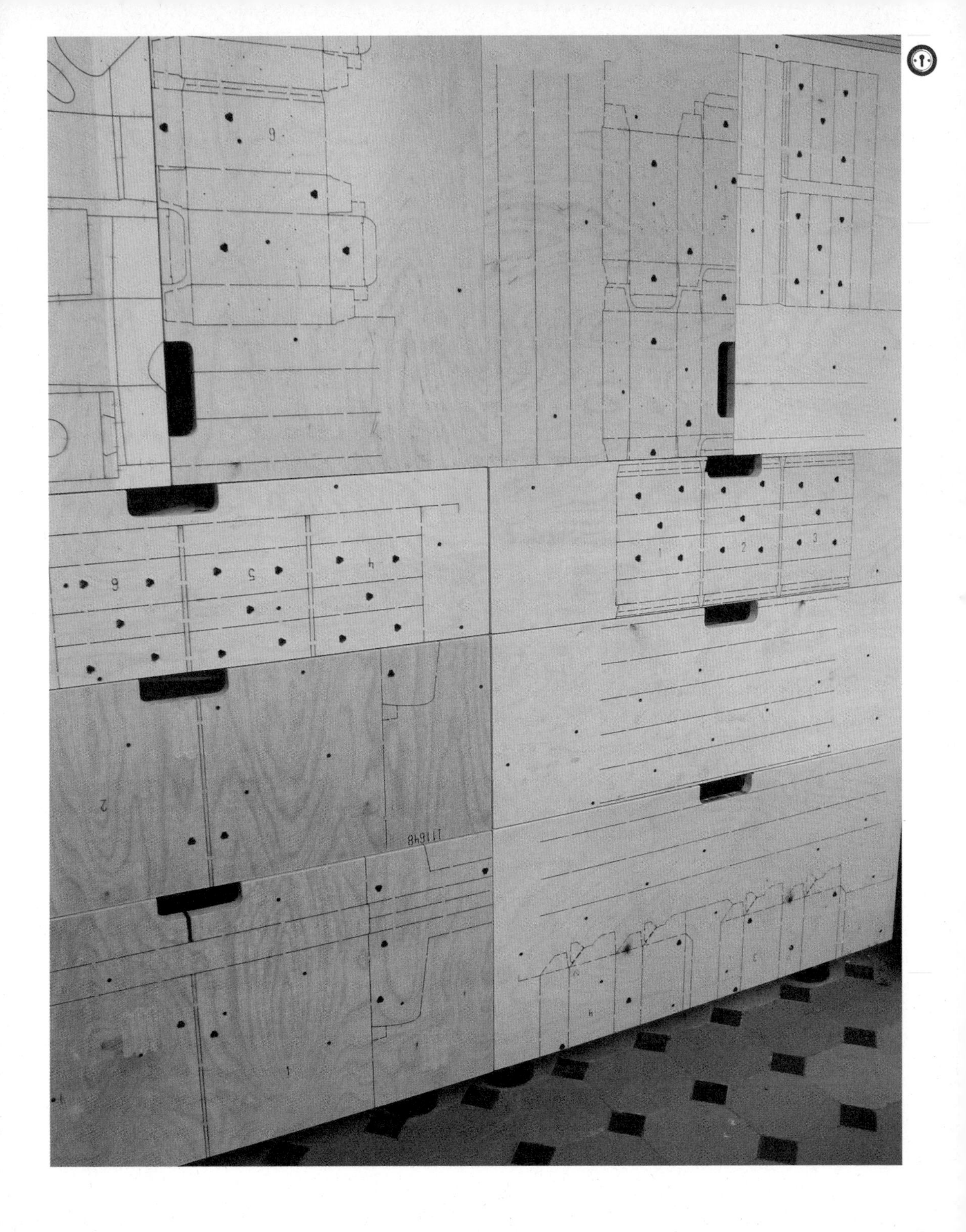

SCHRITT FÜR SCHRITT

Raus aus der Küche

Wenn Sie einen alten Küchenschrank auf dem Sperrmüll finden oder noch einen besitzen, weil die Küche gerade renoviert wurde, können Sie ihn wunderbar umfunktionieren. Man kann darin prima Spielzeug aufbewahren oder ihn auch als Rollhocker nutzen.

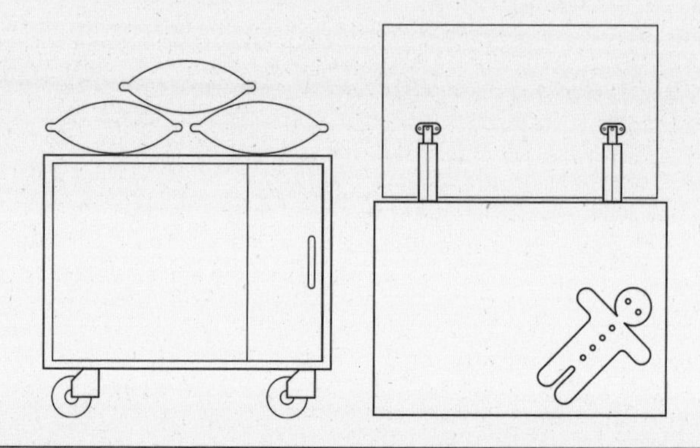

Sie brauchen:

- 1 Küchenschrank
- Schrankpapier (zum Auslegen)
- Farbe (optional, zum Anstreichen)
- Sperrholz (für Schritt 2)
- Sicherheitsscharniere (für Schritt 2)
- Schleifpapier (für Schritt 3a, zur Oberflächenbehandlung, optional)
- Kissen oder Schaumstoff und Stoff für die Polsterung (für Schritt 3b)
- Möbelrollen (für Schritt 3c, optional)
- Endknäufe von Gardinenstangen oder Ähnliches als Füße der Truhe (für Schritt 4, optional)

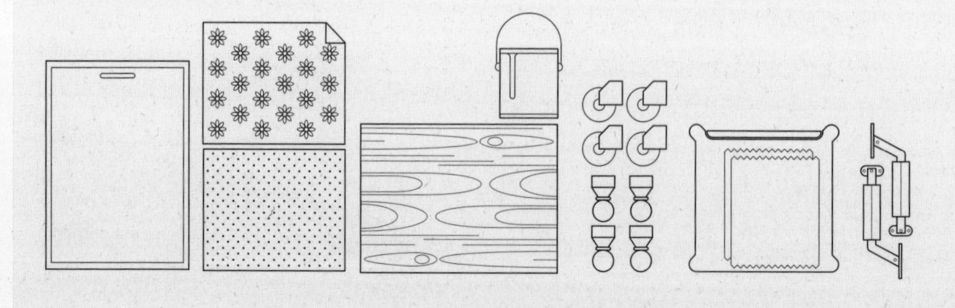

1_ Je nachdem, in welchem Zustand sich der Schrank befindet, streichen Sie ihn erst einmal an und/oder legen ihn mit Schrankpapier aus.

2_ Senkrecht an die Wand gestellt, lässt sich der Schrank in ein **Schreibpult** für ein Kind verwandeln. Schneiden Sie als Arbeitsfläche eine Sperrholzplatte so zu, dass sie größer ist als die Schrankoberseite. Befestigen Sie sie mit Scharnieren hinten an der Oberseite, sodass sie an die Wand hochgeklappt werden kann.

3a_ Für einen **Rollhocker** oder eine **Bank mit Staufach** (in denen man Spiele, DVDs oder alte Zeitschriften aufbewahren kann) legen Sie den Schrank auf die Seite und überarbeiten, falls nötig, seine Oberflächen.

3b_ Legen Sie ein paar alte Kissen als Polster darauf oder polstern Sie die Oberseite mit Schaumstoff und Stoff (siehe ausführliche Beschreibung auf S. 52–53).

3c_ Befestigen Sie Möbelrollen an der Unterseite, sodass Sie den Hocker leicht bewegen können.

4_ Wenn Sie den Schrank auf den Rücken drehen, haben Sie schnell eine **Spielzeugtruhe**. Verpassen Sie den Türen Sicherheitsscharniere, dann fallen sie nicht zu und sind kindersicher. Als hübsche Füße für die Truhe eignen sich die Endknäufe alter Gardinenstangen oder die Handläufe alter Treppengeländer.

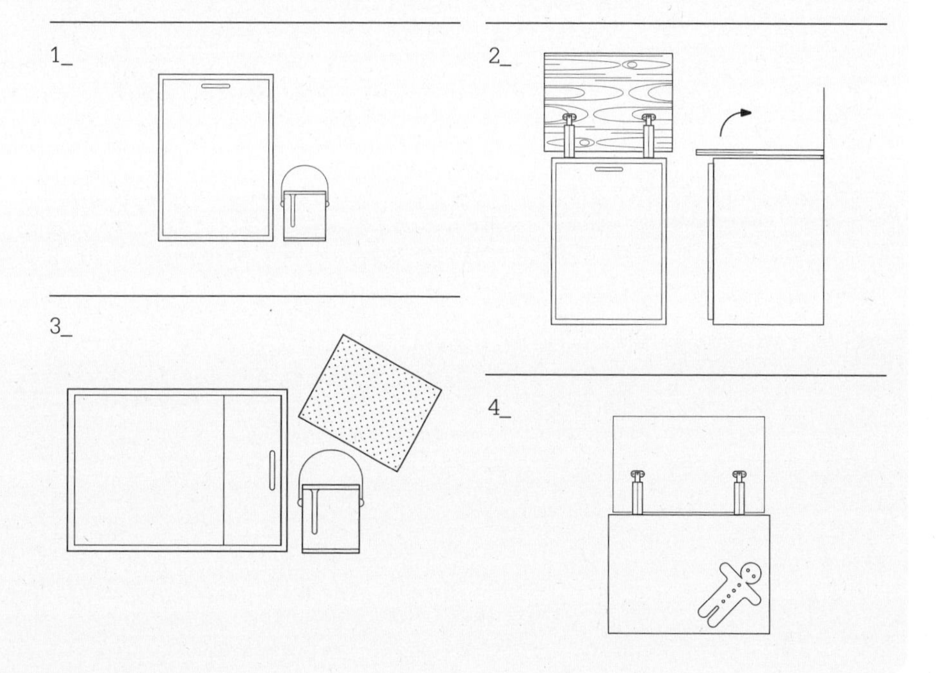

-- Schöne Ein- und Aussichten --

Fenster eröffnen den Blick in beide Richtungen. Ein attraktives Holzfenster, das nicht länger als Guckloch in die Welt benötigt wird, kann ein neues Leben als Tür für einen Schrank oder ein Regal beginnen, wenn man es an stabilen Angeln aufhängt.

-- Von CD zu WC --

Der Erfinder der CD-Spindel hätte sich bestimmt nicht träumen lassen, dass seine Kreation eines Tages einen prima Toilettenpapierhalter abgeben würde. Unter Umständen müssen Sie ein paar Schnitte anbringen; den durchsichtigen Deckel können Sie mit dekorativem Papier bekleben. Wenn man die Spindel an der Badezimmerwand befestigt, erhält man eine katzen- und hundesichere Aufbewahrungsmöglichkeit.

-- Turmbau zu Bagel --

Manchmal hält das Universum so geniale und überraschende Kombinationen bereit, dass es einem fast den Atem verschlägt. Als der Flickr-User Rodrigo Piwonka entdeckte, dass er eine leere CD-Spindel als Frühstücksbox für seine Bagels nutzen konnte, wusste er, er hatte eine solche perfekte Kombination gefunden. Seine Idee, die er ins Internet stellte, ging binnen Minuten um die Welt, und heute ist Piwonkas Name auf Google synonym mit „bagel to go“.

-- Kabeltopf --

Deckel von CD-Spindeln, die nicht gerade Toilettenpapier oder Bagels enthalten, sind eine sehr praktische Aufbewahrungsmöglichkeit für Kabel. Wickeln Sie Ihre Strom- und Computerkabel einfach sauber im Klarsichtdeckel auf. Dieser Trick hilft auch, Kopfhörer sauber und griffbereit zu lagern.

Design!

Franz Maurer
Vienna

Das Regal *Vienna* ist genau das Richtige für Menschen, die ihre Musiksammlung gern präsentieren. Die elegante Konstruktion des Wiener Designers Franz Maurer (für den deutschen Hersteller Anthologie Quartett) besteht aus einem barocken lackierten Bilderrahmen und einer aufgehängten Wandvitrine.

Design!

Jo Meesters und
Marije van der Park

Meesters ist überzeugt, dass zu einer Überarbeitung mehr als ein bisschen Farbe und etwas Sperrholz gehören, und startete 2005 in Zusammenarbeit mit Marije van der Park eine Serie von Projekten zur Aufbereitung von Möbeln unter Verwendung neuer Techniken. Bei zwei Experimenten verwendeten die beiden Designer Sandstrahler und perforierten das Holz, wie man an diesem Schrank sehen kann.

Design!

Jens Praet
One Day Paper Waste

Die Kollektion *One Day Paper Waste* des belgischen Designers Jens Praet besteht aus geschredderten vertraulichen Dokumenten. Das mit Kunstharz vermengte Papier wird in einer Form zu unterschiedlichen Möbeln gepresst. Die Serie entstand ursprünglich für eine Ausstellung in Eindhoven und wurde schnell von Droog Design in die Serienproduktion übernommen. Später kam ein Element in schwarzem Harz dazu, das von L'Uomo Vogue zusammen mit dem italienischen Unterwäschehersteller Yamamay in Auftrag gegeben wurde.

Design!

Adrien Rovero
Barrel

Adrien Roveros Serie *Barrel* (Fass) mit niedrigen Tischen und Aufbewahrungselementen entsteht mithilfe traditioneller Küfertechniken und führt so rustikale, altehrwürdige Formen in die Moderne. Der in der Schweiz ansässige Designer konstruierte die in limitierter Auflage gefertigten Stücke 2008 exklusiv für die Galerie Libby Sellers.

-- Alles am Platz --
Die Styropor- oder Plastikschalen, in denen manche Supermärkte ihr Obst verkaufen, können auch System in die Schublade bringen, indem sie Sockenpaare, Schlüssel, Büroklammern und Kleinkram ordentlich zusammenhalten.

-- Borstige Ordnung --

Ein gründlich gereinigter und gut erhaltener Besenkopf kann in seinem zweiten Leben als Aufbewahrungssystem für CDs, Briefe oder auch Fotos dienen. Eine witzige Version für den Schreibtisch oder den Schminktisch erhalten Sie, wenn Sie eine alte Haarbürste auf ein übrig gebliebenes Holzbrettchen oder eine andere Basis montieren.

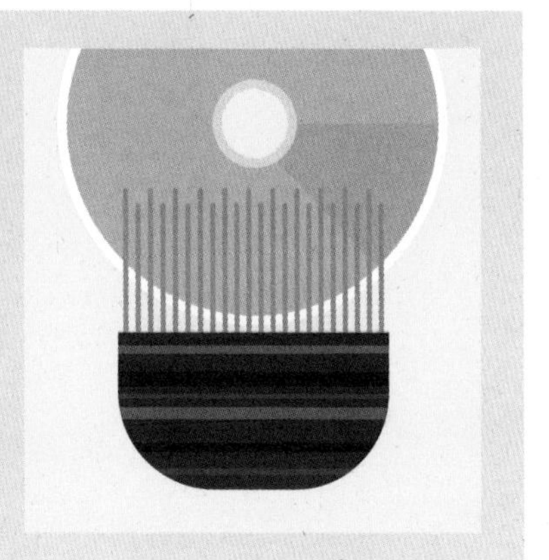

-- Praktische Haftung --
Machen Sie Kleiderhaken oder Notizklammern zu praktischen Kühlschrankmagneten, indem Sie sie mit starker Magnetfolie bekleben. So haben Sie immer ein Plätzchen für Ihre Geschirrtücher, Ofenhandschuhe, freundliche Nachrichten an Mitbewohner, lustige Küchenschürzen, gesammelte Rabattcoupons, protzige Partyeinladungen, spaßige Fotos, interessante Zeitungsausschnitte, leckere Rezepte, sehnsüchtige Einkaufslisten oder farbenfrohe Zeichnungen Ihrer Kinder. Ihnen wird da schon was einfallen.

-- Die Form wahren --
Zwei Geheimwaffen, die jeder wahre Fan gepflegter Kleidung kennen sollte: Zeitungspapier und Plastiktüten. Zusammengerolltes Zeitungspapier kann als Schuhspanner feuchtes Schuhwerk in Form halten. Kleidung bleibt knitterfrei, wenn man sie einzeln in Plastiktüten verpackt stapelt. Selten gebrauchte Handtaschen sollten mit Zeitungspapier oder aufgeblasenen Plastiktüten ausgestopft werden, damit sie nicht in sich zusammenfallen.

Design!

Tejo Remy
Chest of Drawers

In seiner ersten Ausstellung für das niederländische Designkollektiv Droog montierte Tejo Remy eine erlesene Sammlung recycelter Schubladen wild zusammen und schuf so eine neue Form der Kommode. Die Schubladen stecken in maßgefertigten Ahornkorpussen, die von einem Jutegurt zusammengehalten werden.

SCHRITT FÜR SCHRITT

Küchenreste

Aus Holzresten und gebrauchten Möbeln lässt sich ohne Weiteres eine komplette Einbauküche bauen. Wenn der Sperrmüll nichts Passendes hergibt, kann man immer noch in größeren Secondhandshops das eine oder andere Schnäppchen machen.

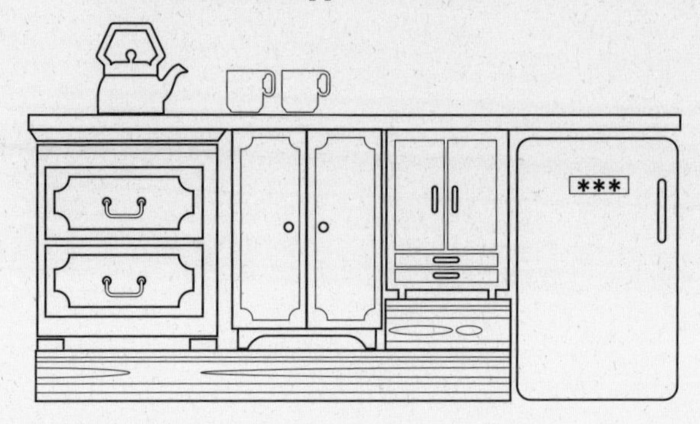

Sie brauchen:

_ gebrauchte Schränke und Kästen nach Wahl, möglichst aus derselben Zeit und aus demselben Holz
_ Auswahl an Küchengeräten (etwa Kochfeld, Herd, Spülmaschine, Waschmaschine, Kühlschrank, Gefrierschrank)
_ Griffe und Scharniere
_ Schleifpapier
_ Hammer und Nägel
_ Schraubendreher und Schrauben
_ Säge
_ Holzreste für Stoßbretter (optional)
_ Farbe oder Beize (optional)
_ Arbeitsplatte(n)

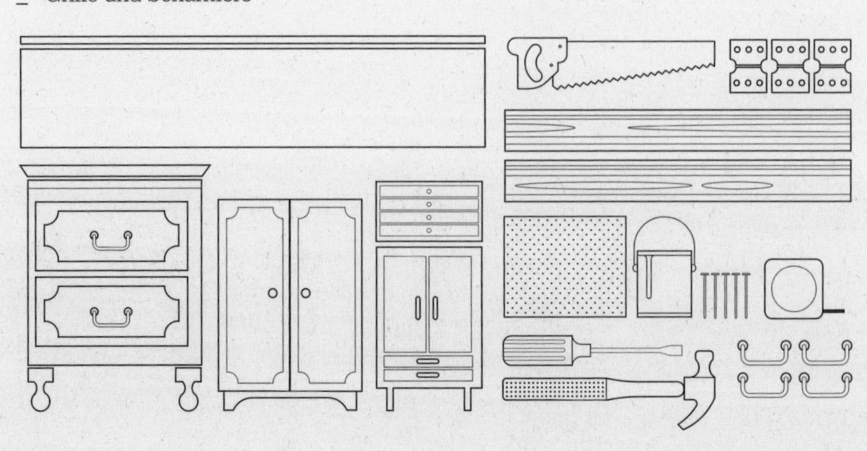

1_ Messen Sie Ihre Küche sorgfältig aus und zeichnen Sie einen Aufstellplan. Manchmal lohnt es sich sogar, ein maßstabsgetreues Modell zu bauen, damit auch wirklich alles in den zur Verfügung stehenden Raum passt.

2_ Restaurieren Sie alle Stücke, die ein wenig Aufmerksamkeit benötigen, und ersetzen Sie fehlende Scharniere und Griffe. Einheitlich Griffe lassen zusammengewürfelte Möbel eher als Einheit wirken.

3_ Sobald alle Komponenten zusammengebaut und repariert sind, müssen sie auf die gleiche Höhe gebracht werden. Die Standardhöhe für Arbeitsplatten beträgt 90 cm, sodass Sie wohl manche Möbel einkürzen, andere auf Rahmen stellen müssen.

4_ Achten Sie bei Hängeschränken darauf, dass sie üblicherweise in halber Standardhöhe über der Arbeitsplatte hängen sollten – bei einer Standardhöhe von 90 cm also rund 45 cm.

5_ Wenn Sie die Möbel höher stellen müssen, schließen Sie die Lücke zwischen Unterkante und Boden mit einem um etwa 5 cm nach hinten versetzten Stoßbrett. Sie können auch alle Schränke und Bretter einheitlich anstreichen.

6_ Schließen Sie mit einer neuen Arbeitsplatte ab – sie wird vermutlich das auffälligste Element Ihrer neuen Küche sein und dem charmanten bunten Sammelsurium alter Stücke einen einheitlichen Anstrich verleihen. Damit sie auch wirklich perfekt passt, sollten Sie sie unbedingt im Fachhandel kaufen. Es sei denn, Sie sind ein guter Tischler – dann können Sie einiges an Geld sparen.

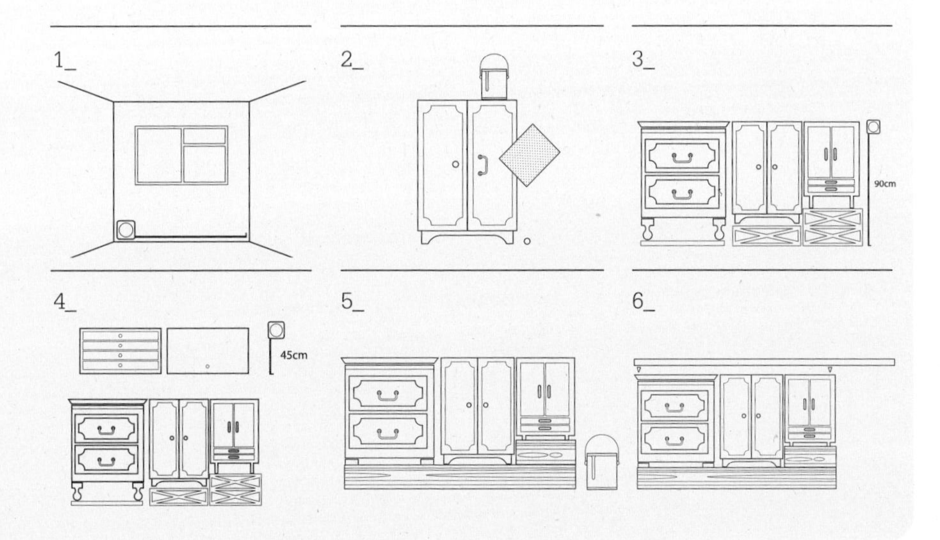

-- Seifenoper --

Auch außerhalb des Badezimmers kann eine an die Wand geschraubte Seifenschale nützlich sein: etwa als Ablage für Kleingeld oder Schlüssel im Flur oder auch als Briefablage im Büro. Befindet sie sich neben dem Kamin, kann man die Streichhölzer darauflegen, auf dem Nachttisch dient sie zur Aufbewahrung des Schmucks und hinter dem Fahrradschuppen als Aschenbecher.

-- Auslagen 1 --

Nutzen Sie doch die übrig gebliebene Tapetenrolle oder alte Notenblätter, um die Rückwände von Schränken und Regalen auszukleiden. So haben Sie beim Öffnen der Schränke immer wieder eine schöne Überraschung – und Sie müssen nicht einmal aufpassen, ob das Muster zur Einrichtung passt.

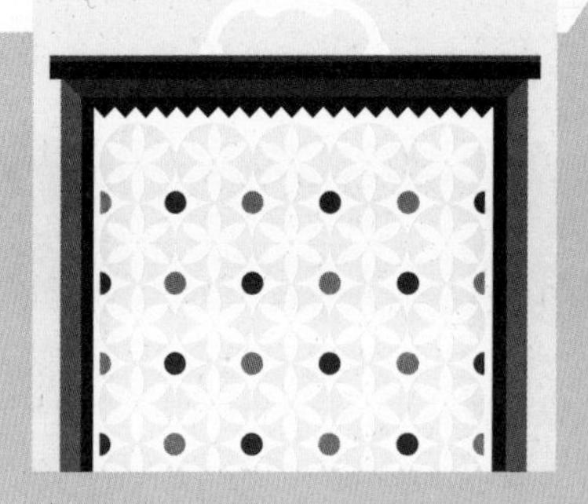

-- Auslagen 2 --

Robuste und (nach Möglichkeit) attraktive Tapetenreste können auch zum Auskleiden von Schubladen herhalten. Messen Sie den Boden der Schublade aus und schneiden Sie das Papier zu. Fixieren Sie es bei Bedarf mit etwas Kleber oder einem Haftpunkt in jeder Ecke.

-- Baumschmuck --

Das ist etwas für Englandfans! Basteln Sie sich einen *Mug Tree* bzw. ein „Tassenbäumchen“ selbst, indem Sie das Original aus der Natur nutzen. Suchen Sie sich einen interessant geformten kleineren Ast mit abstehenden Zweigen, füllen Sie eine breite Vase oder einen Blumentopf mit Kieseln oder Sand und stellen Sie den Ast hinein. Nun können Sie Tassen, aber auch Ringe oder andere Objekte, an die Zweige hängen.

-- Messerbremse --

Wenn Sie Künstler sind und eine Zeichenunterlage aus Vinyl übrig haben oder einen Künstler kennen, der Ihnen eine gebrauchte überlässt, können Sie Ihre Küchenschubladen damit auslegen. Das Material eignet sich perfekt für Messer, da die gummiartige Oberfläche rutschfest und außerdem noch leicht zu säubern ist.

Design!

Michael Marriott
Four Drawers

Als er 1996 diesen Schubladenschrank entwarf, war Michael Marriott – wie er später zugab – nicht darauf aus, das Thema Recycling ins Design zu bringen. Der Londoner hatte vielmehr an bestimmten Dingen Eigenschaften entdeckt, die in ihrer aktuellen Form nicht genutzt wurden, und wollte auf diesen Umstand hinweisen. Das Element besteht aus Birkensperrholz, Lochplatten und spanischen Obststeigen.

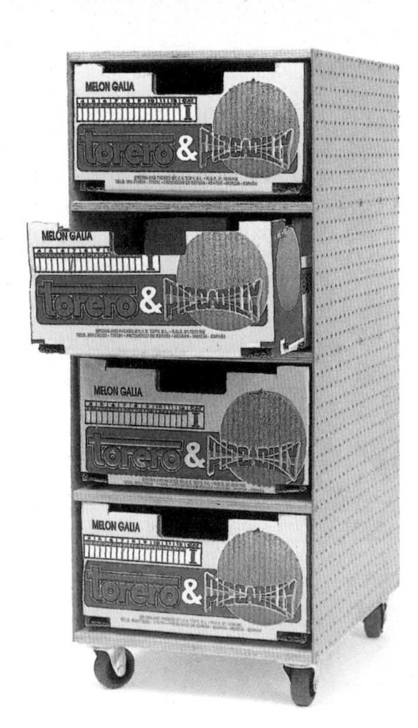

Design!

Kako.ko
Totem

Die Designer des serbischen Designstudios Kako.ko betrachteten eine Styroporverpackung und sahen darin ein Bücherregal. Während sie durch die neue Funktion den ästhetischen Wert und die Langlebigkeit von Styropor gezielt betonten, wollten sie gleichzeitig die Aufmerksamkeit auf den Umstand lenken, dass das Material nur selten recycelt wird; aus diesem Grund ist es als Einwegverpackung in vielen Ländern verboten.

Design!

JAM
Robostacker

JAM ist eine Design- und Kommunikationsagentur, die Produkten in Zusammenarbeit mit dem Hersteller neues Leben einhaucht. In einem Projekt für Whirlpool, das auf junge design- und lifestylebewusste Verbraucher abzielte, entwarf JAM ein Recyclingkonzept, bei dem vier Möbelstücke aus alten Waschtrommeln entstanden, die in Museen, Galerien und Designläden ausgestellt und verkauft wurden: der Hocker *Drum Stool*, der Tisch *Drum Table*, das Aufbewahrungselement *Robostacker* und die Vitrine *Hoola-Hoop*.

-- Vorsicht, Stufe --

Selten genutzte Leitern und Tritthilfen können in einer kleinen Wohnung zum echten Problem werden. Funktionieren Sie Ihre doch einfach mit einigen Brettern zum Regal um. Die Stufen mancher Trittleitern sind bereits ausreichend breit und stabil, um ohne Umbau Taschenbücher aufnehmen zu können.

-- Einmal Gemüse, immer ... --

Schieben Sie die hohe Gemüseschublade aus einem defekten Kühlschrank in einen dunklen Spind und lagern Sie darin beispielsweise Kartoffeln und Zwiebeln.

-- Staustufen --

Während der Edo-Periode entstand in Japan ein beliebtes Aufbewahrungsmöbel namens *kaidan-dansu* („Treppenmöbel"), eine Schubladenkommode mit versetzten Etagen, die zugleich als Treppe diente. Die Steuern für zweigeschossige Häuser waren seinerzeit hoch; wenn der Steuereintreiber kam, rückte man deshalb die *kaidan-dansu*, die in den ersten Stock führte, an eine andere Stelle und hoffte, das zusätzliche Geschoss würde unentdeckt bleiben. Stellen Sie sich doch aus verschiedenen Aufbewahrungselementen Ihre eigene *kaidan-dansu* zusammen.

-- Kühles in der Nasszelle --

Die leicht zu reinigenden und wasserfesten Böden und Einsätze aus einem ausrangierten Kühlschrank können im Badezimmer eine neue Verwendung finden, weil sie dafür recht nützliche Eigenschaften besitzen. Eierablagen sehen ganz unterschiedlich aus; besonders Modelle mit Löchern statt Mulden sind perfekt, um Zahnpasta und Zahnbürsten aufzubewahren.

-- Fachweise Ordnung --
Lebensmittelhändler geben immer wieder gern ihre Gemüsesteigen und Verpackungen aus Pappe für Umzüge her. Besonders nützlich sind Flaschenkartons, da sie schon eine herausnehmbare Unterteilung besitzen und sich damit außerdem hervorragend zur Aufbewahrung von Putzmitteln im Küchenschrank unter der Spüle eignen.

-- Schön aufgereiht --
Nutzen Sie einen ausgemusterten Abtropfständer für Geschirr, um Ihre Topfdeckel ordentlich im Schrank aufzubewahren. Natürlich können Sie auch Ihre wachsende Tupperware-Sammlung darin lagern.

-- Trennen und kochen --
Schneiden Sie die obere Hälfte von leeren Milch- oder Fruchtsaftkartons ab und verwenden Sie die untere beim Kochen als Abfallbehälter. Wenn Sie Ihre Abfälle trennen, stellen Sie mehrere Tetrapaks auf die Arbeitsplatte: beispielsweise einen für Knochen oder Gräten, aus denen Sie später einen Fond ansetzen, einen für Biomüll sowie je einen für Papier- und für Plastikverpackungen.

-- Wie geschmiert --
Wenn Sie Schönwettergärtner sind und Ihre Heckenschere nur im Frühjahr zum Einsatz kommt, sollten Sie unbedingt darauf achten, dass Ihre Gartengeräte bis zum nächsten Sonnenschein nicht rosten. Füllen Sie einen alten Eimer mit Sand und mischen Sie einen Liter (sauberes) Motoröl darunter. Stecken Sie die Metallteile von Schaufeln, Harken und Scheren in den Sand, dann bleiben diese schön blank und rostfrei.

-- Mottenschreck --
Auch wenn Sie den Geruch von Mottenkugeln hassen, müssen Ihre Wollkleider dem gefräßigen Ungeziefer im Schrank nicht schutzlos ausgeliefert sein. Bleistiftspäne, die ja meist aus Zedernholz bestehen, schrecken Motten genauso wirksam ab. Sammeln Sie die Späne beim Anspitzen in kleine Stoffsäckchen, die Sie dann zusammen mit Ihrer Kleidung in Schränke und Kommoden legen. In Zukunft werden sich die Motten ein anderes Restaurant suchen.

-- Zum Trocknen zu schade --
Ein Wäscheständer eignet sich ganz hervorragend als Sammelhalter für Magazine und Zeitungen. Auch Geschenkpapierbögen und Stoffreste kann man darüberhängen, dann sind sie immer zur Hand, wenn mal schnell was zu verpacken ist.

-- Ausstellungsstück A --
Tellerregale sind in der Küche eigentlich eine Verschwendung; im Kinderzimmer können sie dagegen hervorragend als unterteiltes Regal für Kinderbücher oder kleine Spielsachen fungieren. Auch im Büro zu Hause schafft ein solches Regal schnell Ordnung.

-- Verschlitzt noch mal --
Hölzerne Fensterläden sind dekorativ und geben hübsche Pinnwände ab. Einfach an die Wand schrauben, dann kann man prima Notizen, Einladungen, Bilder und anderes in die Schlitze klemmen. Haben die Fensterläden bewegliche Holzlamellen, müssen diese natürlich erst fixiert werden, sonst rutschen die ganzen Notizen einfach durch – und das ist ja weniger der Sinn der Sache.

-- Schirmherrschaft --

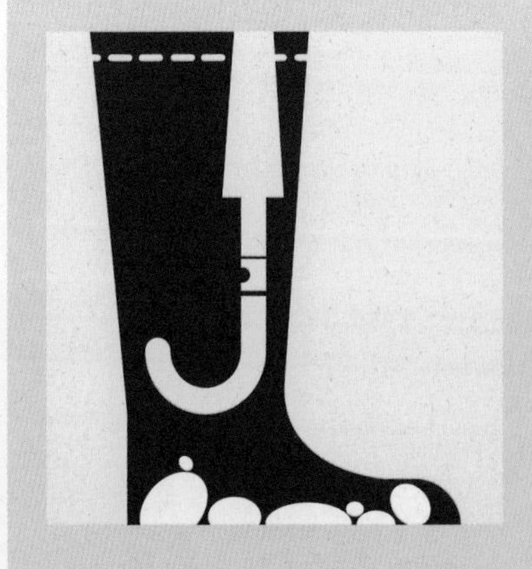

Wenn Sie einen Schirmständer benötigen (und wer tut das nicht), können Sie dafür gut einen einzelnen Gummistiefel nutzen. Man füllt unten Steine oder Sand hinein, damit er nicht umfällt, kleidet ihn mit einer stabilen Plastiktüte aus und kann ihn dann außen nach Wunsch dekorieren.

Design!

Michael Cross und Julie Mathias Lunuganga

Michael Cross und Julie Mathias beschreiben ihren Designansatz so: „Wir nehmen ein Objekt, das wir kennen, und fangen damit ganz von vorne an.“ Im Jahr 2004 verbrachte das Paar zwei Wochen an Geoffrey Bawas märchenhaftem Refugium Lunuganga auf Sri Lanka. Dies inspirierte sie zu der Regaleinheit, die ein wenig Dschungelfeeling ins Wohnzimmer bringen soll. (Der Ast wurde zwar in Kunstharz gegossen, aber der Gedanke der Wiederverwendung ist deutlich erkennbar.)

SCHRITT FÜR SCHRITT

Schwebende Ablage

Das Regalbrett ohne sichtbare Halterung ist schon fast ein Klassiker und ruft kaum mehr Begeisterungsstürme hervor. Mit dieser Technik lassen sich ausgezeichnet kleine Ablagen schaffen, und man kann Büchern damit neuen Sinn geben. Harry-Potter-Bände sind prima geeignet – sie enthalten genug Magie und sind ziemlich dick.

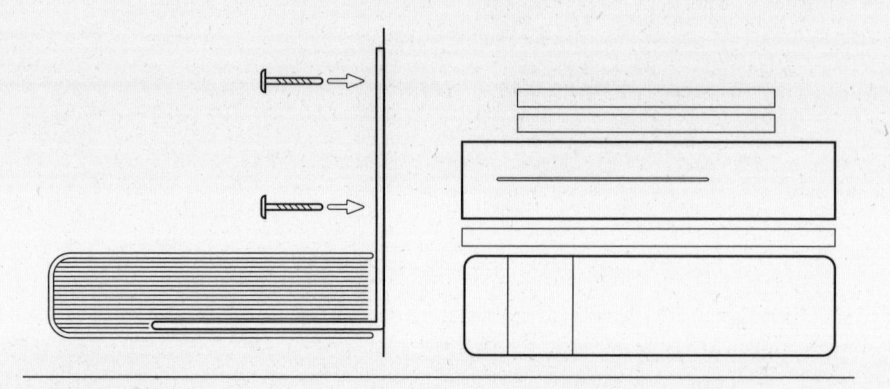

Sie brauchen:

_ 1 Buch, das Sie nicht mehr lesen wollen, das aber immer im Blick sein kann. Klassiker sind geeignet – aber bitte keine Erstausgaben verwenden!
_ Maßband
_ Stift
_ L-förmige Regalbodenträger
_ Teppichmesser
_ Schraubendreher
_ Schrauben für Brett und Wand
_ Sekundenkleber
_ Gewicht zum Beschweren
_ Bohrmaschine und Bohrer
_ passende Dübel für die Wand

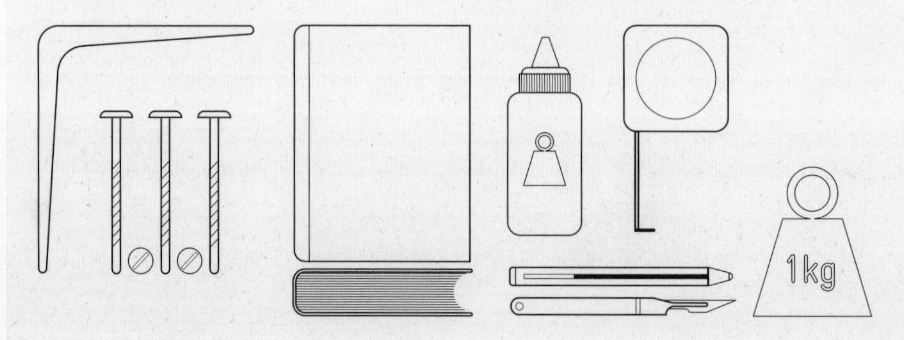

1_ Suchen Sie mithilfe des Maßbands den Mittelpunkt des Buchs. Markieren Sie ihn auf der letzten Innenseite vor dem hinteren Deckel.

2_ Legen Sie den Regalbodenträger auf den Mittelstrich des Buchs. Der Buchrücken soll später ins Zimmer weisen. Ziehen Sie die Umrisse des Bodenträgers nach.

3_ Schneiden Sie mit dem Messer die Umrisse des Regalbodenträgers so tief aus den Buchseiten aus, dass der Bodenträger bündig abschließt.

4_ Schneiden Sie eine Kerbe in die Vorderkante des Buchdeckels, in die der senkrechte Teil des Bodenträgers passt. So kann das Buch glatt an der Wand anliegen.

5_ Befestigen Sie den Regalbodenträger nun mit Schrauben am Buch.

6_ Es ist auch sinnvoll, die Buchseiten am Rand mit Schrauben zu fixieren, damit das Buch nicht aufklappt. Beim Schrauben von oben auf das Buch drücken, damit die Seiten gerade liegen bleiben.

7_ Nun den hinteren Buchdeckel festkleben und über Nacht mit dem Gewicht belasten.

8_ Mit der Bohrmaschine an den gewünschten Stellen Löcher in die Wand bohren. Die Ablage mit Dübeln und Schrauben an der Wand befestigen und den Teil der Halterung an der Wand hinter Büchern verschwinden lassen: pure Magie ...

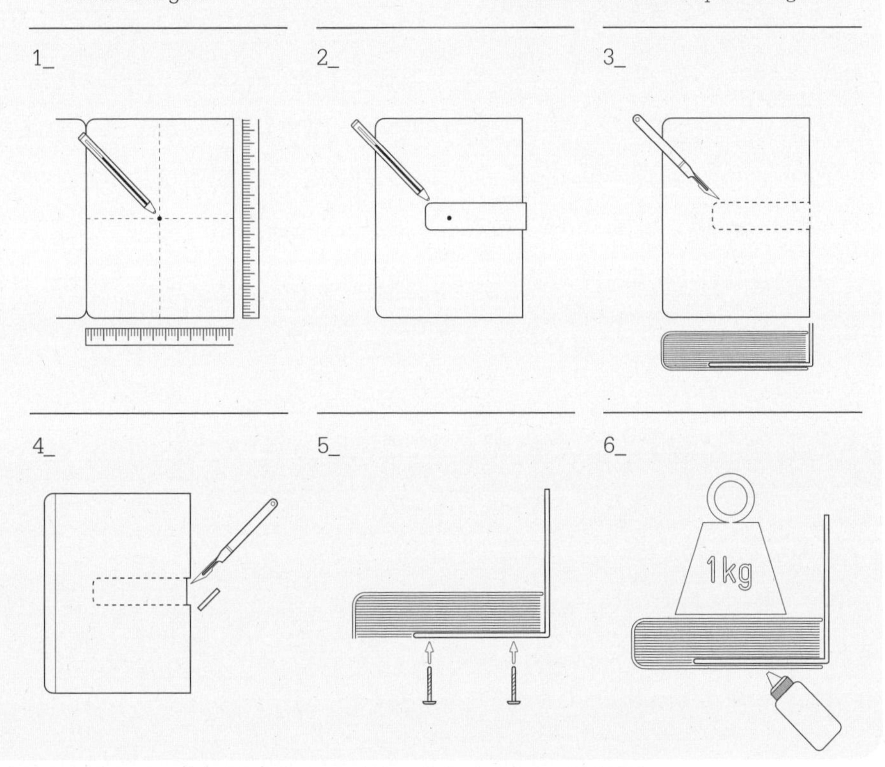

BELEUCHTUNG & ACCESSOIRES

Lampen und Lampenschirme, Geschirr und Besteck, Vasen, Buchstützen und Kerzenhalter

03

-- Haushaltshilfe --

Haben Sie einen Tonblumentopf übrig, weil die darin befindliche Pflanze das Zeitliche gesegnet hat? Dann stellen Sie ihn auf einen Untersetzer und verwenden Sie ihn als Abtropfbehältnis für Besteck. Vorher sollte er jedoch gut von jeglicher Erde gereinigt werden. Wer möchte, kann ihn außerdem noch mit wasserfester Farbe oder Klebebildern verzieren.

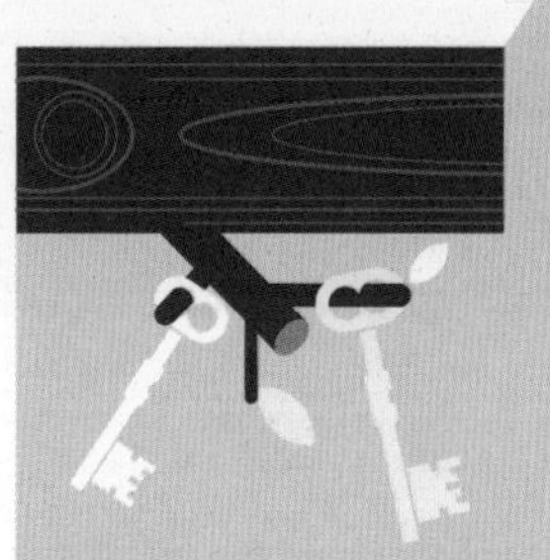

-- Was ein Häkchen werden will ... --

Viele Dinge lassen sich als Haken für Mäntel oder Schlüssel zweckentfremden: rustikale Fundstücke wie Zweige und Steine, alte Wasserhähne oder Türgriffe, kitschige Spielsachen oder ausgemusterte Joysticks von Videospielen. Alles, was man so an der Wand befestigen kann, dass es vorsteht und man Dinge daran aufhängen kann, ist ein „Haken im weitesten Sinne".

-- Auf Draht --

Brauchen Sie eine neue Pinnwand? Dann tackern Sie doch ein Stück Kükendraht auf die Rückseite eines großen Holzbilderrahmens. Den Draht vor dem Befestigen mit einem Seitenschneider zuschneiden und mit Sprühlack schwarz (oder in einer anderen Farbe) lackieren. Ziehen Sie bei der Arbeit mit dem Tacker bitte Handschuhe an. Fotos und Zettel werden mit Häkchen und Klammern am Draht befestigt.

-- Alles hängt --

Drahtkleiderbügel aus der Reinigung lassen sich mit einfachen Papphüllen aufwerten. Jacken und Hemden hängen besser und halten länger. Bringt man unten am Bügel kleine Haken oder Klammern an, lassen sich auch Röcke und Kleider prima aufhängen. Fertigen Sie zum Zuschneiden der Pappe eine Schablone an, damit alle Ihre Bügel gleich aussehen. Alternativ können Sie zwei Bügel aufeinanderlegen und dick mit farbiger Wolle oder Schnur umwickeln – am besten in einem Farbton, der zu Ihrer Einrichtung passt.

Design!

Brave Space Design
Garderobe Mountain Range

Die Designer von Brave Space Design in Brooklyn (New York) sind Bambusfans und haben verschiedene Wohnaccessoires und Möbel aus diesem ungemein schnell nachwachsenden Rohstoff entwickelt, darunter Regalmodule in Form von Tetris-Blöcken sowie attraktive Esstische und Stühle. Auch Restholz wird häufig verarbeitet, so in der Garderobe *Mountain Range* aus einem Stück Bohlenverschnitt. Durch die schräge Schnittführung an den Gipfeln, die als Haken dienen, entstehen interessante Farbabstufungen.

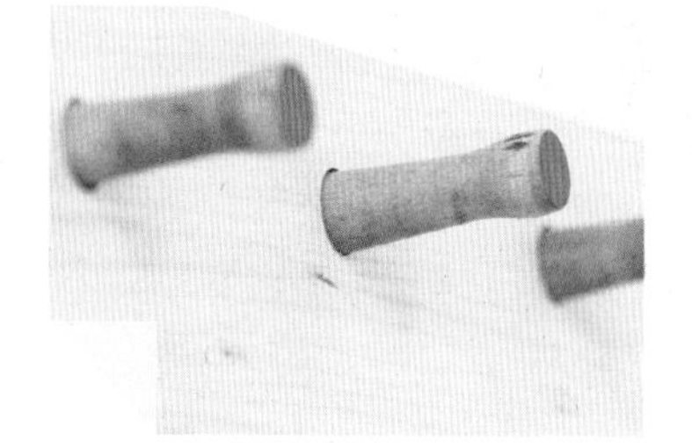

Design!

Alex Hellum
Thoughts on Furniture

2001 fand in der norwegischen Stadt Stavern die erste Solo-Ausstellung des Designers Alex Hellum unter dem Titel *Thoughts on Furniture* (Gedanken über Möbel) statt. Er beschäftigte sich mit der Frage, wie Endverbraucher bei der Benutzung von Möbeln von den Intentionen der Designer abweichen. Dieses Thema beeinflusst bis heute seine Arbeit. Viele seiner Entwürfe haben eine verblüffende Zweitfunktion – etwa der *Peg Chair*, ein Schlafzimmerstuhl mit integriertem Kleiderständer. In anderen Fällen findet Hellum interessante Verwendungen für funktionslose Reste anderer Möbel. Ein Beispiel sind die liebevoll gefertigten Wandleisten mit gedrechselten Beinen alter, ausrangierter Stühle als Haken.

Design!

Marina Bautier
Keyplug

Den an der Wand montierten Brief- und Schlüsselhalter *Keyplug* hat die belgische Designerin Marina Bautier ursprünglich für ihre eigene Firma La Maison de Marina entworfen, aber die Idee eignet sich auch für Haushalte, in denen oft Schlüssel verlegt werden. Wenn ein Schüssel nicht an seinem Platz hängt, lässt sich leicht erraten, wo man ihn suchen muss. Vor Risiken und Nebenwirkungen sollten Sie Ihre Mitbewohner warnen.

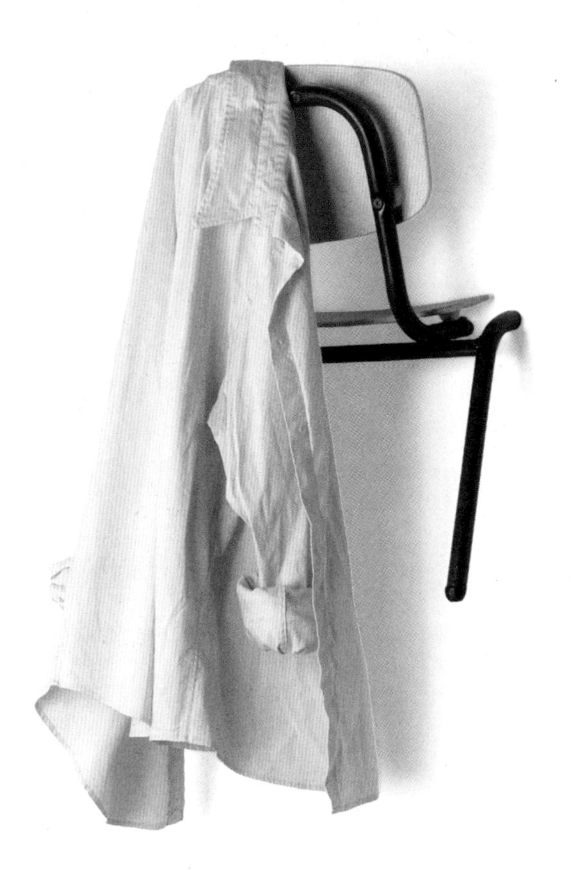

Design!

Junktion
Haken Soccer Players
Junktion, 2008 von einer Gruppe von Designern in Tel Aviv gegründet, stellt Alltagsobjekte in einen neuen Zusammenhang. Wenn die Reservekicker nicht auf dem Platz sind, können sie sich ebenso gut als Jackenhalter nützlich machen.

Design!

Junktion
Garderobe Backrest
Für eines seiner ersten Projekte zersägte das Designerkollektiv einen Kinderstuhl und montierte beide Hälften separat an die Wand. Die obere dient zum Aufhängen von Jacken und die untere als Ablage, zum Beispiel für Schlüssel.

-- In der Klemme --

Suchen Sie eine witzige Art der Präsentation für Fotos, Poster oder Bilder? Dann hängen Sie sie doch statt in Bilderrahmen an Klemmkleiderbügeln für Hosen auf. Ideal sind schmale Klemmbügel, am besten mit Filzstreifen auf der Innenseite, die die Bilder nicht beschädigen. Sie können aber auch alle anderen Bügelmodelle ausprobieren.

-- Sanitärkreation --

Aus Rohren und Armaturen aus dem Sanitärbereich lassen sich originelle Kerzenhalter bauen. Wer mehr Material (und Ehrgeiz) hat, kann auch eine Handtuchstange fürs Bad konstruieren. Einfach Rohstücke, Winkel und Muffen in einer Konstellation zusammenstecken, die den Raummaßen und ihren Bedürfnissen entspricht – und schon haben Ihre Handtücher ein Zuhause.

-- Licht überall --

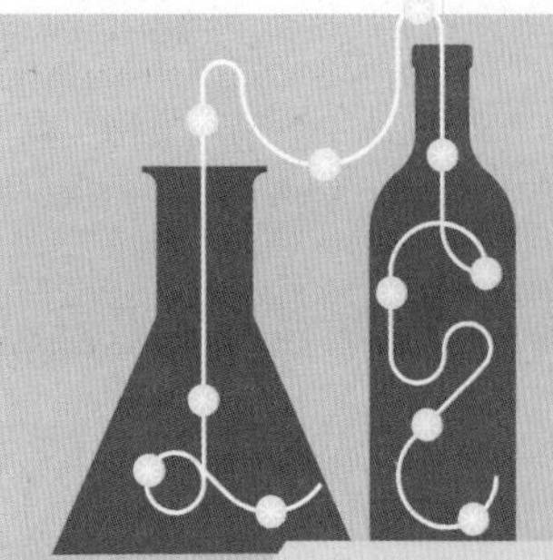

Jedes unbenutzte größere Glasgefäß, selbst eine alte Weinflasche, lässt sich mithilfe einer Lichterkette in eine Lampe verwandeln. Entfernen Sie alle Etiketten, bevor Sie die Lichterkette hineindrapieren, und kleben Sie das herabhängende Kabel unauffällig auf der Rückseite mit transparentem Klebeband fest.

-- Wachsrecycling --

Schmelzen Sie Kerzenreste in einem Wasserbadtopf (oder in einer hitzefesten Schüssel über einem Topf mit kochendem Wasser), um neue Kerzen zu gießen. Als Gefäße eignen sich Marmeladengläser, Konservendosen oder einzelne Trinkgläser. Dochte bekommt man im Bastelladen, Sie können aber auch einen Zopf aus drei Fäden Baumwollgarn flechten. Einen Bleistift über den Gefäßrand legen, den Docht daran festbinden und ins Gefäß hängen lassen. Dann das flüssige Wachs eingießen und erstarren lassen.

Design!

Rita Botelho
Lighting Ball

Für diese Kollektion kleiner Tischleuchten hat die portugiesische Designerin Rita Botelho Mini-Lichterketten in Plastikkugeln aus dem Kaugummiautomaten gezwängt. Sie wollte „ein lebendiges, spielerisches Mini-Universum mit Dingen, die jeder aus seiner Kindheit kennt," erschaffen. Die Kugeln bestehen aus zwei Hälften, einer transparenten und einer farbigen, die jeweils verschiedene Lichteffekte erzeugen. Weitere Kombinationsmöglichkeiten ergeben sich, weil die Designerin Lichterketten in verschiedenen Farben verarbeitet. Es werden nur Lichterketten eingesetzt, die keine Hitze abgeben, weil anderenfalls bei direktem Kontakt der Kunststoff schmelzen könnte.

Design!

Sergio Silva
Lampe Oyule

Weil in umweltbewussten Haushalten immer häufiger energiesparende Leuchtmittel eingesetzt werden, wird die gute alte Glühbirne mit Wolfram-Glühfaden schon bald Geschichte sein. Der aus Portugal stammende, in den USA tätige Designer hat mit der Glühbirne eine Zeitreise unternommen und sie in eine Öllampe verwandelt, deren Docht den Glühfaden ersetzt.

SCHRITT FÜR SCHRITT

Weihnachts-Pingpong

Eine Lichterkette für den Weihnachtsbaum macht auch außerhalb der Festtage jede Menge her, wenn man den Lämpchen kleine Schirme verpasst. Tischtennisbälle eignen sich dafür bestens: Sie streuen das Licht schön, kosten wenig und sind überall zu bekommen.

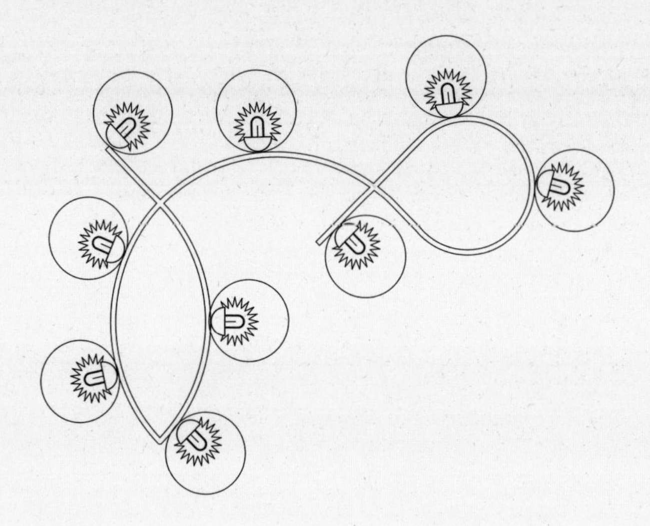

Sie brauchen:

_ 1 Lichterkette
_ je 1 Tischtennisball pro Lämpchen der Kette
_ Schraubzwinge
_ Bohrmaschine und Bohrer
_ Heißklebepistole und Heißkleber

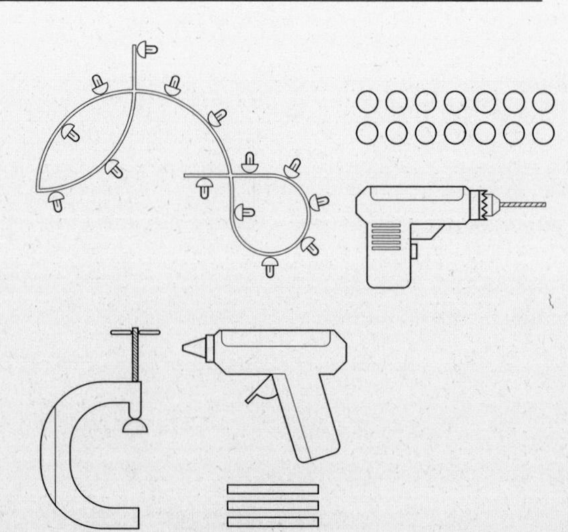

1_ Wenn Sie gebrauchte Bälle verwenden, kontrollieren Sie sie zuerst auf Dellen. Legen Sie alle, die nicht ganz perfekt aussehen, einige Minuten lang in kochendes Wasser. Danach sind sie wieder wie neu.

2_ Prüfen Sie, ob die Lichterkette in Ordnung ist und die Lämpchen nicht heiß werden.

3_ Klemmen Sie einen Ball in die Zwinge und bohren Sie ein Loch hinein; verwenden Sie einen Bohrer, dessen Durchmesser etwas kleiner ist als der eines Lämpchens. Probieren Sie, ob der erste Ball über ein Lämpchen passt, ehe Sie die restlichen anbohren.

4_ Sind alle Bälle angebohrt, schieben Sie jeden über ein Lämpchen.

5_ Damit die Bälle sicher halten, befestigen Sie jeden mit einem Tropfen Heißkleber an der Lampenfassung. (Dieser Schritt kann entfallen, wenn die Bälle bereits fest sitzen.)

6_ Hängen Sie die Lichterkette auf und sonnen Sie sich im Schein des gelungenen Projekts.

1_

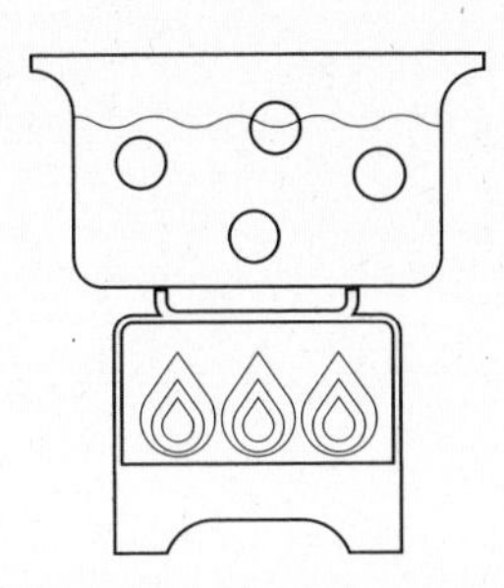

2_

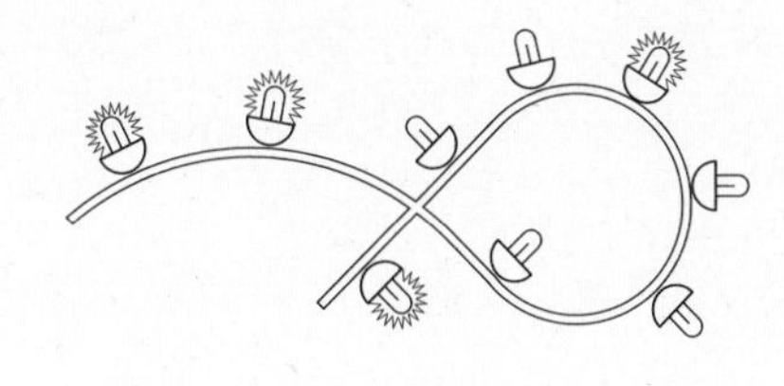

3_

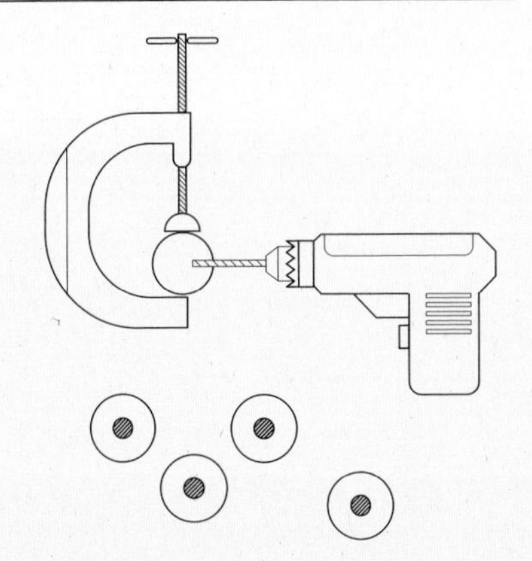

4_

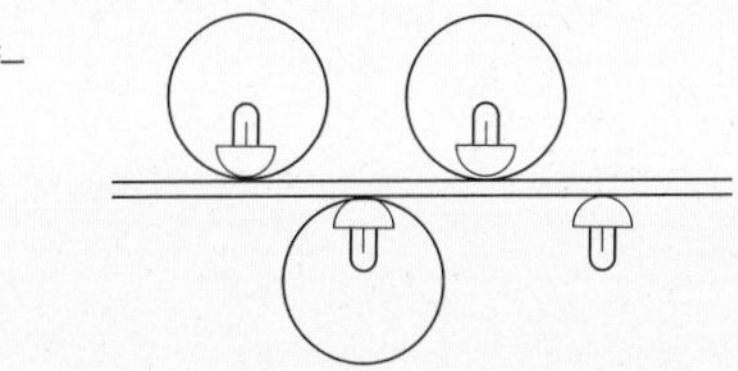

5_

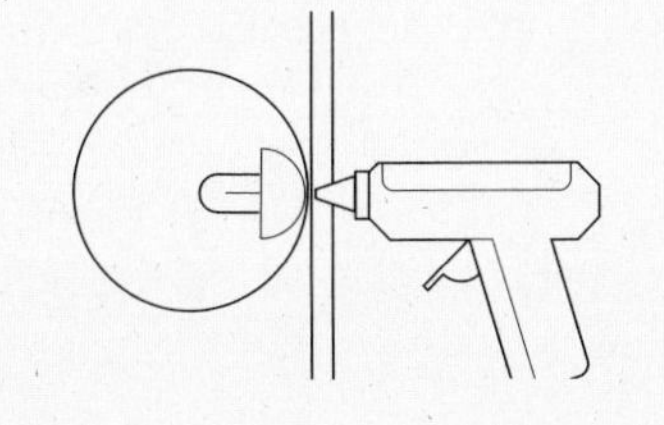

Design!

Amplifier
Kleiderhaken Champagne Cork

Einer erinnerungswürdigen Flasche Champagner kann man ein Denkmal setzen, indem man den Korken in einen Wandhaken verwandelt. Florian Kremb, der Gründer von Amplifier, stellte die Haken anfangs im Kundenauftrag her. Dabei wurde ihm bewusst, dass die Korken nicht nur die perfekte Form zum Aufhängen von Mänteln besitzen, sondern auch eine schöne Erinnerung an ein tolles Fest, eine Hochzeit oder einen anderen Anlass darstellen.

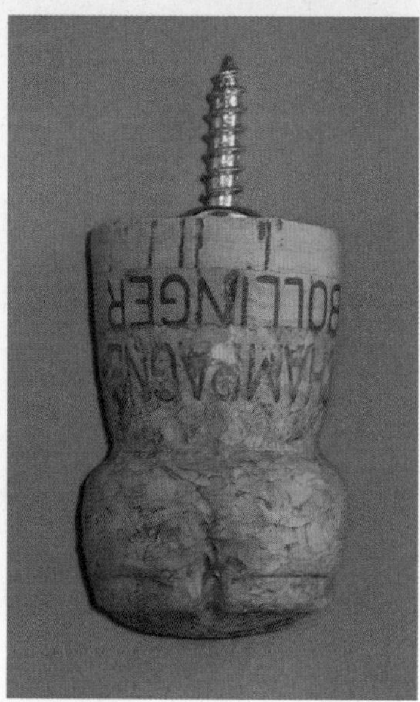

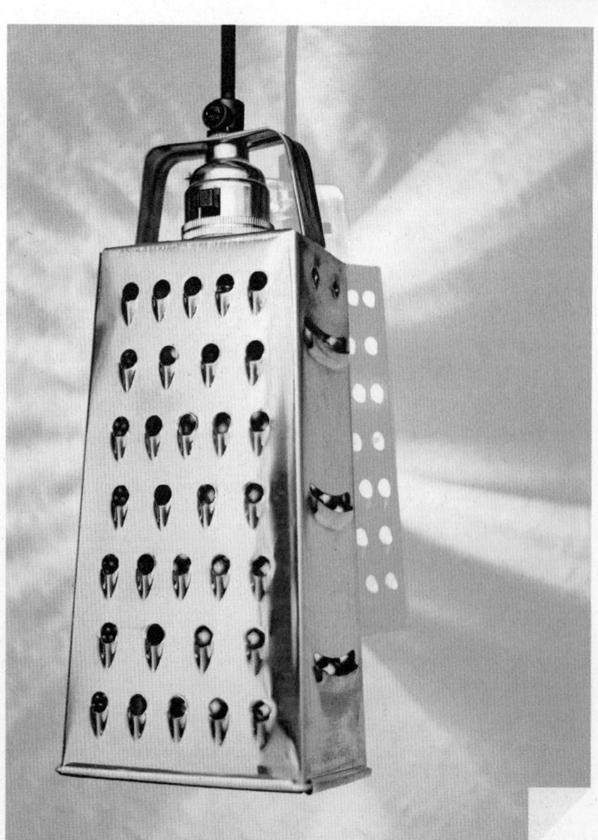

Design!

Amplifier
Leuchte Cheesegrater

„Cheese electric – she's got a family full of eccentrics." Vielleicht hat dieser Verhörer im Text des Oasis-Songs *She's electric* die zündende Idee für diese Lampe aus einer Reibe geliefert. Auf jeden Fall präsentiert Amplifier damit die witzige Neuinterpretation eines alltäglichen Küchenwerkzeugs. Der Griff ist praktisch zum Montieren der Fassung, und die unterschiedlichen Seiten der Reibe werfen interessante Lichtmuster.

-- Geländergängig --

Haben Sie kürzlich die Treppe modernisiert und vielleicht geschnitzte Verzierungen oder gedrechselte Geländerstreben aufbewahrt? Dann bauen Sie daraus doch dekorative Kerzenhalter. Ein passendes Loch für eine Haushaltskerze in die Oberseite bohren oder ein Teelicht daraufstellen. Als Tropfenfänger dient eine Metallscheibe aus dem Bastelgeschäft. Falls nötig, schrauben Sie einen Fuß an, der dem Leuchter festen Stand gibt. Und dann: Feuer!

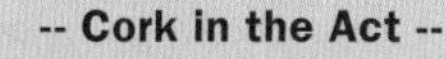

-- Cork in the Act --

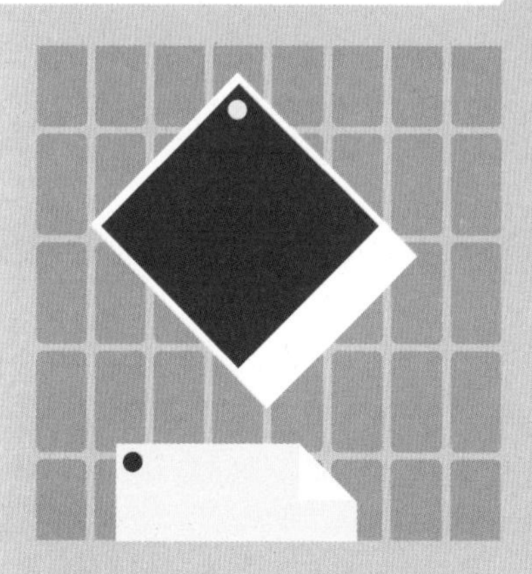

Kork begegnet man im Haushalt meist in Form von Weinverschlüssen oder Pinnwänden. Weintrinker können die Korken sammeln, längs halbieren und – für eine unkonventionelle Pinnwand – mit der Wölbung nach oben auf eine Platte leimen. Dafür empfiehlt sich Holzleim oder hochwertiger Bastelkleber. Als Untergrund eignet sich ein Bilderrahmen, dessen Glas zerbrochen ist, oder eine andere dünne Platte. Für den Rand können Sie schmale Leisten, Rundhölzer oder ein Band aufkleben.

-- Wein zum Essen --

Gebrauchte Korken – echte oder solche aus Kunststoff – eignen sich auch als Untersetzer für heiße Töpfe. Die Korken dicht an dicht in eine große Rohrschelle legen, die Schraube festdrehen und Gäste zum Essen einladen, um die neue Errungenschaft vorzuführen. Weinkorken lassen sich auch in Scheiben schneiden und zu kleinen Untersetzern für Gläser zusammenkleben. Farbvariationen können interessant aussehen, aber wer Weinflecken von den Korken entfernen möchte, weicht sie einige Stunden in Wasser mit Bleiche (4 Teelöffel Bleiche auf 1 Liter Wasser) ein. Danach gut abspülen und trocknen lassen!

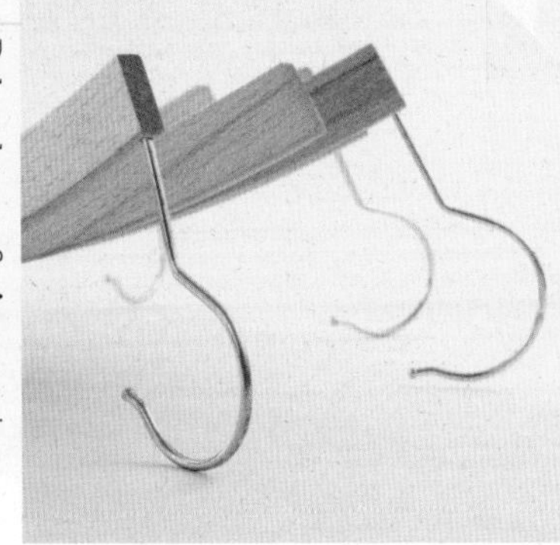

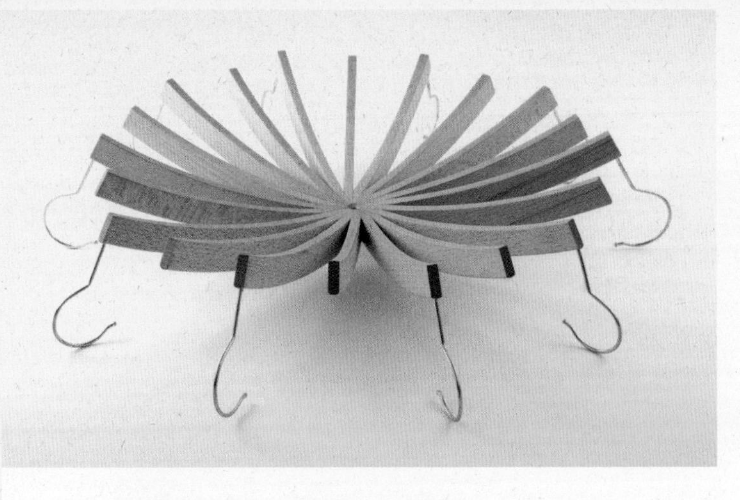

Design!

Amplifier
Obstschale Coat Hanger

Florian Kremb von Amplifier hat aus simplen, leicht gebogenen Holzkleiderbügeln eine originelle Obstschale konstruiert.

Design!

Dominic Wilcox
Schale War

In der Hitze des Gefechts – oder in der Mikrowelle – sind all die kleinen Plastiksoldaten geschmolzen. Das Resultat ist diese skurrile Obstschale, die zu den bestverkauften Entwürfen des Designers Dominic Wilcox gehört. Für dieses Modell hat er französische Infanteristen und britische Artillerie aus einem Bausatz zur Schlacht von Waterloo verarbeitet. Andere Versionen bestehen aus Rittern oder schwarz-roten Ninjas.

Loyal Loot
Schalen Log

Doha Chebib verarbeitet für diese Kollektion Holz, das bei Windbruch, Landschaftsumgestaltung oder Siedlungsbau anfällt. Das Sammeln, Drechseln, Bemalen und Versiegeln mit Hochglanzlack erfolgt in Zusammenarbeit mit einheimischen Handwerkern. Chebib gehört einem kanadischen Kollektiv namens Loyal Loot an, das mit Naturmaterialien arbeitet, die mit dem Alter schöner werden.

-- Tastendruck --

Eine defekte Schreibmaschinen- oder Computertastatur lässt sich ebenso zu witzigen Kühlschrankmagneten recyceln wie Scrabble-Buchstaben und andere Spielsteine. Mit ausreichend starken Magneten oder kräftigen Klebepunkten werden Schachfiguren, vor allem die Bauern, sogar zu originellen Haken für kleine Utensilien.

-- Bier-ABC --

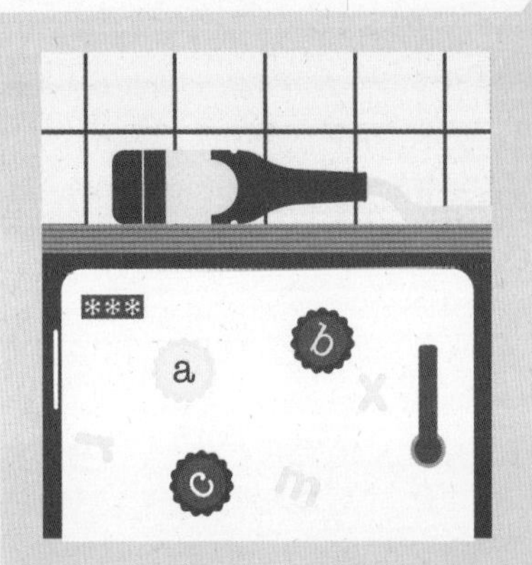

Nur wenige Menschen können behaupten, dass ihr Wortschatz mit zunehmendem Bierkonsum wächst. Es sei denn, sie sammeln die Kronkorken und basteln daraus Kühlschrankmagneten. Einen Magneten auf die Rückseite kleben oder klemmen und nach Belieben einen Buchstaben, ein Wort oder einen Satz auf der Vorderseite anbringen. Sonderpunkte gibt es für Buchstaben in historischen Schriften, die man aus alten Zeitschriften oder Zeitungen ausschneiden kann. Wer im Ausland Gedrucktes sammelt, kann so nebenbei noch eine Fremdsprache trainieren.

-- Da bist du platt --

Menschen mit einer Neigung zum Surrealistischen gefällt vielleicht ein altes Dampfbügeleisen, nach Wunsch bemalt oder beklebt, als Türstopper, Buchstütze oder einfach als Hingucker. Kabel bitte entfernen.

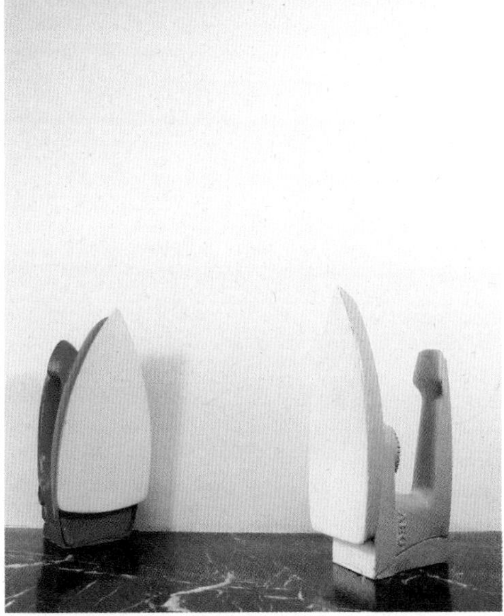

Design!

Maarten de Ceulaer
Buchstützen Iron

Maarten de Ceulaer hat seine Ausbildung als Innenarchitekt und Produktdesigner an der Hogeschool Sint-Lukas in Brüssel und der Design Academy Eindhoven absolviert. Diese Buchstützen – eigentlich nur lackierte Bügeleisen – entwarf er ursprünglich zusammen mit Julien van Havere als Einzelstücke für eine Veranstaltung in einem Secondhandshop in Brüssel. Weil die Stücke schnell ausverkauft waren, entwickelten die Designer eine kommerzielle Serie aus stabilem Gipsguss mit haltbarem Gummiüberzug.

Design!

Afroditi Krassa
394 Yellow Pages

Die Londoner Designerin Afroditi Krassa hat mit ihren Visitenkartenhaltern *394 Yellow Pages* eine zeitgemäße Neuinterpretation der guten alten Gelben Seiten geschaffen. Sie stutzte das mächtige Buch auf handlichere 394 Seiten zusammen (zugegeben, eine willkürliche Zahl), rollte es auf und schob es in eine verchromte Röhre. Das Ergebnis eignet sich auch als Halter für Fotos oder Briefe.

Design!

Emiliana Design
Raspall

Emiliana Design aus Barcelona hat seit Ende der 1990er-Jahre mit mehreren originellen Ideen überrascht, darunter *Raspall*, ein durchaus funktionaler Briefhalter aus einem groben Besen. Später produzierte Emiliana für Enrico Rovira Pralinen in der Form der berühmten Pflastersteine der Stadt; sie gehören heute zu den meistverkauften Süßigkeiten Barcelonas.

SCHRITT FÜR SCHRITT

Hoch gestapelt

Muffins verbreiten sich in Europa explosionsartig – nicht im engeren Wortsinn (außer vielleicht in den Küchen mancher bedauernswerter Möchtegern-Konditoren), aber ebenso wie schwindelerregend hohe Stöckelschuhe und einige Sorten glasierter Donuts tauchen sie plötzlich überall auf. Das ist ja gut und schön, aber wie serviert man sie? Auf einer Muffin-Etagere, versteht sich. Hier beschreiben wir den Bau einer einfachen, dreistöckigen Version; ehrgeizige Bastler können natürlich auch höher stapeln. Die Teller müssen nicht zusammenpassen, aber hübsch aussehen dürfen sie.

Sie brauchen:

_ 1 großen Teller
_ 1 Frühstücksteller
_ 1 Untertasse
_ 3 Mittelstützen, z. B. Tassen, Trinkgläser, Porzellanfiguren
_ Schleifpapier
_ Porzellankleber (die meisten Sorten sind spülmaschinenfest, lesen Sie aber sicherheitshalber die Packungsaufschrift)
_ Küchenpapier
_ Nagellackentferner
_ Gewicht zum Beschweren (z. B. Buch)

Zur Verzierung nach Belieben:

_ Farbe
_ Bänder
_ hübsches Papier
_ Malerkrepp

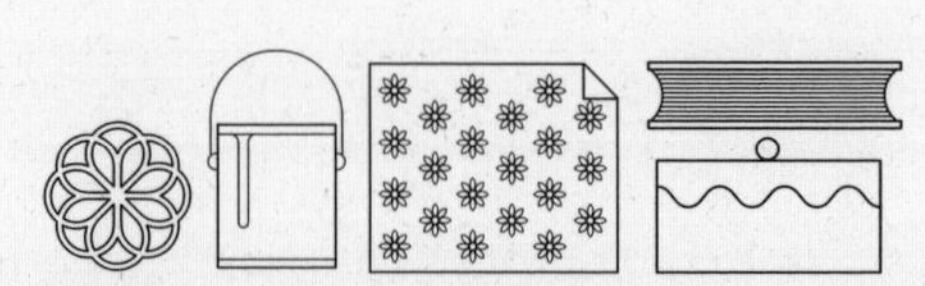

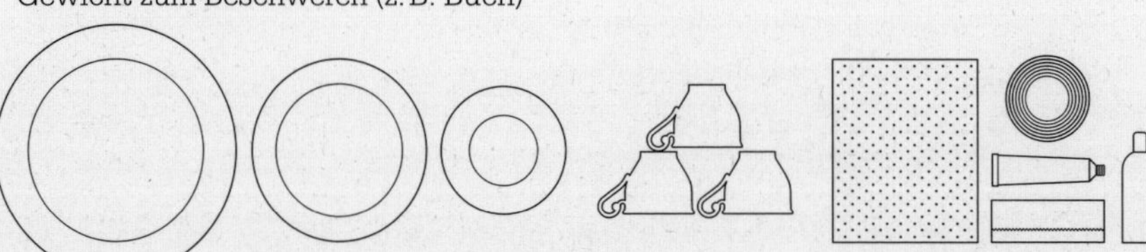

1_ Falls Sie Teller und Stützen bemalen möchten (etwa Tonblumentöpfe und dergleichen), tun Sie dies zuerst. Benutzen Sie dazu die zusätzlichen Utensilien zur Verzierung.

2_ Die Schichten werden aufeinandergeklebt. Beginnen Sie mit der stabilsten, untersten Stütze und dem größten Teller. Die Flächen, auf die Kleber aufgetragen werden soll, leicht anschleifen. Den Schleifstaub mit einem Lappen abwischen, dann den Rand der Tasse (oder einer anderen Stütze) mit Kleber bestreichen. Die Teile zusammendrücken. Etwas Küchenpapier mit Nagellackentferner befeuchten und hervorquellenden Kleber damit abwischen.

3_ Den Teller mit einem Gewicht (etwa einem Buch) beschweren, bis der Kleber abgebunden hat. Das kann drei oder vier Stunden dauern. Jede Etage trocknen lassen, bevor die nächste aufgesetzt wird. Zuletzt ganz oben die Untertasse aufkleben.

4_ Muffins drauflegen – guten Appetit!

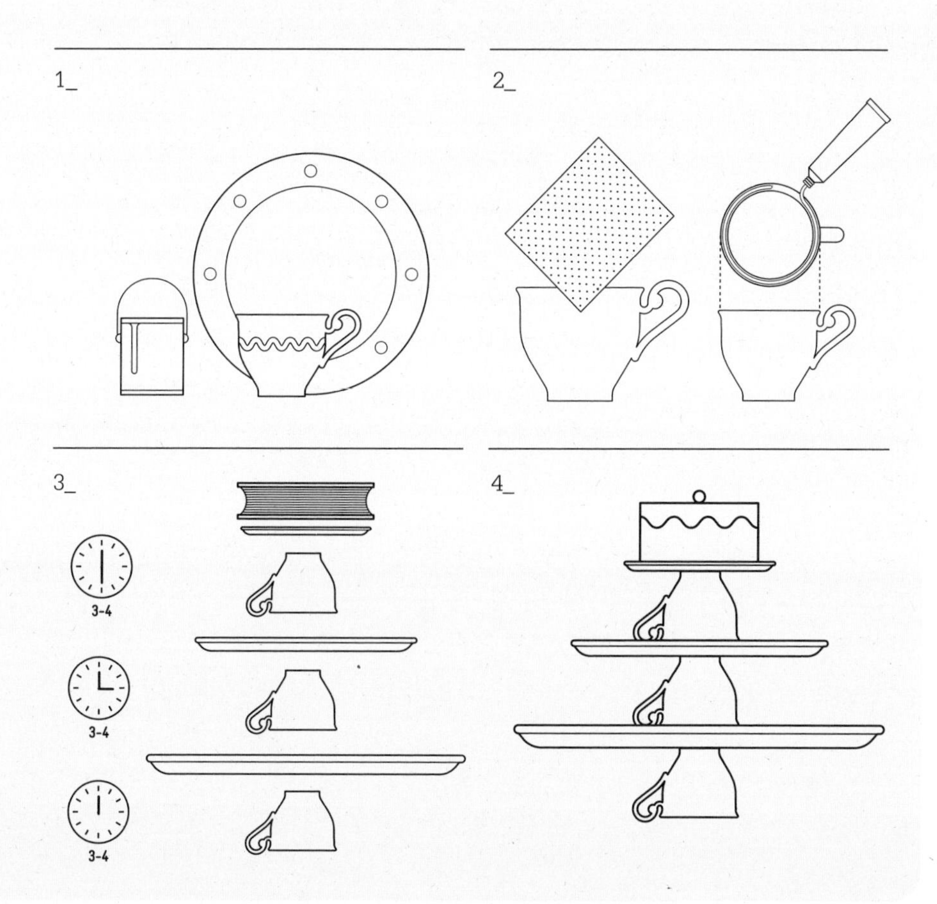

-- Hüllenfüller --

Alte CD-Hüllen kann man aufgeklappt aufstellen und als Fotorahmen für den Schreibtisch verwenden – sehr passend am Arbeitsplatz zu Hause, wo solche Hüllen öfter anfallen. Alternativ machen Sie daraus einen Aufstellkalender: Einfach zwölf Stücke Pappe in der Größe des CD-Inlays zuschneiden und jedes mit den Tagen eines Monats beschriften.

-- Umweltgerecht schenken --

Alte Zeitschriften eignen sich oft gut als Geschenkpapier. Seiten, die weniger dekorativ sind, kann man schreddern und zum Auspolstern des Päckchens verwenden.

-- Flickwerk --

Decoupage, die Verzierung von Accessoires, Wänden und Möbeln mit ausgeschnittenen Motiven aus Zeitungen, Zeitschriften oder Comics, war nie der ultimative Trend – aus gutem Grund, denn die Ergebnisse sehen oft miserabel aus. Dabei eignet sich die Technik, wenn man sie gekonnt einsetzt, sehr gut zum Schmücken der verschiedensten Dinge. Anstatt Motive auszuschneiden, gehen Sie lieber wie beim traditionellen Patchwork vor: Schneiden Sie Rauten und andere geometrische Formen zu, die Sie wie bei einem Quilt zusammenfügen.

-- Hohle Birne --

Findige Designer haben aus alten Glühbirnen Salzstreuer und Öllampen gemacht. Wenn Sie es selbst versuchen wollen, fassen Sie die Lötstelle an der Fassung mit einer sehr schmalen Flachzange. Kräftig drehen, um den Messingkontakt zu lösen und einen der Drähte, die zum Glühfaden führen, durchzureißen. Den Kontakt herausziehen, vorsichtig den Glas-Isolator zerbrechen und herausnehmen – dann sehen Sie im Inneren die Glühfadenhalterung und die Kaolin-Isolierung. Mit einem Schraubendreher zerbrechen, die losen Teile ausschütten und die Lampe mit einem Tuch reinigen. Tragen Sie unbedingt Handschuhe, denn die Lampen zerbrechen leicht. Und öffnen Sie keinesfalls Energiesparlampen, denn die Pulverbeschichtung im Innern ist giftig.

Design!

Studio Verissimo
Spoon

Spoon (Löffel) mag ein etwas irreführender Name für einen Kronleuchter aus Kaffeerührern sein, doch diese Kreation sieht aus allen Blickwinkeln elegant aus. Hinter Studio Verissimo verbergen sich die Designer Cláudio Cardoso und Telma Veríssimo aus Portugal, wo man diese durchsichtigen Plastikrührer in jeder Kaffeebar sieht. Das Material hat einige Eigenschaften mit Kristall gemeinsam: Es bricht und reflektiert das Licht ebenso wie die Kristalle in einem – wie es Traditionalisten nennen würden – „richtigen" Kronleuchter.

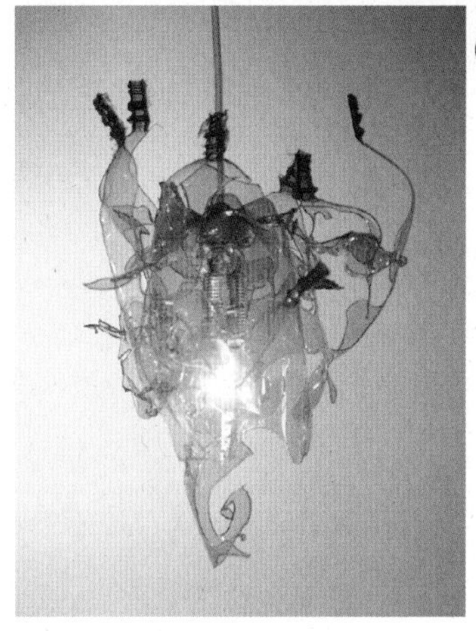

Design!

Johanna Keimeyer
Recycle Lights

Unter dem Einfluss der brasilianischen Brüder Campana lernte die deutsche Künstlerin, „Schrott wie einen Schatz und Abfall wie Gold" zu behandeln. So ging sie auf die Suche nach altem Verpackungsmaterial, das sie für ihre Kollektion *Recycle Lights* verwenden konnte. Die Suche führte sie durch halb Europa: nach Slowenien, Spanien, Frankreich, England und Deutschland. Es entstand eine Kollektion von Kronleuchtern, die für die Künstlerin Schönheit und Extravaganz symbolisieren.

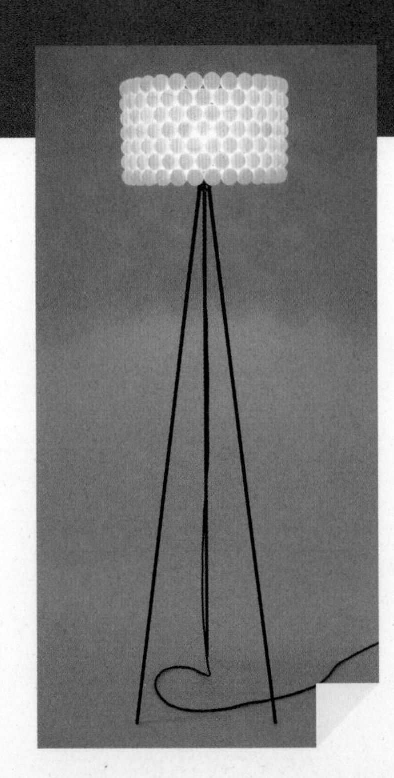

Design!

Diaz Kleefstra
Lampe Ping-Pong Ball

Die Lampe, die der niederländische Designer aus 315 Tischtennisbällen konstruiert hat, sieht aus wie eine spontane Erfindung; tatsächlich wurden aber neue Bälle verarbeitet. Ursprünglich war die Lampe nach der Tischtennismeisterin Bettine Vriesekoop benannt, doch der Name musste aus rechtlichen Gründen geändert werden.

Design!

enPieza!
Volivik Lamps

enPieza! verwendet für seine Kollektion *Volivik* bescheidene BIC-Kugelschreiber, die das Licht brechen. Seit 2007 ein riesiger Kronleuchter in einer auf 30 Stück limitierten Serie auf den Markt kam, ist die Lampe ein großer Erfolg. Wie der Kronleuchter aus Büroklammern (S. 132) von JAM, beweist auch dieses Modell, dass selbst der Vorratsschrank für Büromaterial eine ergiebige Inspirationsquelle sein kann.

SCHRITT FÜR SCHRITT

Kreatives Glasrecycling

Bis zu den 1970er-Jahren vegetierten im hintersten Winkel des Schranks keine Fondue-Sets, die auf ihre einzige Verwendung an Silvester warteten. Vor der Erfindung des Fondue war der hinterste Winkel von Schränken anderen Dingen vorbehalten – etwa dem Glasschneider. Dabei ist dieser ein nützliches Werkzeug, um aus Flaschen, die man sonst zum Container fahren würde, Vasen, Gläser und allerlei andere Dinge zu machen – und das ohne großartiges handwerkliches Können oder Kunststudium. Etwas Übung braucht man für den Umgang mit dem Glasschneider allerdings schon. Versuchen Sie sich deshalb lieber an einer Bierflasche, bevor Sie die Doppelmagnumflasche von der Hochzeit in einen Weinkühler verwandeln möchten. Hier lesen Sie, wie man aus einer Weinflasche eine einfache Vase herstellt.

Sie brauchen:

_ 1 Weinflasche
_ Glasschneider
_ Kerze
_ Eiswürfel
_ feines Schleifpapier

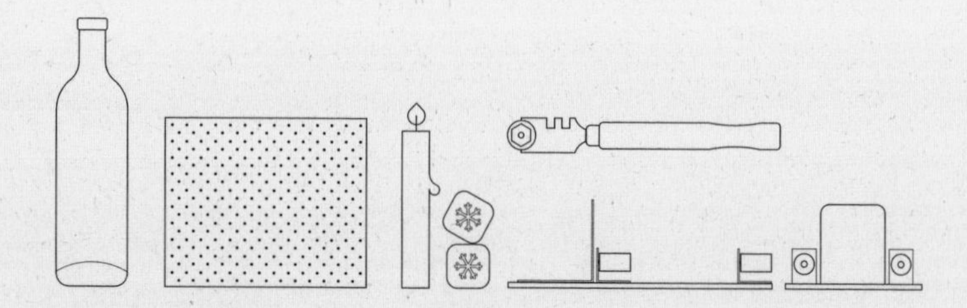

1_ Überlegen Sie zuerst, wo und in welchem Winkel Sie die Flasche durchschneiden möchten. Für den Anfang empfehlen sich gerade Schnitte; später können Sie auch gewagtere Designs probieren.

2_ Den Glasschneider so einstellen, dass die Flasche glatt an den Rollen anliegt und das Schneiderad an der gewünschten Position sitzt. Die Flasche mit beiden Händen und gleichmäßigem Druck zum Körper hin drehen und eine Linie anritzen. Damit das Glas sauber bricht, kommt es mehr auf eine gerade als auf eine tief geritzte Linie an.

3_ Die Kerze anzünden und die geritzte Linie darüberhalten. Die Flasche langsam drehen, um die geritzte Linie ringsherum zu erwärmen.

4_ Jetzt mit einem Eiswürfel über die geritzte Linie streichen. Wenn Sie dabei leise Knackgeräusche hören, ist das ein gutes Zeichen.

5_ Glas bricht meist nicht beim ersten Versuch. Sie müssen die Feuer-Eis-Behandlung eventuell mehrmals wiederholen, ehe die Flasche wie durch Zauberei in zwei Teile zerfällt.

6_ Zuletzt die Kanten mit dem feinen Schleifpapier glätten.

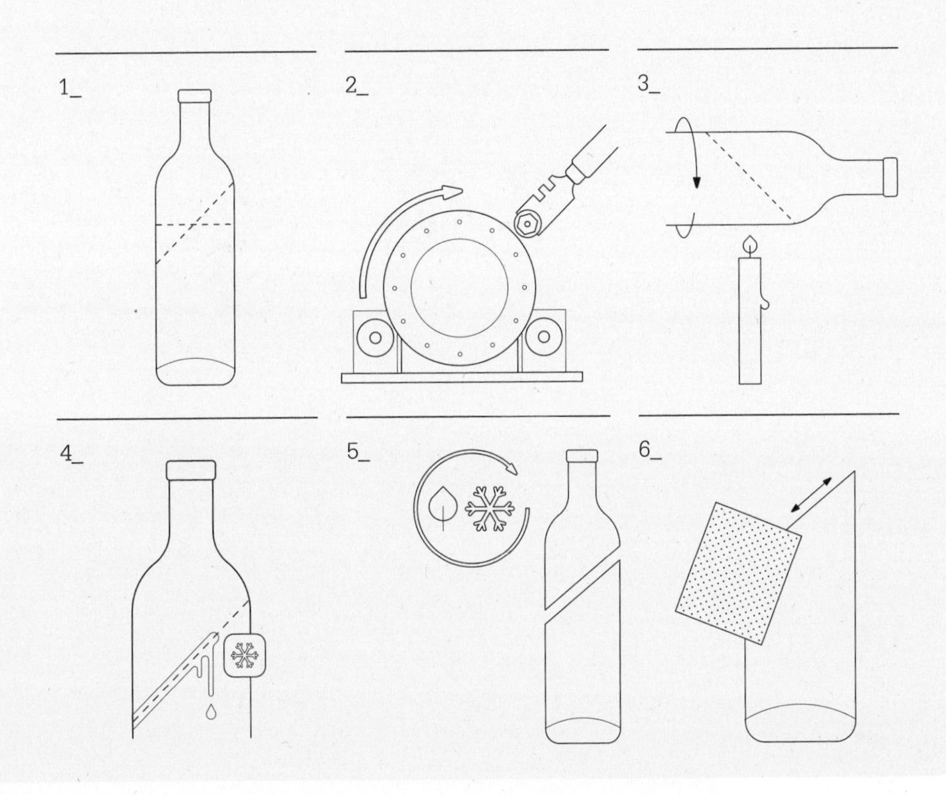

Design!

Tord Boontje und Emma Woffenden tranSglass

tranSglass heißt eine elegante Kollektion von Glasaccessoires, die aus gebrauchten Wein- und Bierflaschen aus der Gastronomie hergestellt sind. Die Flaschen werden gesammelt, gereinigt und für Gläser, Vasen und Karaffen in neuen Formen zugeschnitten. Die Kollektion wurde in die ständige Sammlung des Museum of Modern Art in New York aufgenommen und darf als Designklassiker bezeichnet werden. Obendrein ist die Produktion in einem Fairtrade-Betrieb in Guatemala kostengünstig.

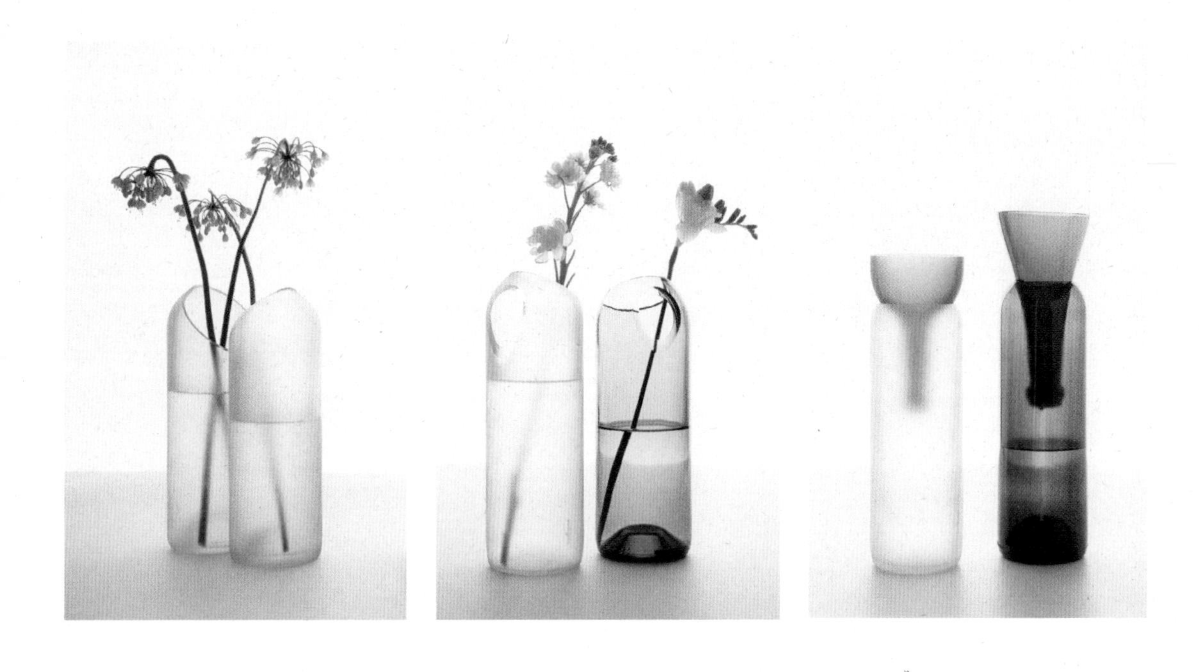

-- Leuchtstapel --

Kleben Sie Hunderte alter CDs zu einem Stapel aufeinander. Nun einen Leuchtschlauch, der nicht warm wird, durch das Loch in der Mitte schieben. Am Boden eine Kerbe für das Kabel in die CDs schneiden – und fertig ist eine unkonventionelle Tischlampe mit bizarrem Charme.

-- Schlange im Zug --

Schneiden Sie von einer alten Strumpfhose ein Bein ab, füllen Sie Sand, Reis oder Polyester-Füllwatte hinein, und schon haben sie einen traditionellen Zugluftstopper. Wer Zeit und Lust hat, kann noch einen Kopf abschnüren und Augen und Nase aufkleben oder aufsticken, damit aus der simplen Rolle ein Hund wird. Oder gefällt Ihnen eine Schlange mit gespaltener Zunge aus Filz besser?

-- CD fürs Reh --

Auf dem Land sieht man oft Rücken an Rücken geklebte CDs (mit der glänzenden Seite außen) an Bäumen hängen; es soll Wild daran hindern, über die Straße zu laufen oder die Ernte abzufressen. Die flackernden Lichtreflexe der schaukelnden CDs verwirren vierbeinige und gefiederte Eindringlinge wie Tauben, Kaninchen, Füchse und Dachse und halten sie auch von Ihrem Gemüse- oder Kräutergarten fern.

-- Unverwelkbar --

Nichts geht über echte, frische Blumen. Doch manchmal haben auch künstliche Blüten ihren Reiz. Mit etwas Fingerfertigkeit lassen sich aus Draht und alten, farbigen Strumpfhosen hinreißende Kunstblumen basteln. Für jedes Blütenblatt ein Stück Gewebe zuschneiden, zur Hälfte falten, über eine Drahtschlaufe spannen und an den Enden verschnüren.

COMMITTEE

Kebab Lamps

Clare Page und Harry Richardson von COMMITTEE verarbeiten für ihre Schaschliklampen allerlei Geschirrteile, Vasen, Figürchen und andere kitschige Kleinigkeiten, die sie auf Flohmärkten und dem Sperrmüll in Londons Südosten finden. Die Kreationen sind aber keine Zufallsprodukte, sondern werden sorgfältig zu einem Thema zusammengestellt. Angeblich sollen die Designer gesagt haben: „Wir möchten mit unserer Arbeit an die Lautgedichte des Dadaismus anknüpfen, im Vorbeigehen dem Bauhaus respektvoll zunicken und dabei Versace tragen.“ Dem ist nichts hinzuzufügen.

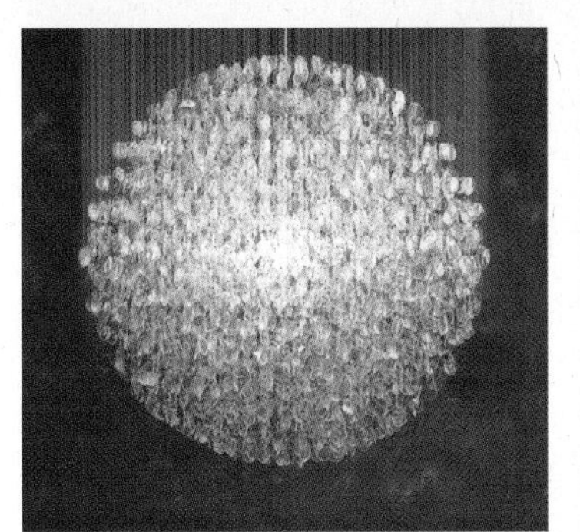

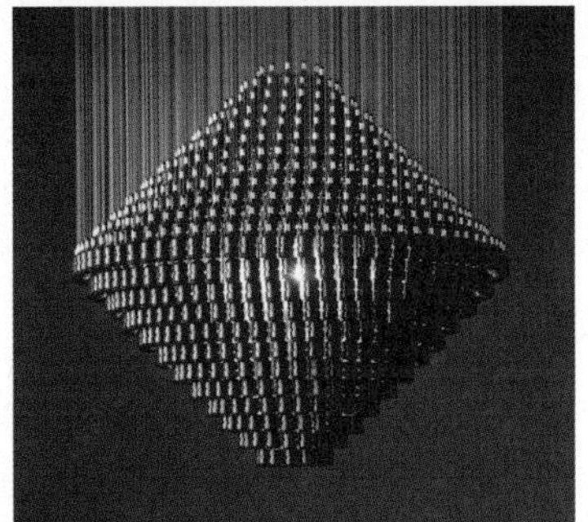

Design!

Stuart Haygarth Chandeliers

Stuart Haygarth bezeichnet das Material für seine eindrucksvollen Kronleuchter als „Treibgut des täglichen Lebens". Materialien, die er über viele Jahre gesammelt hat, sortiert und kategorisiert er, ehe er sie vor Ort sorgfältig aufhängt. Der Kronleuchter *Tide*, eine Installation von 1,5 Metern Durchmesser, besteht aus Plastikabfällen, die an einem konkreten Küstenstrich Kents angespült wurden. Für das Modell *Millennium* hat der Designer abgeschossene „Partypopper" von Jahrtausendwendefeiern verarbeitet, *Optical* (oben links) beinhaltet rund 4500 Brillengläser, und *Spectacle* besteht aus Hunderten von Brillen, die er über Vision Aid Overseas, eine gemeinnützige Organisation, die alte Brillen sammelt und in Entwicklungsländern verteilt, erhalten hat.

-- Windmaschine --

Ein großer Ventilator, der nicht mehr kühlt, muss deswegen noch nicht komplett entsorgt werden. Zerlegen Sie ihn zunächst in seine Bestandteile – einige davon können Sie nämlich ohne große Veränderungen weiterbenutzen. Auf den Rotorblättern beispielsweise lassen sich Schnittchen oder Fingerfood anrichten und sehen auf Ihrem Partybüfett toll aus (nicht lachen – ausprobieren!), und der Mittelteil gibt eine attraktive Blumenampel ab.

-- Denkmal für feine Früchte --

Jede schöne Frucht hat einen separaten Sockel verdient. Der lässt sich leicht aus Papprollen herstellen – die von Alu- und Frischhaltefolie sind stabiler als die Röhren von Küchenrollen und Toilettenpapier. Die Röhren in Stücke verschiedener Länge schneiden, mit doppelseitigem Klebeband zusammenkleben, in fruchtigen Farben anmalen und mit einem Klarlack auf Wasserbasis versiegeln. Vor der Benutzung über Nacht trocknen lassen.

-- Seafood-Teller --

Die großen Muschelschalen, die Sie aus dem letzten Urlaub mitgebracht (oder auf dem Kirchenbasar erstanden) haben, sehen als „Teller“ für Fingerfood mit Meeresfrüchten hinreißend aus. Die Schalen gründlich auskochen, um sie zu sterilisieren und Sandreste zu entfernen. Servieren Sie dazu Piña Colada aus Kokosnussschalen.

Design!

Anneke Jakobs
Chiquita Chandelier

Kronleuchter kann man aus fast allem machen, wie wir schon an Kaffeerührern, Brillen und Kugelschreibern gesehen haben. Von der niederländischen Designerin Anneke Jakobs stammt diese fruchtig-frische Version aus Pappbananen. Nachdem sie viele Stunden lang Bananenkartons eingesammelt und die Logos ausgeschnitten hatte, beschloss sie, die Idee der Allgemeinheit zugänglich zu machen, und veröffentlichte auf ihrer Website eine Bauanleitung für den Kronleuchter.

Design!

JAM
Paperclip Chandelier

2003 gestaltete JAM für eine Ausstellung im Auktionshaus Sotheby's unter dem Motto *„Waste to Taste"* (Müll nach Geschmack) einen kompletten Raum aus Süßigkeiten, die vom inzwischen geschlossenen Kaufhaus Woolworth gestiftet worden waren. Die Designer kreierten aus der unvorstellbaren Menge Süßem und dem dazugehörigen Verpackungsmaterial Kleidungsstücke, Schaukästen, Vorhänge und den Bodenbelag. Für dieselbe Ausstellung stellte das Unternehmen in mühevoller Kleinarbeit einen Kronleuchter aus 50000 Büroklammern her.

-- Damals war's --
Früher brachte der Milchmann die Milch – und zwar nicht in Pappkartons, sondern in richtigen Glasflaschen mit Deckeln aus Alufolie. Er stellte die Flaschen vor der Haustür ab (sofern man nicht verreist war und einen Zettel mit der Aufschrift „Heute nicht, vielen Dank, Herr Milchmann“ hinterlassen hatte) und nahm gleichzeitig das ebendort abgestellte Leergut wieder mit. Damit es vor der Tür immer schön ordentlich aussah, hatte man einen Milchflaschen-Träger. Und was fängt man mit dem jetzt an? Tja, Sie können immer noch Flaschen hineinstellen. Benutzen Sie sie einfach als Vasen für Vergissmeinnicht und denken Sie an die guten alten Milchmann-Zeiten.

-- Pinn-Blech --
Haben Sie noch ein altes Backblech, das für Plätzchen zu rostig ist? Es taugt immer noch als Pinnwand, an der man mit Magneten Rezepte, Notizen und Coupons befestigen kann. Das Blech abwaschen, abtrocknen, mit Rostschutzfarbe streichen und an die Wand hängen. Wer das rustikale Rost-Finish nicht mag, kann es mit Stoff- oder Tapetenresten bekleben. Ehe Sie sich aber viel Arbeit machen, sollten Sie ausprobieren, ob das Blech vielleicht aus Aluminium besteht – denn daran haften keine Magneten.

-- Fisch statt Chips --

Wer braucht einen langweiligen Bildschirmschoner mit Tropenfischen, wenn man auch echte haben kann? Ein MacQuarum ist – wie der Name schon sagt – ein alter, zum Aquarium umfunktionierter Mac-Bildschirm. Im Internet finden sich ausführliche Anleitungen dazu, wie man die Chips raus- und die Fische reinbekommt, und natürlich kann man sich anschließend jede Menge anschaulicher Beispiele herunterladen (oder auch nicht).

SCHRITT FÜR SCHRITT

Laterne, Laterne

Brauchen Sie eine Beleuchtung für ein Gartenfest im Sommer? Dann hängen Sie doch einfach Marmeladengläser auf und stellen Teelichter hinein. Aber auch Blechdosen eignen sich als dekorative Recyclinglaternen: Stanzen Sie ein Muster aus kleinen Löchern in die Wandung, durch die das Licht scheinen kann. Hier erfahren Sie, wie es funktioniert.

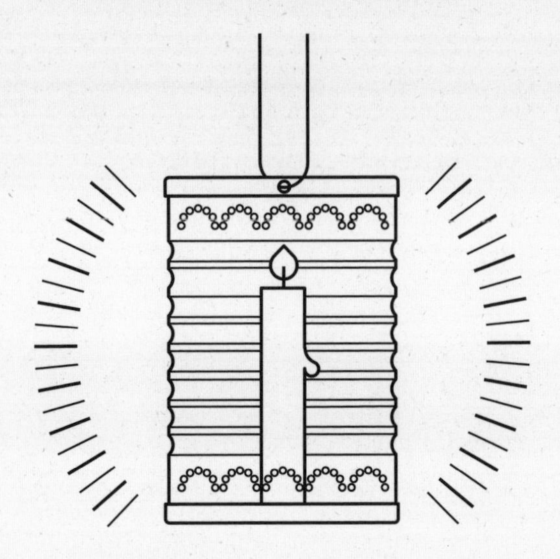

Sie brauchen:

_ leere Konservendosen
_ Zange
_ Wasser
_ Tiefkühler
_ Hammer
_ Nagel, mittlere Stärke
_ Nagel, dick
_ Draht oder Schnur
_ Kerze

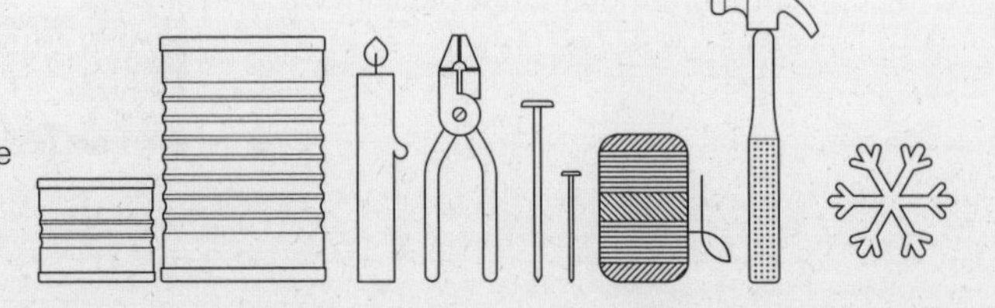

1_ Biegen Sie die scharfen Ränder der Blechdosen mit der Zange um.

2_ Füllen Sie die Dosen mit Wasser und stellen Sie sie einige Stunden oder über Nacht in das Tiefkühlfach.

3_ Wenn das Wasser gefroren ist, mit dem Hammer und dem mittelgroßen Nagel Lochmuster ins Blech schlagen. Das Eis verhindert, dass die Dose verbeult.

4_ Schlagen Sie mit dem dicken Nagel zwei Löcher an gegenüberliegenden Punkten unter dem Rand ein.

5_ Wenn das Eis geschmolzen ist, einen Henkel aus Draht oder Schnur durch die großen Löcher fädeln.

6_ Stellen Sie eine Kerze in die Dose, lehnen Sie sich zurück und bewundern Sie das Kunstwerk.

1_

2_

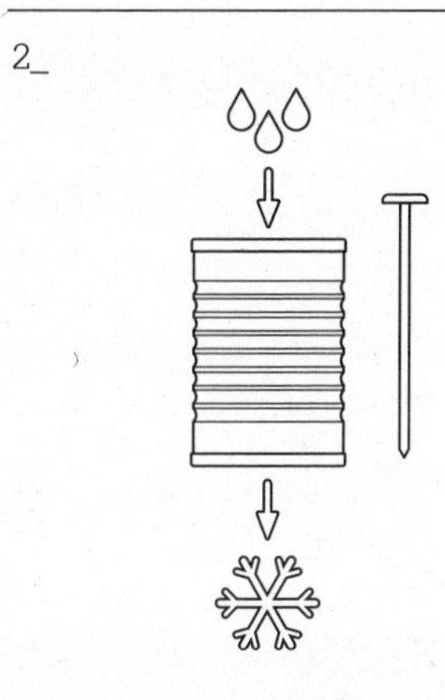

3_

5_

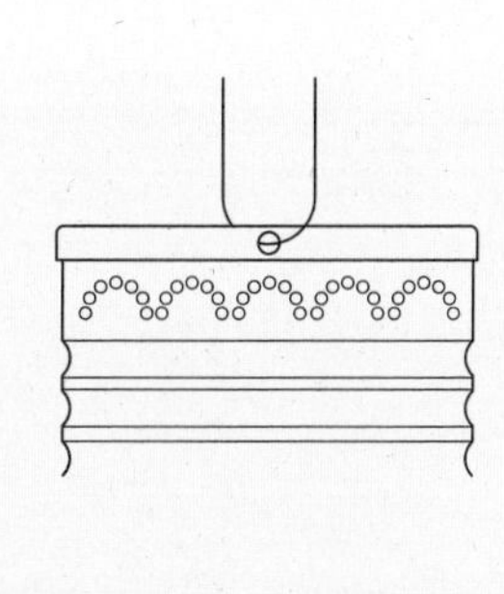

-- Aufgetafelt --

Tafelfarbe ist die Geheimwaffe des Neugestalters. Was immer man mit ihr streicht, lässt sich anschließend beschriften. Und sie haftet, ebenso wie Dispersionsfarbe, bestens auf verschiedenen Untergründen. Allerdings taugen manche Gegenstände besser zur Tafel als andere: Auf einem alten Schneidebrett schreibt es sich leichter als auf einem Blumentopf. Und die Rückseite einer Schranktür ist sinnvoller als die Außenseite der Vordertür – es sei denn, Sie wollen ein Gästebuch der besonderen Art anlegen.

-- Licht, das sich gewaschen hat --

Große Plastikflaschen, beispielsweise von Flüssigwaschmitteln, lassen sich schnell in witzig-kitschige Lampenschirme verwandelt. In die Seite ein Loch für das Kabel bohren und in den Boden eine größere Öffnung zum Wechseln der Glühlampe schneiden. Verwenden Sie unbedingt ein Leuchtmittel, das nicht heiß wird, und achten Sie darauf, dass es die Kunststoffwand nicht berührt. Wer möchte, sticht noch kleine Löcher in den „Lampenschirm", durch die das Licht scheinen kann.

-- Coffee to go --

Keine Zeit, den Frühstückskaffee auszutrinken? Füllen Sie ihn einfach in ein Marmeladenglas mit dicht schließendem Deckel um und nehmen Sie ihn mit. Schraubdeckel halten in ruckelnden Bussen und Bahnen besser dicht als die Plastikdeckel auf Pappbechern. Brühheiß sollte der Kaffee beim Einfüllen allerdings nicht sein, sonst kann das Glas platzen. Ein Streifen Wellpappe oder Frottee (von einem alten Handtuch) hält den Kaffee warm und schützt die Hände vor Brandblasen.

-- Ausschneiden und aufbewahren --

Waschen Sie bunte Plastikflaschen von Körperpflege- und Putzmitteln aus und schneiden Sie daraus kreisrunde Scheiben. Größere ergeben praktische Untersetzer für Gläser, aus kleineren können Sie Schirmchen für Lichterketten basteln: Den Kreis bis zur Mitte einschneiden. Dicht neben dem Schnitt auf einer Seite einen Schlitz schneiden. An der anderen Seite einen Riegel zuschneiden, der in den Schlitz passt. Um ein Lämpchen legen, zum Kegel drehen und zusammenstecken.

Design!

Rita Botelho
Salz- und Pfefferstreuer

Von der portugiesischen Produktdesignerin Rita Botelho stammt die Idee, Filmdöschen zu Salz- und Pfefferstreuern umzufunktionieren. Im Gegensatz zu traditionellen Mühlen aus Holz sind diese Modelle handlich, picknicktauglich und spülmaschinenfest. Die Döschen bestehen aus LDPE und HDPE *(low density* und *high density polyethylene* = Polyethylen niedriger und hoher Dichte), die zu den meistverwendeten Materialien für Lebensmittel zählen.

Design!

Heath Nash
Green Lighting

Der südafrikanische Bildhauer Heath Nash hat sich darauf spezialisiert, aus Plastikverpackungsmüll neue Objekte zu erschaffen, die nicht auf ihren Ursprung schließen lassen. Nach dem Sammeln und Säubern der Verpackungen – sehr häufig sind es Flaschen – entfernt er Hälse, Böden und Griffe und schneidet aus dem Rest flächige Teile zu. Daraus stanzt er mithilfe eines Hammers und einer Klinge an einem Halter aus Holz Blätter und Blüten aus, die von Hand gefaltet werden. Aus diesen Blüten und Blättern baut Nash Kunstobjekte, Lampen und Raumteiler.

-- Blühende Reifen --

Pflanzgefäße aus alten Autoreifen sind schon so lange bekannt, dass man sie fast als Designklassiker bezeichnen könnte. Tatsächlich sind sie praktisch, denn das Gummi ist haltbar, schwer (also sturmfest) und wasserdicht. Ein einzelner Reifen könnte als Mini-Hochbeet für Salat oder Kräuter dienen, ein Stapel aus mehreren als Komposter oder zum Pflanzen von Kartoffeln.

-- Tischinstallation --

Industrie-Chic liegt im Trend und macht auch am gedeckten Tisch nicht halt. Das Zubehör für originelle Kerzenhalter finden Sie im Kleinteileregal der Sanitärabteilung: Rohre, Flansche und Armaturen lassen sich leicht wie Legosteine zusammenbauen. Befestigen Sie ein Stück Rohr in einem standfesten Sockel (etwa einem Stein oder einem Holzklotz) und improvisieren Sie dann nach Lust und Laune weiter.

-- Pausenlektüre --

Alte Zeitschriften, Comics und großformatige, dünne Paperbacks besitzen die ideale Größe für Tischsets. Man kann sie in transparente Folie einlaminieren oder einfach so unter das Gedeck legen – dann haben die Gäste bei der Dinnerparty etwas zu lesen, falls die Konversation ins Stocken gerät.

-- Ein Platz für die Seife --

Es gibt zahllose Arten von Verpackungen, und jede bietet sich für weitere Verwendungen an. Supermärkte verkaufen Obst oft in Plastikschalen mit Belüftungslöchern – sehr praktisch als Seifenschale. Für den gleichen Zweck eignen sich Verpackungen von Mobiltelefonen, die aus stabilerem Plastik bestehen. Kleben Sie Korkscheiben unter den Boden, damit Schaum und Wasser ablaufen können.

Design!

Karen Ryan
Second Hand und Unmade 07

Die Londoner Designerin Karen Ryan sucht auf Flohmärkten und bei Trödlern alte Teller und Vasen und schleift die Glasuren ab, bis von den ursprünglichen Mustern und Motiven nur noch Spuren zu erkennen sind; dann trägt sie ihren eigenen Schriftzug auf. Die Tellerserie *Second Hand* und die Vasenkollektion *Unmade 07* sind frühe Beispiele dieser Technik. Recycling ist ihr ein besonderes Anliegen, zumal es ihr schwerfällt, angesichts der Nachrichten „ein weiteres überflüssiges Objekt“ zu gestalten.

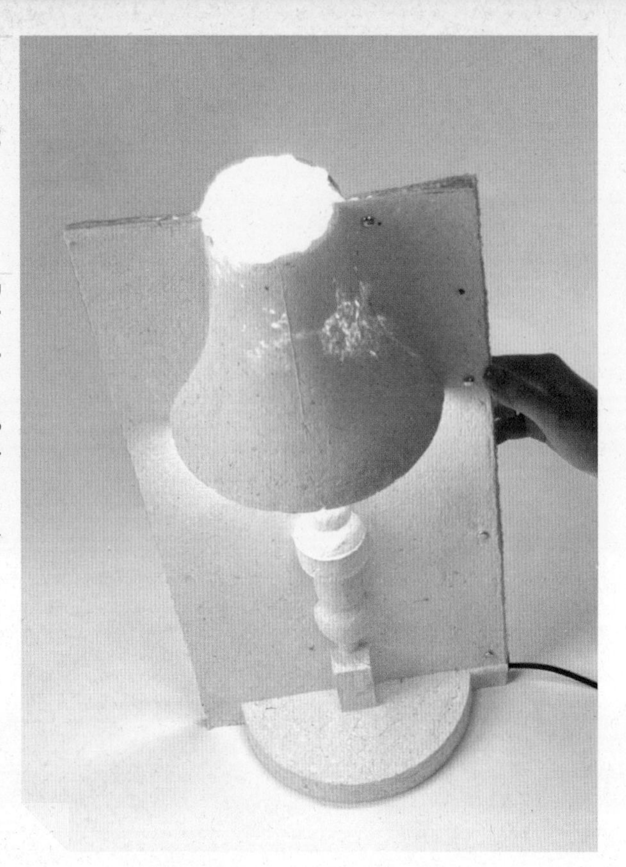

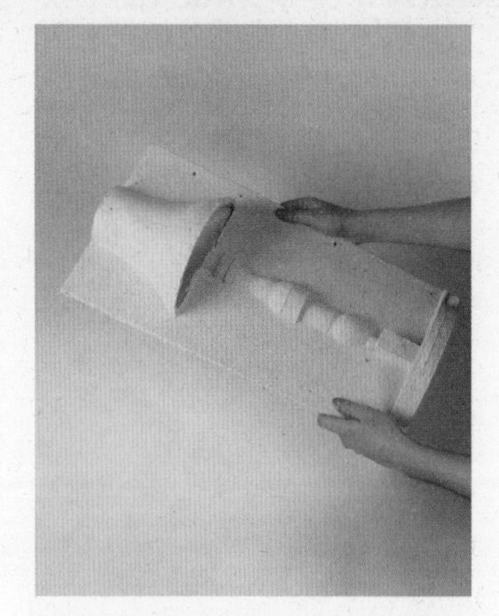

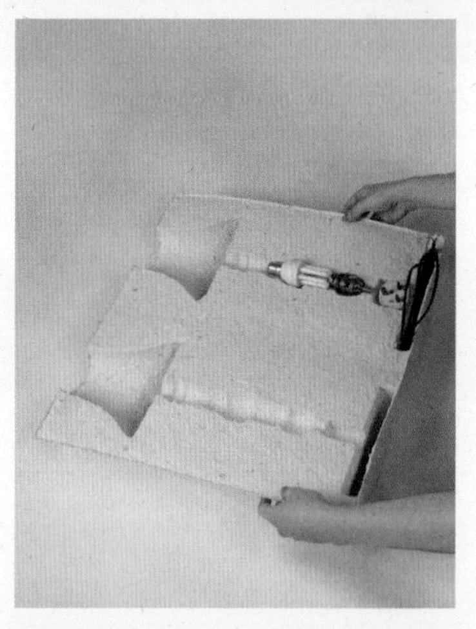

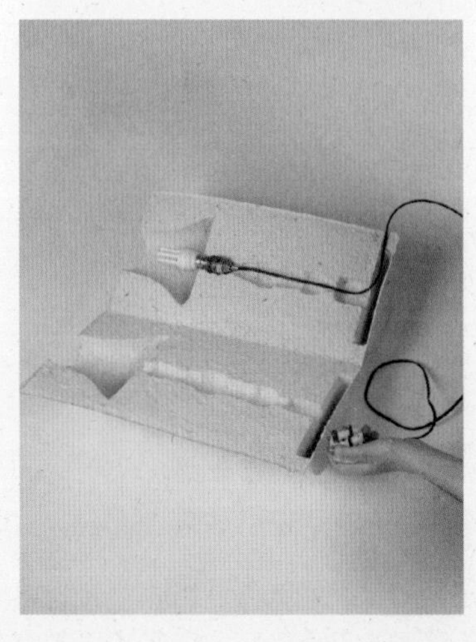

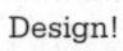

Design!

David Gardner
Packaging Lamp

Für seine *Packaging Lamp* verwendet der britische Designer David Gardner eine handgefertigte Struktur aus Pappmachee, die gleichzeitig ihre eigene Verpackung ist. Der Kunde nimmt die elektrischen Bestandteile aus dem Karton, steckt diesen dann gemäß der Anleitung zusammen und baut die elektrischen Komponenten ein – das Resultat ist eine voll funktionsfähige Lampe ganz ohne Verpackungsmüll.

Design!

Paul Cocksedge
Styrene

An einem Tag, an dem der britische Lampendesigner vermutlich wenig zu tun hatte, experimentierte er mit Kaffeebechern aus Styropor. Er erhitzte sie im Backofen und stellte fest, dass sie sich verformen, schrumpfen und hart werden. Oberfläche und Materialeigenschaften des so entstandenen Produkts ähneln der Keramik. Diese Erkenntnis brachte Cocksedge dazu, die Lampe *Styrene* zu entwickeln, mit der er mehrere Preise gewann.

Design!

Maxim Velcovsky
Catastrophy

Der tschechische Keramikkünstler Maxim Velcovsky gießt diese Vasen aus Porzellan in vordergründig traditionellen Formen und verziert sie danach mit Lehm, Sand und Fundstücken. Viele der Vasen enthalten auch Kleinigkeiten aus seinem persönlichen Besitz.

-- Polymorph --

Die Styroporelemente, die zur stoßsicheren Verpackung von elektronischen Geräten verwendet werden, lassen sich zu allerlei Schreibtischutensilien umfunktionieren. Falls nicht bereits vorhanden, schneiden Sie einfach mit einem Teppichmesser die notwendigen Vertiefungen, um Halter für das Handy oder den Laptop, Kabelbehälter oder Nadelkissen für die Pinnwand-Nadeln zu erhalten.

-- Spieglein, Spieglein --

Alte Spiegel, die sich noch sehen lassen können, eignen sich gut als Servierplatten für Fingerfood, als Schlüssel- oder Seifenablagen. Selbst den Außenspiegel Ihres Autos – natürlich vorausgesetzt, das Auto ist nicht mehr verkehrstüchtig oder hat einen neuen Spiegel bekommen – können Sie im Bad an die Wand schrauben und zur Seifenschale umfunktionieren.

-- Home-Disco --

Aus alten CDs kann man zum Glück mehr als neumodische Windspiele basteln. Nutzen Sie den tollen Glanz von Lionel Ritchies *Greatest Hits* lieber für eine Glitzerkugel mit authentischem Disco-Feeling. Einfach alte CDs in kleine Quadrate und Dreiecke schneiden und auf einen runden Gegenstand (etwa einen alten Wasserball) kleben. Aufhängen, Licht einschalten und abtanzen!

-- Mit Essen spielt man nicht --

Alte Spielbretter, vor allem von Klassikern wie Monopoly, Scrabble oder Mensch-ärgere-dich-nicht, können ein zweites Leben als Tischsets erhalten. Das führt zwar vielleicht Kinder in Versuchung, mit dem Essen zu spielen, aber möglicherweise bekommen Erwachsene auch Lust auf eine Partie nach der Mahlzeit. In gleicher Weise lassen sich Twister-Matten als Tisch- oder Picknickdecken zweckentfremden.

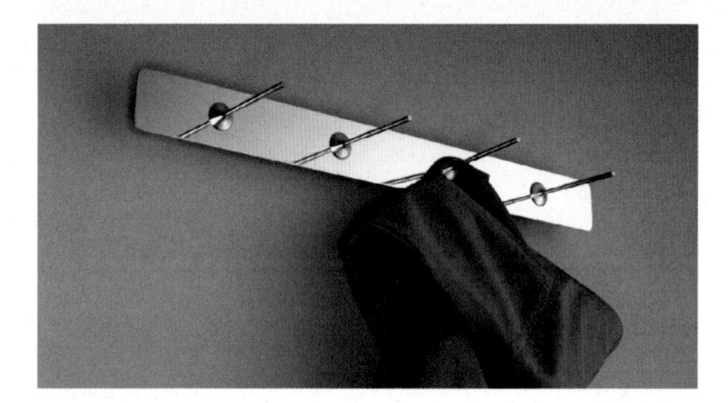

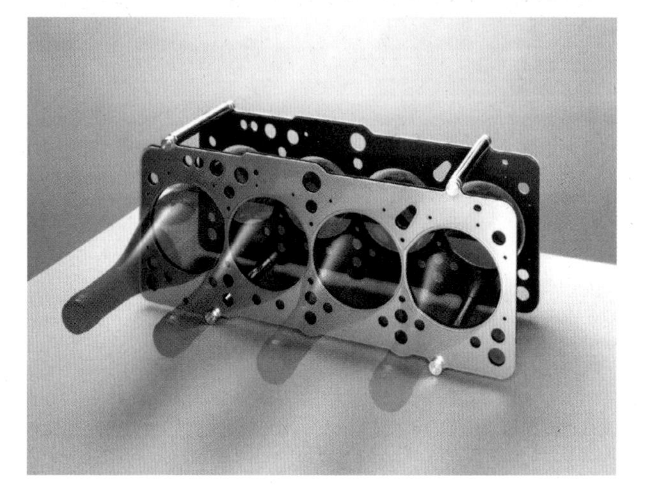

Design!

JAM

Audi

Für eine Werbeaktion der Automarke Audi gestaltete JAM Fernsehspots, Plakate und Zeitschriftenwerbung, in denen Audi-Teile als Haushaltsutensilien präsentiert wurden. Dazu gehörte eine Lampe, die aus Ölmessstäben bestand; ein Zylinderkopf wurde zum Weinregal und ein Stoßdämpfer zum Zeitschriftenhalter. Weitere innovative Designideen waren ein Toilettenpapierhalter aus einem Außenspiegel sowie Wandlampen aus Radkappen und Tankdeckeln.

Design!

Junktion
Körbe und Schaufel Gas

Die Designer von Junktion kamen auf die Idee, bunte Gasflaschen aufzuschneiden, auf den Kopf zu stellen, mit Gummi auszukleiden und daraus witzige Einkaufskörbe und Schaufeln herzustellen.

-- Leer? Gut! --

Angebot und Nachfrage: Je mehr Weinflaschen man leert, desto mehr Verwertungsideen finden sich. Für Teelichthalter zerschneiden Sie die Flasche wenige Zentimeter über dem Boden mit einem Glasschneider. Die Kanten mit feinem Schleifpapier brechen oder mit Isolierband oder breitem Gummi (etwa von alten Fahrradschläuchen) überkleben. Der Flaschenhals mit dem oberen Flaschenteil eignet sich als Halter für eine Haushaltskerze. Sie können auch zwei Oberteile Hals an Hals mit Isolierband (oder Fahrradschlauch) zusammenkleben, dann bekommen Sie einen wirklich originellen Kerzenständer.

-- Henkel-Blumentopf --

Eine Teekanne, deren Tülle abgebrochen ist, muss nicht auf den Müll geworfen werden. Füllen Sie sie mit Blumenerde und pflanzen Sie ein rankendes oder hängendes Gewächs hinein. Bewässert wird der tragbare Topf von oben oder durch die (Ex-)Tülle.

-- Schattendasein --

Lebensmittel sollten bei warmem Wetter im Schatten aufbewahrt werden, sonst locken sie Fliegen an. Ein ausgemusterter Lampenschirm lässt sich gut zur Speisehaube umfunktionieren. Spannen Sie über die obere Öffnung Fliegendraht (oder legen Sie einfach eine Serviette darüber) und decken Sie damit bei einer Mahlzeit im Freien das Essen ab, dann haben Sie Ruhe vor Insekten.

-- Schirmherrschaft --

Ein alter Lampenschirm kann „kopfüber“ aufgestellt auch einen hübschen Papierkorb oder einen originellen Übertopf für Pflanzen oder Duft-Potpourris abgeben. Dazu brauchen Sie nur die Lampenfassung auszubauen und die Öffnung mit stabiler Pappe, einer Korkfliese oder ähnlichem Material zu verschließen. Mit Sekundenkleber fixieren – fertig.

Design!

Ryan McElhinney
Gold Toy-Serie

Ryan McElhinney hat für seine Lampen- und Spiegelkollektion *Gold Toy* jede Menge herrenloser Kleinspielzeuge aus London vor dem Müll bewahrt, indem er sie zusammenklebte und mit einer Schicht Polyurethan-Hochglanzlack überzog.

WOHNTEXTILIEN

Bettwäsche, Decken, Kissen, Vorhänge, Rollos,
Teppiche, Handtücher, Tischdecken, Servietten

-- Nach der Reistafel --

Kaufen Sie Reis in Großhandelsmengen? Die Säcke sind oft mit exotischen Motiven und Schriften bedruckt und eignen sich gut als Bodenkissen. Zum Ausstopfen können Sie Papier aus dem Reißwolf verwenden, denn der derbe Stoff kaschiert Unebenheiten des Füllmaterials. Das Ergebnis: füllige, stabile und bequeme Sitzgelegenheiten.

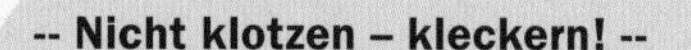

-- Nicht klotzen – kleckern! --

Tischdecken aus Leinen oder Baumwolle, die ihre besten Zeiten bereits hinter sich haben, taugen immer noch für schöne Servietten. Einfach aus den guten Stoffteilen Quadrate zuschneiden, die etwas größer sind als übliche Servietten, und die Kanten umsäumen.

-- Federn aufpumpen --

Federkissen werden mit der Zeit schwer und klumpig, aber sie lassen sich mit einer normalen Fahrradpumpe aufmöbeln. Die Düse der Pumpe durch ein kleines Loch in den Kissenbezug schieben, ein paarmal pumpen – und die Luft lockert die Federn auf. Danach könnte man das Kissen mit einer Wolke verwechseln.

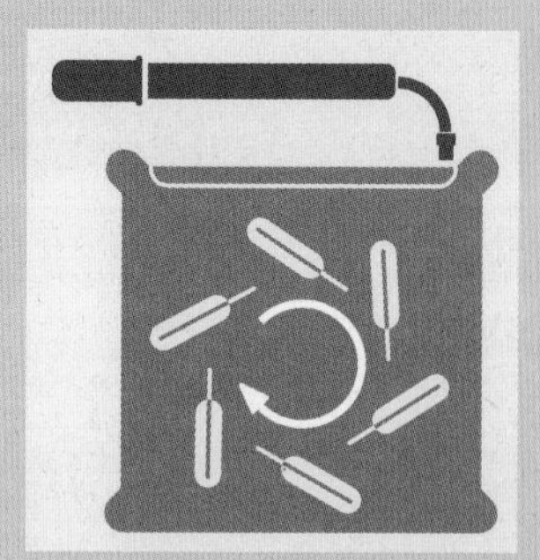

-- Blasen gegen Durchblick --

Wer in eine neue Wohnung zieht, hat viel zu tun – und weil Privatsphäre wichtig ist, stehen Vorhänge ganz oben auf der Prioritätenliste. Wenn aber die guten Gardinen sicher verpackt in der untersten Umzugskiste liegen, nehmen Sie einfach die Luftblasenfolie aus einer anderen Kiste. Als improvisierte Gardine lässt sie Licht ein, aber die Neugier der neuen Nachbarn bleibt unbefriedigt.

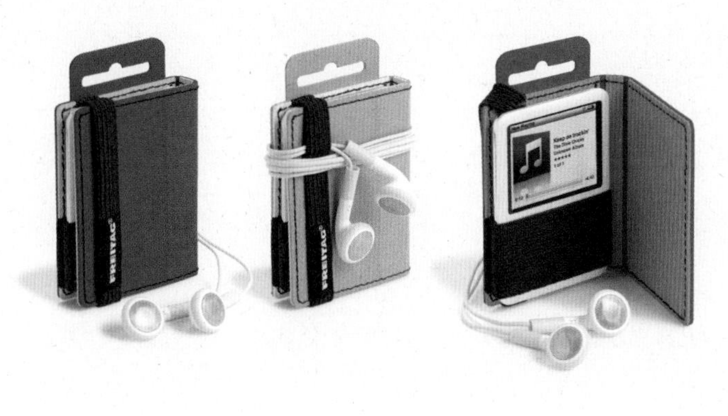

Design!

Freitag

Seit 1993 produzieren die Brüder und Grafikdesigner Markus und Daniel Freitag Taschen und Accessoires wie Schlüsselanhänger und iPod-Hüllen aus alten Lkw-Planen, Sicherheitsgurten und Fahrradschläuchen. Die Brüder leben in der Schweiz und sind dort oft per Fahrrad unterwegs. Ursprünglich entwickelten sie die robusten, wasserdichten Produkte für den Eigenbedarf, doch dann wurde die Serie ein derartiger Erfolg, dass sie inzwischen weltweit vertrieben (und kopiert) wird.

Design!

Denise Bird
Iceland Bath Cushions

2005 gründete Denise Bird im englischen Wiltshire ihr Unternehmen Denise Bird Woven Textiles (DBWT), das sich mit der Entwicklung und Erforschung ökologischer Stoffe beschäftigt. Bird arbeitet mit Fairtrade-Herstellern zusammen und bietet Schals, Decken und Ponchos aus organischer Baumwolle an. Eine Sonderstellung in ihrer Kollektion nehmen aber Badewannenkissen aus Supermarkt-Plastiktüten ein.

-- Handgewebt --

Plastiktüten sammeln sich in allen Haushalten an, in manchen mehr als in anderen. Wer eine handwerkliche Ader besitzt und genug Tüten beisammen hat, kann sie in Streifen schneiden und durch die Maschen von Kunststoffnetzen (etwa von Orangen) weben, um Plastikgewebe herzustellen, aus dem sich dann wiederum allerlei Originelles machen lässt.

-- Lieblingslaken --

Zu Kriegszeiten war alles knapp, auch Haushaltswäsche. Damals entwickelten findige Hausfrauen eine Methode, um die Lebensdauer von Bettlaken zu verlängern: Wenn die Mitte eines Lakens dünn wurde, schnitt man es einfach längs durch und nähte die Seitenkanten zusammen. Nun lagen die abgewetzten Stellen am Rand und die guten in der Mitte. Wer diese Technik ausprobieren will, sollte darauf achten, dass die Nähte ganz flach und glatt ausfallen, damit sie nachts nicht unangenehm drücken.

-- Warmzeichen --

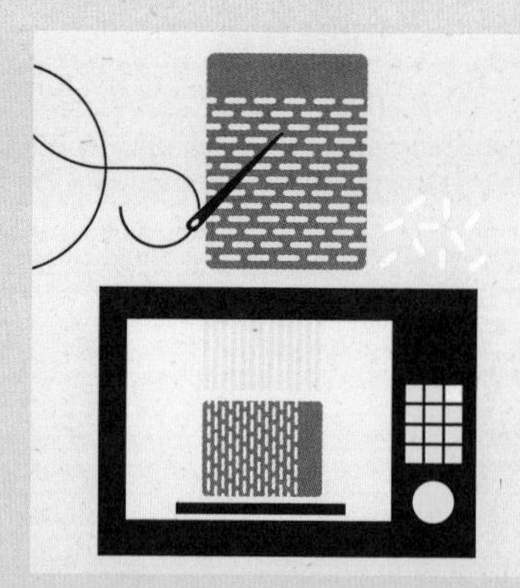

Wärmekissen, die in der Mikrowelle aufgeheizt werden, kann man im Winter in die Fäustlinge stecken oder ans Fußende des Betts legen. Sie sind aus ein paar Baumwollstoffresten schnell genäht. Einfach kleine Stoffsäckchen nähen (Form und Größe spielen keine Rolle, solange sie in die Mikrowelle passen) und mit ungekochtem Reis füllen. Wer nicht nähen mag, kann auch einen alten Strumpf füllen und zuknoten – das ist aber nicht ganz so gemütlich wie ein liebevoll genähtes Beutelchen aus weichem Frottee.
Anstelle von Reis eignen sich als Füllung auch Getreidekörner oder Kirschkerne. Fans von Aromatherapie geben noch Kräuter, Gewürze oder einige Tropfen eines ätherischen Öls zur Füllung. Dann wird das Kissen einfach – je nach Größe – 1 bis 3 Minuten in der Mikrowelle erhitzt.
Verwenden Sie nur Baumwolle, denn synthetische Stoffe können schmelzen und ziemlich eklig werden. Man kann die Beutel auch ins Tiefkühlfach legen und als Kühlkissen oder sogar als Gefrierbeutel verwenden – für den Fall, dass Ihnen einmal die Erbsen ausgehen.

Design!

Ellie Evans
Hanging pockets

Ellie Evans produziert individuelle Textilien vom Nadelkissen bis zur Dokumentenhülle und kombiniert dabei traditionelle Handstickerei mit modernem Digitaldruck. Zu ihren historisch inspirierten Spezialitäten gehören die *Hanging Pockets*, nostalgische, aber praktische Taschen, die man schon zu Königin Victorias Zeiten kannte. Ursprünglich trugen Frauen diese Taschen an einem Band um die Taille zwischen Rock und Unterrock und verstauten darin persönliche Kleinigkeiten. Evans' heutige Modelle können sich als Wohnaccessoires oder Handtaschen sehen lassen.

Design!

Kate Goldsworthy

Licht und Transparenz faszinieren die britische Textildesignerin Kate Goldsworthy, die für ihre dynamischen Wohntextilien häufig recycelte Materialien einsetzt. Nach ihrem Studium am Londoner Central Saint Martins College of Art and Design mit einem Schwerpunkt auf der Erforschung von Textilien hat sie verschiedene Produkte entwickelt, darunter transparente Fensterpaneele für ein Londoner Restaurant, Stoffparavents und -wandbehänge für private Sammler sowie eine Kollektion von „kleinen Schwarzen" – Kleidern aus gebrauchten und recycelten Kunststoff-Abfallstoffen.

Design!

Catherine Hammerton
Victoriana

Die Textildesignerin Catherine Hammerton setzt Techniken wie traditionellen Seiden-Siebdruck, Handstickerei oder Collage auf verschiedensten Untergründen aus Papier und Stoff ein, die sie auf Antikmärkten in aller Welt aufstöbert. *Victoriana* beispielsweise ist eine Kollektion handbedruckter Papiere, die mit zarten Spitzenstickereien und Papiervögeln verziert sind.

SCHRITT FÜR SCHRITT

Kissen vorknöpfen!

Knopfheftung ist die Rettung für Sessel und Sofas, die schon etwas durchgesessen sind. Aber nicht nur schlaffe Polster bekommen auf diese Weise neue Spannkraft, auch lose Kissen lassen sich mit originellen Knöpfen gut aufpeppen. Für Uneingeweihte sei noch erläutert, dass es viele verschiedene Arten der Knopfheftung gibt und dass es sich bei dieser um die einfachste handelt.

Sie brauchen:

_ Kissen oder Polster
_ Lineal
_ Schneiderkreide
_ starkes Nähgarn (z. B. Polsterergarn oder Knopflochgarn)
_ Polsterernadel (lang und gerade)
_ Schere
_ Knöpfe (optional)

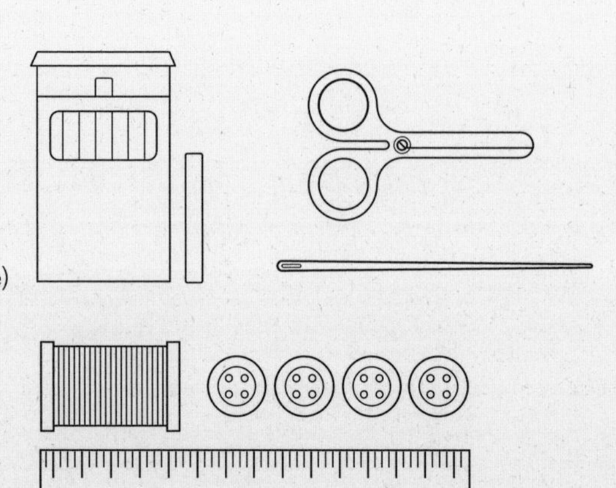

1_ Zuerst das Kissen kräftig aufschütteln. Es sollte frisch gereinigt sein, denn beim späteren Waschen müssen Sie die Heftung wieder auftrennen.

2_ Die Heftpunkte mit dem Lineal ausmessen und mit Schneiderkreide anzeichnen. Für ein loses Kissen genügt ein Heftpunkt, für ein Rückenpolster dürfen es bis zu vier sein.

3_ Einen langen Faden in die Nadel fädeln, das Fadenende festhalten. Die Nadel an der Markierung ins Kissen hineinstechen und auf der anderen Seite herausziehen.

4_ Die Nadel vom Faden ziehen und das andere Fadenende (das auf der Vorderseite des Kissens hängt) einfädeln.

5_ Die Nadel in etwa 1 cm Abstand zum ersten Stich nochmals durch das Kissen stechen. Jetzt wird der Knopf befestigt, der die Spannung verteilt und verhindert, dass der Stoff einreißt.

6_ Die Fäden fest, aber nicht zu straff durchziehen. Die Fäden auf der Rückseite des Kissens verknoten und die Enden abschneiden.

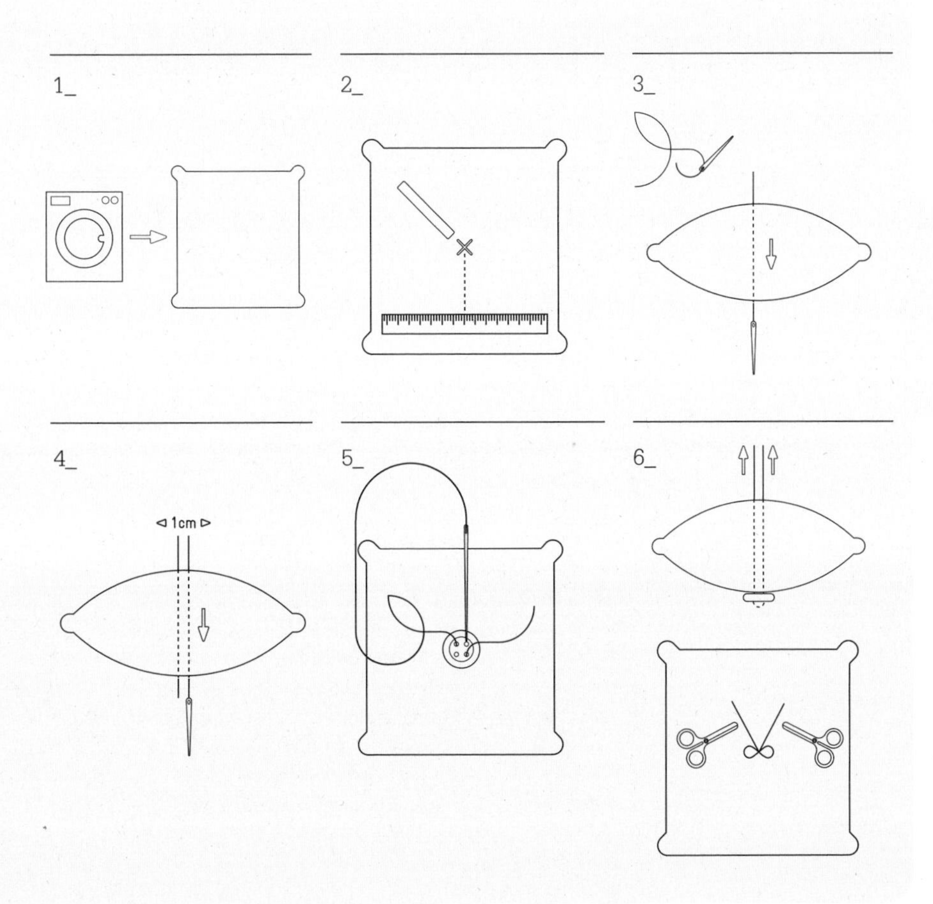

-- Aus Rechteck wird Quadrat --
Um aus einem länglichen Kopfkissenbezug eine quadratische Kissenhülle zu nähen, wenden Sie den Bezug und nähen Sie eine Schmalseite ab. Dann den überflüssigen Stoff abschneiden, wieder wenden und verzieren, etwa mit Knöpfen, Bändern oder Quasten.

-- Schonend waschen --

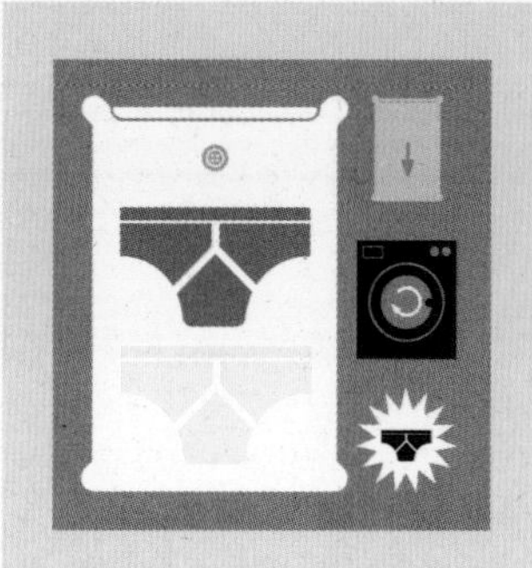

Mit einem einfachen Zugband wird aus einem alten Kopfkissenbezug ein praktischer Wäschebeutel. Nähen Sie gleich zwei – einen für helle und einen für dunkle Wäsche. Solche Beutel schützen empfindliche Textilien in der Waschmaschine vor Reibung; man darf sie aber nicht zu voll stopfen.

-- Gegen Schlammspuren --
Alte, stellenweise abgetretene Seegrasteppiche kann man zerschneiden und als Läufer und Fußmatten für Bereiche verwenden, die mit schmutzigen Schuhen betreten werden. Wer möchte, kann die Ränder mit breitem Köperband einfassen. Es geht aber auch ohne.

-- Ausgeduscht --
Ein alter Duschvorhang taugt noch für viele praktische Zwecke: Schneiden Sie die kalkverschmutzten Ränder weg und verwenden Sie den Rest als nässedichte Unterlage unter der Picknickdecke oder als Tischdecke. Auch schöne Lätzchen oder Platzsets lassen sich daraus machen, und ein kleines Stück davon ergibt eine Unterlage unter dem Futternapf des unmanierlichen Hundes.

-- Neue Sprungkraft --
Alte Kissen und Decken mit Federfüllung werden wieder luftig, wenn man sie mit drei sauberen Tennisbällen in den Wäschetrockner gibt. Wenn die Nähte einer Federdecke verschleißen, können Sie die Federn herausnehmen, waschen und als Füllmaterial für neue Kissen verwenden. Zum Waschen die Federn in zwei Kissenbezüge füllen, gut zubinden und anschließend in den Trockner geben. Die Federn müssen ganz trocken sein, sonst können sie schimmeln.

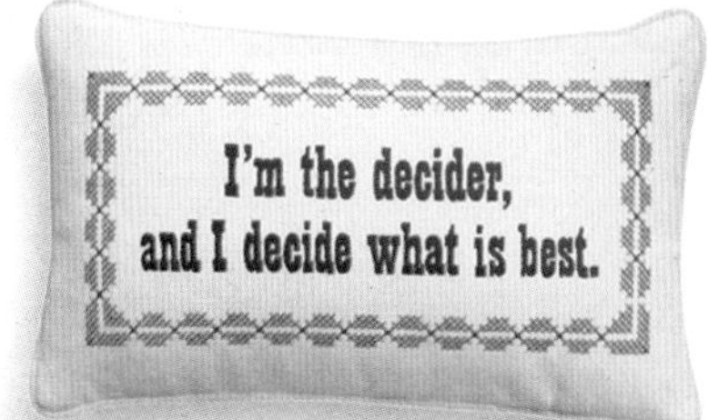

Design!

Margaret Cusack

Die New Yorker Illustratorin Margaret Cusack produziert mit viel Liebe zum Detail bestickte Wandbehänge, Skulpturen und andere Accessoires in intensiven Farben und attraktiven Geweben. Ihre begehrten Arbeiten, für die sie maschinengefertigte Applikationen und Handstickereien einsetzt, schmücken die verschiedensten Objekte, von Grußkarten bis zu Briefmarken. Häufig gestaltet Cusack auch großformatige Plakate oder Wandbehänge aus Stoff. 1988 wurde sie in Anerkennung ihrer Neuinterpretation der alten Quilting-Technik mit dem *Alumni Achievement Award* des Pratt Institute of Art in New York City ausgezeichnet.

Design!

Jo Meesters
TESTLAB

2008 rief Jo Meesters *TESTLAB* ins Leben und begann eine Reihe von Forschungsexperimenten, um die Möglichkeiten von Alt- und Abfallmaterialien zu erkunden. Das erste verwirklichte Projekt nannte er *Odds & Ends, Bits & Pieces* (Dies & Das, Krims & Krams). Die Kollektion aus vier Möbelstücken entstand aus 34 alten Balken, als Polstermaterial wurden 16 miteinander verwobene gebrauchte Wolldecken verwendet.

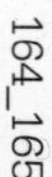

Design!

Galya Rosenfeld
Modular Series

Die in San Francisco ansässige Designerin Galya Rosenfeld verwendet für ihre Kollektion *Modular* Reste von ultrafeinem Synthetik-Wildleder aus der Polsterindustrie. Aus kleinen Stücken, die wie Puzzleteile flächig zusammengefügt werden, fertigt Rosenfeld Kissen, Hausschuhe, Schals, Decken und andere Objekte. Dabei kommen anstelle von Garn, Schnittmustern und anderen traditionellen Verfahren der Schneiderei oft originelle, aus anderen Handwerksbereichen entlehnte und abgewandelte Techniken zum Einsatz.

Design!

NIIMI

Towel With Further Options

Dem *Towel with further options* (Handtuch mit weiteren Möglichkeiten) der japanischen Designfirma NIIMI lag ursprünglich die Absicht zugrunde, die Lebensdauer von Handtüchern durch Zerteilen zu verlängern. Ein eingewebtes Rastermuster zeigt dem Verbraucher, wie er das Handtuch zerschneiden kann, wenn es abgenutzt ist, ohne dass es ausfranst, um es als Bademattte und Putzlappen weiterzuverwenden. Diese Verwendung alter Handtücher ist zwar nicht neu, doch außerdem spielen NIIMI auf die Tradition der Japaner an, ihre *yukata* oder Sommerkimonos für Windeln und Lappen zu recyceln. Als das Handtuch von Muji mit einem Designpreis ausgezeichnet wurde, lobten die Juroren vor allem die Kenntnisse der Designer bezüglich der Herstellung von Handtüchern. Waschlappen etwa werden oft aus einem großen Stück Frottee gefertigt, das in kleinere Stücke zerteilt ist.

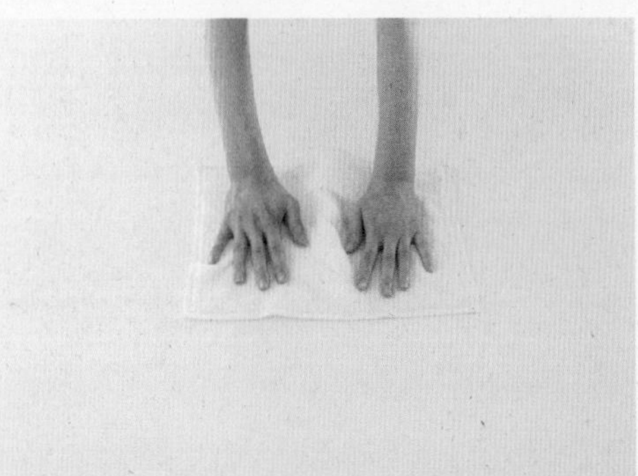

-- Mit Füßen treten --

Aus alten Handtüchern und T-Shirts lassen sich raffinierte Badematten herstellen. Dazu das Rohmaterial waschen und mit der Schere in Streifen von etwa 10 x 2 cm schneiden. Dann ein passendes Stück groben Gittergrund oder Stramin suchen (wer keinen im Haus hat, wird im Bastelfachhandel fündig) und die Streifen durch das Gewebe knüpfen. Achten Sie darauf, dass alle Knoten auf der einen und alle losen Enden auf der anderen Seite liegen.

-- Für heiße Töpfe --

Alte Badetücher kann man zerschneiden, einsäumen und als Küchenhandtücher weiterverwenden. Auch eine Wattierung für Topflappen lässt sich daraus nähen. Dazu das Duschtuch in handliche Quadrate schneiden und drei oder vier aufeinanderlegen. Aus einem anderen Stoffrest, der Ihnen gefällt, eine passende Tasche in der gleichen Größe nähen und die Frotteelagen hineinschieben. Dann den „Bezug" zunähen und mit der Nähmaschine kreuz und quer absteppen.

-- Schmuckes Rollo --

Wenn das Endstück der Zugschnur eines Rollos verloren gegangen ist, fädeln Sie einfach eine größere Perle von einer alten Modeschmuckkette auf. Sie können auch einen Plastikfingerhut nehmen – dann ein Loch in den Boden stechen und die Schnur durchziehen, sodass der Knoten im Innern des Fingerhuts liegt.

-- Für die Katz --

Pelzige Familienmitglieder wissen alte Handtücher auch dann zu schätzen, wenn jeder andere sie als „fadenscheinig" bezeichnen würde. Darum recyceln Sie alte Handtücher ruhig als Einlagen fürs Katzenkörbchen oder als Hundedeckchen!

-- Windeln für alle --

Nicht nur für hübsche Stoffreste gibt es viele praktische Recyclingmöglichkeiten. Auch wenig benutzte Mullwindeln und Wickeltücher aus Frottee und Molton lassen sich, nachdem sie einen Kochwaschgang durchlaufen haben, wieder und wieder zum Wischen und Abstauben benutzen. Oder Ihre heranwachsenden Kinder verwenden sie als Putzlappen für Fahrrad oder Pinsel.

SCHRITT FÜR SCHRITT

Kissenverwandlung

Diese Anleitung beschreibt, wie man aus einem alten Kissenbezug einen Klammerbeutel näht. Zugegeben, normalerweise braucht man davon nur einen. Nennen wir das Modell jedoch Sesseltasche, ergeben sich ganz neue Möglichkeiten: Man kann Bücher, Zeitschriften, Fernbedienung und Brille darin aufbewahren. Solche Taschen machen sich auch am Bett, im Arbeitszimmer, im Nähzimmer und sogar in der Küche nützlich – überall dort, wo man Kleinigkeiten griffbereit haben möchte. Alternativ können Sie die Zeitschrift weglassen, an beiden Seiten Bänder anbringen und die Tasche wie eine Schürze um die Taille binden.

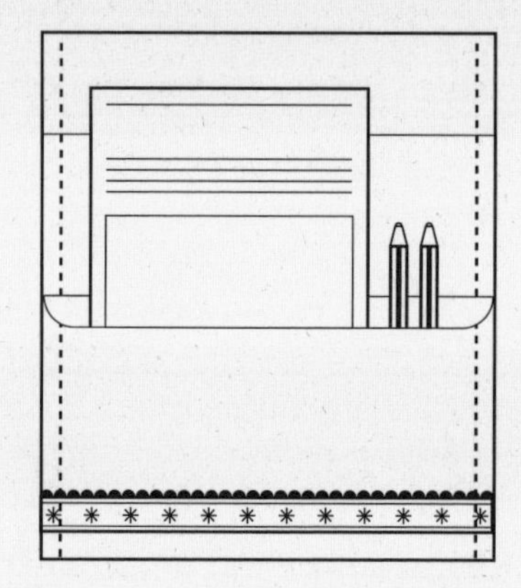

Sie brauchen:

_ 1 Kissenbezug
_ Nähmaschine und passendes Garn
_ Schere
_ 1 alte Zeitschrift
_ dekorative Borten (optional)

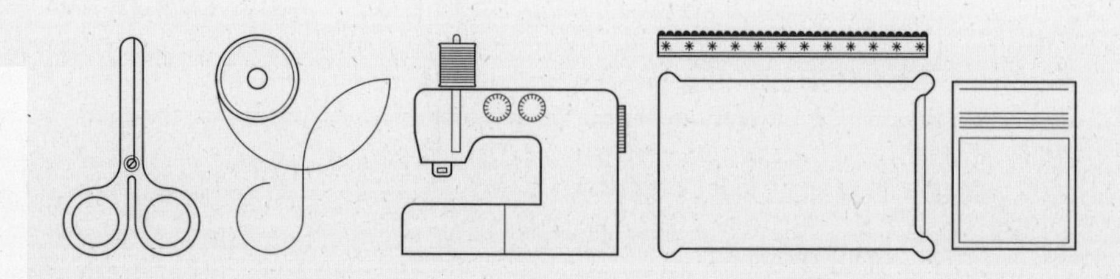

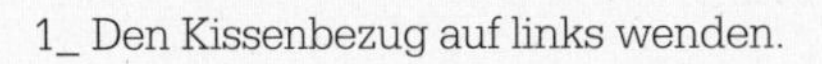

1_ Den Kissenbezug auf links wenden.

2_ Beide Seiten von unten nach oben abnähen, um die gewünschte Breite zu erhalten. Die überstehenden Stoffränder abschneiden. Wenn die Tasche so breit wie der Kissenbezug sein soll, entfällt dieser Schritt.

3_ Den Bezug wieder auf rechts wenden und die offene Kante zur geschlossenen umfalten.

4_ Die Seitennähte des offenen Endes bis zur Umschlagkante einschneiden, die umgeschlagenen Klappen festnähen, um zwei Taschen zu erhalten.

5_ In die andere Seite des Kissenbezugs einen Schlitz schneiden, der groß genug ist, um eine alte Zeitschrift einzuschieben. Falls die Tasche sehr schmal ist, müssen Sie vielleicht die Zeitschrift passend zuschneiden. Sie dient als Gewicht, damit die Tasche glatt über die Sessellehne (oder die Bettkante) hängt.

6_ Zum Schluss die Tasche nach Belieben verzieren.

1_

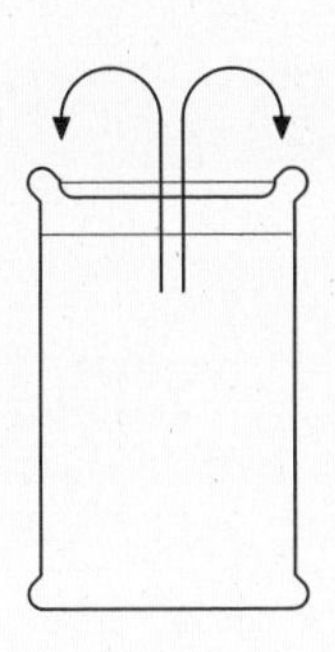

2_

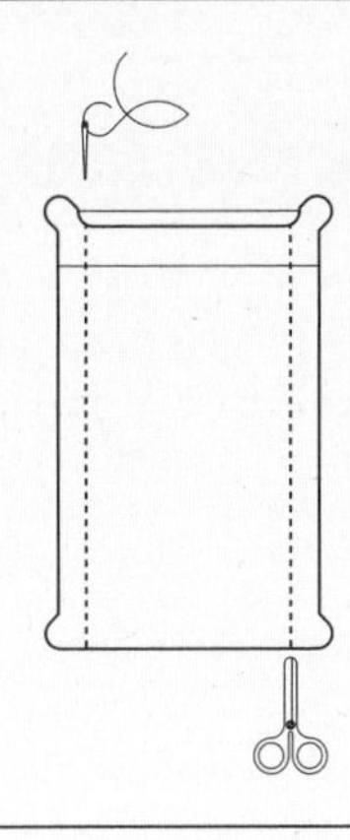

3_

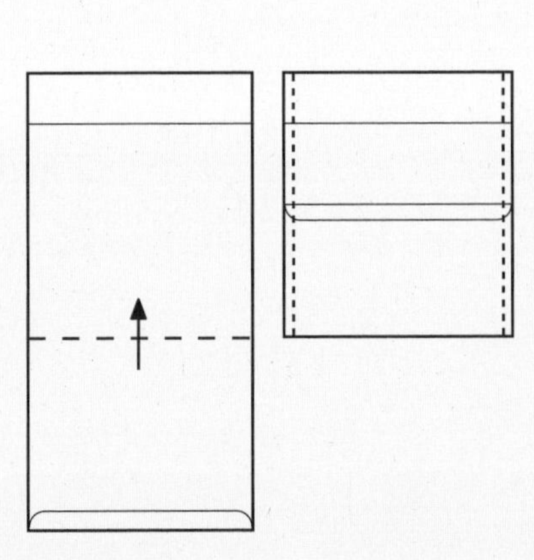

4_ 5_

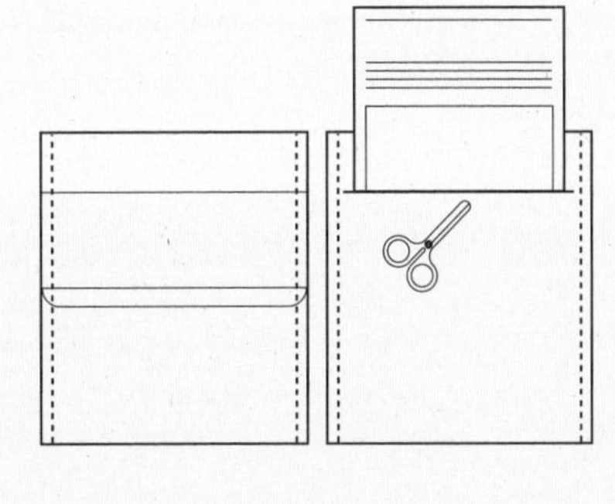

-- Under Cover --

Größere Stoffreste (zum Beispiel alte Laken, Vorhänge oder Bettbezüge) eignen sich gut zum Beziehen von Stapelboxen im Bad oder Arbeitszimmer. Die Bezüge können zum Waschen abgenommen werden, die Kisten sehen „im Gewand“ besser aus und lassen sich trotzdem problemlos stapeln.

-- Stempeln gehen --

Manche Textilien sehen gut aus und täten ihren Dienst bestens, wenn da nicht ein kleiner Fleck oder Schaden wäre. Solche Mängel lassen sich mit einer geschickt platzierten kleinen Stickerei, einem Flicken oder einer Applikation leicht verstecken. Wenn Stickereien – selbst ironisch gemeinte – gar nicht zu Ihrem Stil passen, können Sie es auch mit Stoffmalfarben und einem selbst gemachten Gummistempel probieren. Schneiden Sie mit einem Teppichmesser einen Stempel aus einem Radiergummi (Buchstaben spiegelverkehrt zuschneiden!), streichen Sie eine gleichmäßige Schicht Farbe darauf und stempeln Sie das Motiv mit gleichmäßigem, festem Druck auf den Stoff.

-- Blumiger Duft --

Eine hübsche alte Tischdecke oder Serviette, die Flecken oder Löcher hat, kann man in hübsche Stoffstücke zerschneiden und daraus Lavendelsäckchen nähen. Solche Beutelchen benutzten schon unsere Großmütter, um die Unterwäsche in der Schublade zu parfümieren. Außerdem sind sie ein nettes, nostalgisches Geschenk.

-- Läufermarathon --

Aus übrigen Stoffen, die für eine große Tischdecke zu klein sind, lassen sich hübsche Tischläufer nähen. Diese werden als Accessoires für eine schön gedeckte Tafel oft unterschätzt, dabei sind sie so praktisch. Muss man für viele Gäste zwei Tische zusammenschieben, verdeckt ein Tischläufer die Naht. Und legt man Tischläufer quer über den Tisch, ersetzen sie jeweils für zwei Personen, die einander gegenübersitzen, die Tischsets.

Design!

Clara Vuletich
Love & Thrift

Clara Vuletich ist eine Londoner Textildesignerin, die handbedruckte Stoffe und Tapeten entwirft und dabei traditionelle Methoden und häufig auch recycelte Materialien einsetzt. Für eine Ausstellung, die 2008 am Chelsea College of Art & Design zum Thema der kreativen Wiederverwertung von Textilien veranstaltet wurde, entwickelte Vuletich das Projekt *Love & Thrift*. Sie verwendete recyceltes PVC, um alte Tischdecken und andere Textilien mit einer schützenden Beschichtung zu versehen, ehe sie daraus Kleidungsstücke fertigte. Im Rahmen derselben Ausstellung präsentierte Vuletich eine Kollektion alter Textilien, die man überdruckt und bestickt hatte, um sie aufzufrischen.

Design!

Tal R
Patchwork-Eier

Der Sessel *The Egg* (Das Ei), meist mit Leder bezogen, ist ein Designklassiker von Arne Jacobsen. 2008 beauftragte der Hersteller der Sessel, die Firma Fritz Hansen, den Künstler Tal R, anlässlich des 50. Geburtstags des Modells neue Interpretationen zu entwerfen. Tal R gestaltete 50 Patchwork-Designs, deren Namen sich an die Schriften Sigmund Freuds anlehnen. Der Künstler betrachtet das Ei aber auch als Symbol für die Fortpflanzung und die Fähigkeit, neues Leben entstehen zu lassen. Freuds Frau Martha, die frühe Traumgestalt „Irma“ sowie der Arzt Adler, ein enger Freund des Psychologen, werden in der Namensgebung gewürdigt. Die Stoffe stammen aus aller Welt und reichen von Fundstücken aus dänischen Secondhandshops bis zu ausgewaschener Arbeitskleidung aus einem Kibbuz in Israel.

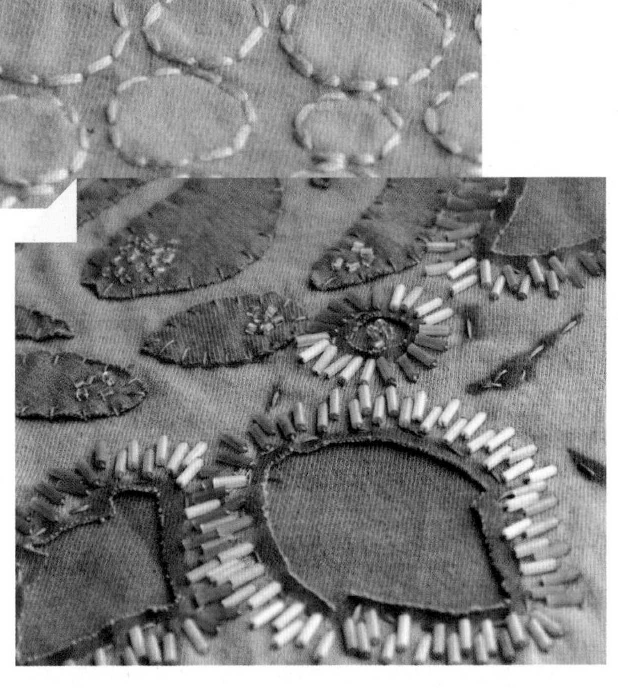

Design!

Alabama Chanin

Im Jahr 2000 gründete Natalie Chanin nach einer 22-jährigen Karriere als Kostümbildnerin in ihrer Heimatstadt Florence im US-Staat Alabama ihre eigene Firma. Alabama Chanin konzentriert sich auf umweltfreundliche Textilien und bietet Produkte in limitierten Serien an, die recycelte Materialien mit solchen kombinieren, die von örtlichen Kunsthandwerkern gefertigt werden. Die Dekore der Wohntextilien orientieren sich an der regionalen Landschaft und zeigen oft einfache grafische Muster, die mit Stickereien und Applikationen umgesetzt werden. Das Unternehmen polstert auch ausgemusterte Möbel neu auf.

SCHRITT FÜR SCHRITT

Für Lumpensammler

Flickenteppiche sind echte Traditionstextilien, die seit Urzeiten in aller Welt hergestellt und geschätzt werden. Es gibt Hunderte verschiedener Methoden, und das Spektrum der Resultate reicht von der simplen Hundematte bis zum Textilkunstwerk, das über Generationen vererbt wird. Flickenteppiche wurden ursprünglich aus purer Notwendigkeit hergestellt, sind aber praktisch und individuell. Man benötigt dafür nur einfache Werkzeuge, und das Material hat jeder im Haus.

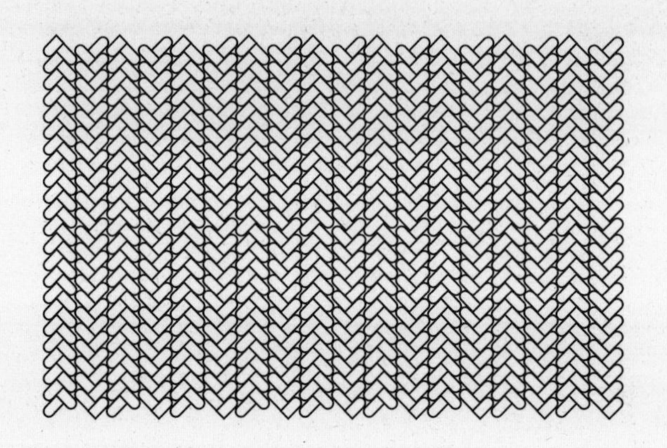

Sie brauchen:

_ Stoffreste
_ Schere
_ Nähnadel und starkes Garn

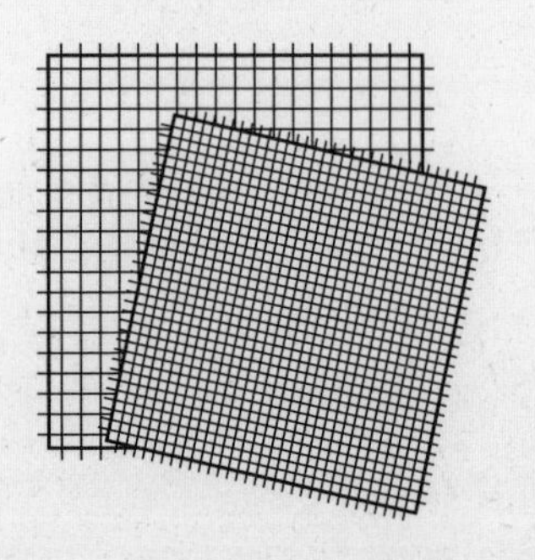

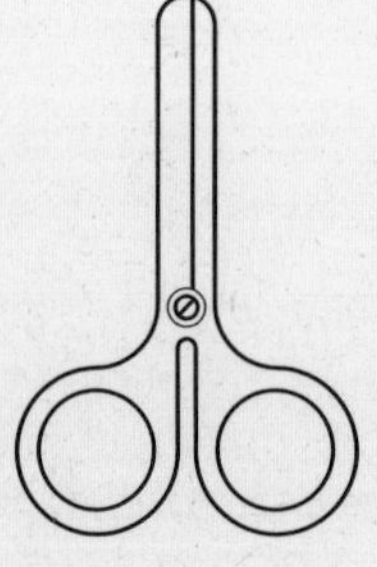

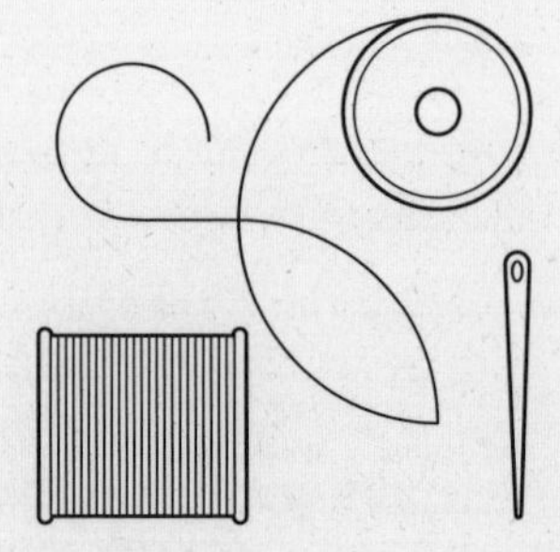

1_ Suchen Sie die Stoffreste aus, die Sie verarbeiten wollen. Achten Sie auf Farben und Muster, und überlegen Sie, wo der fertige Teppich liegen soll. Den Stoff in 4 bis 6 cm breite Streifen reißen oder schneiden. (Damit das Ergebnis gleichmäßig ausfällt, dünne Stoffe in breitere Streifen schneiden als dickere.)

2_ Die Streifenenden im rechten Winkel aufeinanderlegen und über die Diagonale des doppelt liegenden Quadrats nähen, um die Streifen zu verbinden. Den überstehenden Stoff knapp neben der Naht abschneiden.

3_ Für quadratische oder rechteckige Teppiche müssen die Streifen etwa 30 % länger als die geplante Teppichgröße sein. Die Streifen werden geflochten und dann reihenweise zusammengenäht. Für runde oder ovale Teppiche nähen Sie die Stoffzöpfe schneckenförmig zusammen. Falls nötig, können Sie beim Flechten jederzeit Stoff an die Streifen ansetzen.

4_ Die Stoffstreifen an einen Türgriff oder einen anderen festen Gegenstand binden und flechten. Es liegt bei Ihnen, wie viele Streifen Sie für einen Zopf verwenden. Je mehr Streifen sie verflechten, desto dicker und robuster wird der Teppich. Jeder fertige Zopf wird abgebunden, dann schneiden Sie die Stoffenden ab.

5_ Die Zöpfe mit diagonal verlaufenden Stichen aneinandernähen. Wenn Sie am Ende eines Streifens angekommen sind, drehen Sie den Teppich um und nähen noch einmal in entgegengesetzter Richtung darüber. Die Stiche sollen sich überkreuzen wie Schnürsenkel.

6_ Die Enden jedes Streifens sauber abschneiden (damit der Teppich gerade Kanten bekommt) und sorgfältig vernähen, damit sich die Zöpfe nicht auflösen. Bei einem runden oder ovalen Teppich das Ende des letzten Zopfs auf die Unterseite schieben und festnähen.

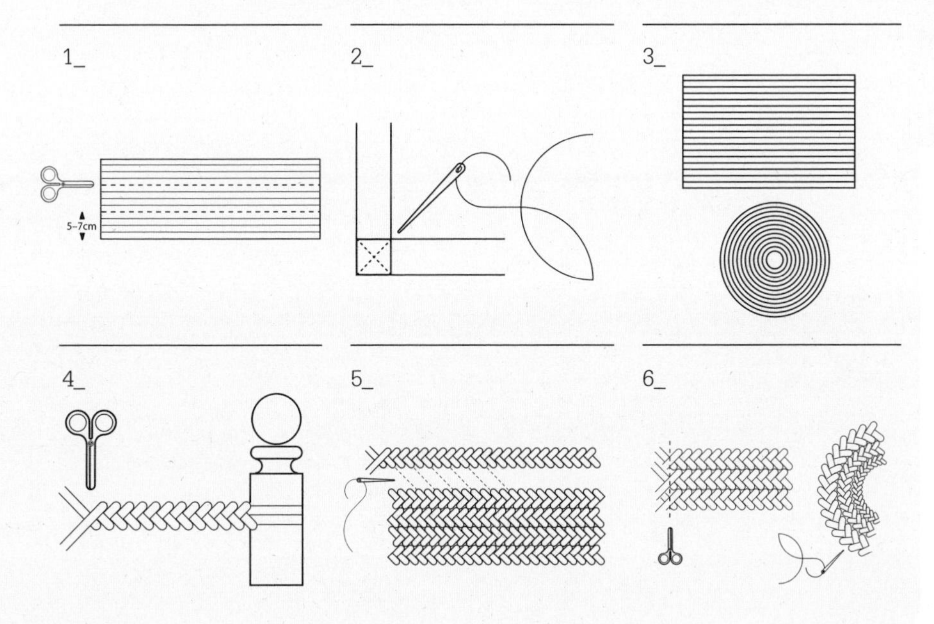

Design!

Huda Baroudi und Maria Hibri Alef

Die Al-Sabah Art & Design Collection ist eine moderne Galerie, die im Jahre 2008 von dem kuwaitischen Scheich Majed Al-Sabah gegründet wurde. Ihr Anliegen besteht darin, das Kunsthandwerk des Nahen Ostens besser bekannt zu machen und die dortigen Regierungen anzuregen, mehr für den Erhalt des kulturellen Erbes zu tun. Die erste Sammlung trägt den Namen *Alef* (so heißt der erste Buchstabe des arabischen Alphabets) und umfasst unter anderem eine Kollektion der libanesischen Designer Huda Baroudi und Maria Hibri: alte Möbel aus Europa und Skandinavien, neu bezogen mit traditionell bestickten Stoffen aus dem Nahen Osten.

Design!

Jo Meesters und Marije van der Park Carpet

Die niederländischen Designer Jo Meesters und Marije van der Park haben diesen Teppich im Jahr 2005 aus ausgemusterten Wolldecken mit Blumenmustern konstruiert und mit traditioneller Stickerei verziert.

-- Streifenweise --

Reste von Satin, Seide und anderen zarten Stoffen lassen sich in Streifen schneiden, die sich als Rohmaterial für neue Ideen eignen. Sie können sie beispielsweise miteinander verweben oder flechten und als Raffhalter für Vorhänge oder als Zierborten auf Kissen oder einem originellen Hut verwenden.

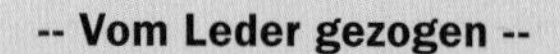

-- Vom Leder gezogen --

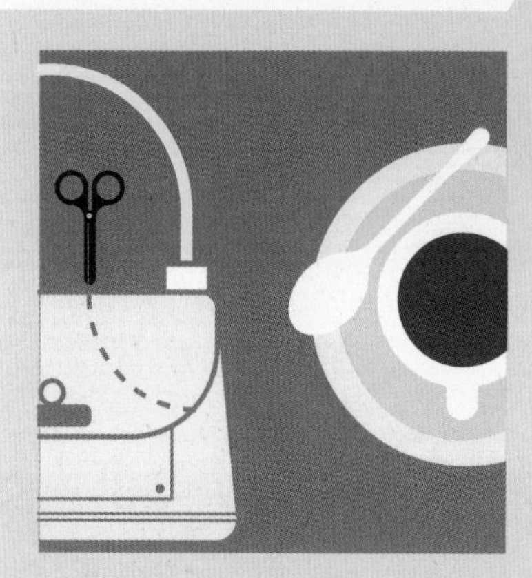

Das Leder einer ausgemusterten Tasche ist – je nach ihrem Format – ein gutes Rohmaterial für kleine Untersetzer für Gläser oder größere Tischsets. Aus einem größeren Stück, etwa von einem alten Sofa- oder Sesselbezug, könnte man eine Unterlage für einen kleinen Schreibtisch zuschneiden. Leder lässt sich leicht glätten oder „modellieren“, wenn man es über Nacht einweicht und dann von Hand oder über einer Unterkonstruktion in Form drückt. Das Leder ganz trocknen lassen, ehe Sie es von der Form abnehmen.

-- Vorhang 1 --

Hässliche Schränke oder Regale lassen sich leicht hinter einem Vorhang aus übrig gebliebenen Stoffen verstecken, der außerdem den Inhalt vor Staub und Fliegen schützt.

-- Vorhang 2 --

Große Stücke dickerer Stoffe, etwa von Woll- oder Tagesdecken, sind perfekt für Vorhänge an Haustüren, durch die es leicht zieht.

-- Folientrick --

Aluminiumfolie ist nützlich zum Frischhalten von Butterbroten, aber sie eignet sich auch gut als Bügelhilfe. Legen Sie eine Bahn Alufolie unter den Bezug Ihres Bügelbretts, dann kann der Dampf nicht in die Polsterung eindringen, und die Hitze wird reflektiert; so geht die Bügelarbeit wesentlich schneller und leichter von der Hand.

Design!

Barley Massey
Remember Me

Seit Barley Massey Mitte der 1990er-Jahre ihre Werkstatt und Ideenschmiede in London ins Leben rief, hat sie verschiedene Wohntextilien aus recycelten Materialien entwickelt. Mit ihrem Projekt *Remember Me* entdeckte sie eine Marktlücke: Aus Stoffen, die für ihre Kunden besondere Bedeutung haben (wie Babykleidung, Schuluniformen oder dem Pyjama des schmerzlich vermissten Liebsten) schneidert sie Kissen und Decken. Knöpfe und andere Verschlüsse bleiben dabei als „interaktives Element“ erhalten und dienen dazu, den emotionalen Bezug zu dem Modell zu vertiefen.

Design!

TING

Die Londoner Designerin Inghua Ting gründete ihr Unternehmen im Jahr 2000 und bot zuerst nur eine kleine Kollektion von Kissen und Sitzwürfeln an, die von Hand aus gebrauchten Fahrzeugsicherheitsgurten gewebt waren. Ting ging es dabei mehr um den Recyclinggedanken als um den originellen Charakter des neuen Gewebes; sie betrachtete die Sicherheitsgurte, deren Haltbarkeit außerordentlich streng geprüft wird, als zweckmäßiges und langlebiges Material für Luxusgüter. Später erweiterte sie ihre Kollektion um Reisegepäck, Aufbewahrungsboxen und Körbe.

Design!

Zoe Murphy
Kollektion Margate

Die britische Designerin Zoe Murphy erregte bei der Ausstellung anlässlich ihres Studienabschlusses mit einer Kollektion von Möbeln und Textilien Aufsehen, die Motive ihrer Heimatstadt Margate an der englischen Westküste zeigten. Murphy arbeitete Möbel aus der Mitte des 20. Jahrhunderts um und setzte dazu Drucke, Stiche und neue Polstermaterialien ein, deren farbige Muster und Motive ebenso wie der Grundgedanke der Nachhaltigkeit auf positive Resonanz stießen. Für den Bezugsstoff eines alten Hockers verwendete sie Seide von gebrauchten Brautkleidern, die sie färbte und von Hand mit Motiven aus Margate bedruckte.

-- Strumpfhosenschnecken --

Wer reichlich alte Feinstrumpfhosen übrig hat, kann sie flechten und daraus Sitzkissen, Läufer und andere nützliche Dinge herstellen. Die Strumpfhosen in Streifen schneiden und diese zu 12 bis 15 Meter langen Stücken zusammenknoten. Jeweils drei Streifen flechten, dann den Zopf wie eine Schnecke aufrollen und jeden Zopf am vorigen festnähen. Je nach Qualität des Rohmaterials eignet sich das Ergebnis als Matte für den Hund oder als Teppich für den Wohnbereich. Für ein Sitzmöbel wird die Schnecke am Rand durch weitere Zöpfe nach oben tonnenförmig aufgebaut, ähnlich wie Tongefäße beim Töpfern.

-- Tee antik --

Stoffe aus Baumwolle oder Leinen sehen aus wie antik, wenn man sie mit Kaffee oder Tee einfärbt. Lassen Sie 6 bis 7 Teebeutel schwarzen Tee in 5 Liter Wasser ziehen, bis die Flüssigkeit dunkelbraun ist. Dann den Stoff einlegen. Oder gemahlenen Kaffee in einen alten Nylonstrumpf füllen, zuknoten und ebenfalls ziehen lassen. Je nach Sorte und Qualität von Tee oder Kaffee kann die Färbung unterschiedlich ausfallen, darum empfiehlt sich eine Probefärbung. Zum Fixieren auf 5 Liter Wasser 1 knappe Tasse weißen Essig geben, den Stoff 15 Minuten darin ziehen lassen, dann klar ausspülen. Zum Schluss den Stoff ohne Dampf bügeln.

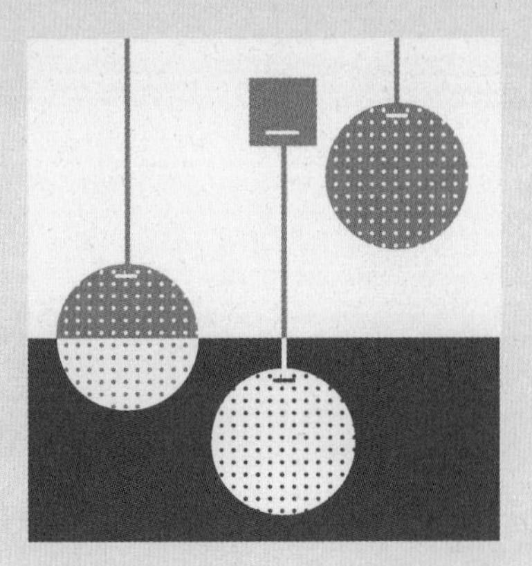

-- Tütensammler --

Wer keinen Sammler für Plastiktüten besitzt, der ahnt vermutlich gar nicht, wie ungemein nützlich so ein Ordnungshelfer sein kann. Dabei handelt es sich im Grunde nur um einen dicken Schlauch aus Stoff. Oben, wo die Tüten hineingesteckt werden, ist er offen. Unten, wo man einzelne Tüten herauszieht, hat er einen Gummizug. Ein solcher Schlauch ist schnell aus einem Stoffrest genäht, Sie können aber auch den Ärmel eines alten Kleidungsstücks benutzen.

Design!

Alyce Santoro
Stoff Sonic

Die texanische Künstlerin Alyce Santoro verschaffte sich in umweltbewussten Designerkreisen Gehör, als sie entdeckte, dass man aus gebrauchten Tonbändern Stoffe herstellen kann. Der bemerkenswerte Stoff *Sonic*, der nun von Designtex produziert wird, ist nicht nur langlebig und umweltfreundlich, sondern auch abspielbar. Streicht man mit dem Tonkopf eines Walkman über den Stoff, kann man verschiedene von Santoro aufgenommene Klangbilder hören, darunter Musiker in einem U-Bahnhof, Gespräche oder Straßengeräusche aus der Großstadt.

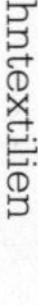

Design!

London Transport Museum Moquette

Das Alkoholverbot in der Londoner U-Bahn war sicherlich eine sinnvolle Idee. Eingeweihte mit nostalgischer Ader können trotzdem auch heute noch auf einem Sitz mit dem klassischen Bezug der öffentlichen Verkehrsmittel Platz nehmen und einen gepflegten Gin-Martini schlürfen. Die ungemein strapazierfähigen Wollstoffe, die von den 1930er- bis 1980er-Jahren für die Sitzbezüge der Busse und U-Bahnen Londons verwendet wurden, sind nun als Möbelstoffe von Ella Doran, Suck UK, W2 und anderen wiederentdeckt worden.

Design!

Lost & Found

Das Londoner Label Lost & Found stellt Kissen aus antiken Fahnen und Wimpeln her. Aus größeren Flaggen, etwa von der Marine, werden elegante Decken und Stoffbehänge. Als dezente (und manchmal auch auffällige) Anknüpfung an die militärische Geschichte des Landes setzen die Designer oft auch andere militärische Dekorationen und Stickereien ein. Die Originalfahnen werden vor der Verarbeitung sorgfältig gereinigt und Risse repariert.

Design!

Lucy Fergus Re-silicone

Lucy Fergus gründete ihre Firma Re-silicone 2007 und bietet Beleuchtungsobjekte, Bodenbeläge und andere Wohnaccessoires aus recyceltem Silikon an. Die Designerin konzentriert sich vornehmlich auf den Materialaspekt und hat sich auf die Verwertung von Industrieabfällen für neue Produkte spezialisiert. Sie legt Wert darauf, dass ihre Produkte sowohl umweltfreundlich als auch originell und stylish sind.

-- Für kleine Könige --
Das Baby ist der heimliche Herrscher der Familie, darum gebührt ihm ein standesgemäßer Thron – zum Beispiel aus einem alten Pelzmantel (der nicht einmal echt sein muss). Selbst wenn darin Motten gehaust haben, kann man ihn noch reinigen lassen, zerschneiden, eventuell füttern und aus den gut erhaltenen Stücken noble Accessoires machen, etwa eine Luxusdecke fürs Babybett. Kleinere Reste genügen für warme Schühchen oder eine Mütze. Und wer kein Baby hat, mag es vielleicht selbst gern kuschelig.

-- Schaf nachgedacht --
Auch ein abgenutztes Schaffell kann nach einer gründlichen Reinigung noch als Unterlage fürs Babybett dienen. Ist es allzu mitgenommen, zerschneiden Sie es und legen Sie eine Wäscheschublade damit aus. Gemütlich ist auch ein Kissen aus Schaffell, und wenn Sie die Rückseite aus einem anderen Stoff wie dickem Satin oder Wildlederimitat nähen, fühlt es sich durch den Texturkontrast sogar besonders interessant an.

-- Anti-Runzel-Kur --

Wer die Wolle von einem geliebten, aber abgetragenen Pullover retten will, trennt ihn an den Nähten auf und löst die Teile vorsichtig auf. Um die wellige Wolle zu glätten, wird sie in lauwarmem Wasser gewaschen und tropfnass aufgehängt, beispielsweise über einem Duschkopf.
Nach dem Trocknen können die glatten Fäden zu Knäulen gewickelt und neu verstrickt werden.

-- Bitte keine Schrammen --
Wenn Sie antikes oder besonders schönes Geschirr besitzen, legen Sie zwischen die Teller und Untertassen kleine Reste von Baumwollstoff, um die Glasur zu schützen.

-- Klammerbeutel --
Stellen Sie mithilfe eines Kleiderbügels Ihren eigenen Beutel für Wäscheklammern her. Dafür aus strapazierfähigem, eventuell wasserfestem Stoff einen langen Streifen in der Breite des Bügels zuschneiden und wie eine Tasche über die Querstange legen. Die Seiten zunähen, Oberkante offen lassen, Klammern einfüllen, fertig.

Design!

Claudia und Monica Araujo
Tecelagem Manual

Die brasilianischen Schwestern und Textildesignerinnen Claudia und Monica Araujo betreiben schon seit 1992 ihr eigenes Unternehmen. Nachdem sie sich eingehend mit Webtechniken beschäftigt hatten und das Garnangebot in Brasilien enttäuschend fanden, experimentierten sie mit neuen Materialien, darunter Ramie (eine Faser, die man normalerweise zum Verschnüren von Kaffeesäcken verwendet), Piaçava (ein Abfallprodukt aus der Besenproduktion) und Bananenfasern. *Tapete Cabeludo* heißt eines der erfolgreichsten Produkte, hergestellt aus Polyamidresten aus der Textilindustrie. Die Serie *taPET* wird von Hand aus Fasern gewebt, die aus recycelten Plastikflaschen gewonnen werden.

Design!

Greetje van Tiem
Indruk

Ausgelesen? Dann können, so meint die niederländische Designerin Greetje van Tiem, aus den Zeitungen von heute die Textilien von morgen werden. Aus einer einzigen großen Zeitungsseite lassen sich 20 Meter Garn spinnen, das wiederum zum Weben verschiedener Textilien für Teppiche, Vorhänge oder Polsterbezüge verwendet werden kann. Struktur und Aussehen des Zeitungspapiers sind am Garn noch zu erahnen. Selbst Fragmente des Textes bleiben sichtbar; doch weil die Schlagzeilen nicht zu entziffern sind, muss man sich um die Aktualität der Vorhänge keine Sorgen machen.

-- Aus einem Guss --
Die Stühle an Ihrem Esstisch passen nicht zusammen? Das lässt sich mit einfachen Hussen leicht beheben. Zuerst die Stühle ausmessen und aus Zeitungspapier Schnittmuster zuschneiden, die auf den Stoff übertragen werden. Textilkünstlerinnen nähen an die Ecken noch hübsche Bändchen.

-- Tee ist fertig --
Mögen Sie auch keinen kalten Tee? Dann brauchen Sie unbedingt einen Kannenwärmer. Wer keinen Ärmel von einem alten Pullover zur Hand hat, kann auch eine alte Wollmütze verwenden. Wenn sie ein Loch für die Tülle und einen Pompon hat – umso besser. Wenn nicht, müssen Sie selbst zu Schere und Wolle greifen, um die Mütze kannengerecht umzustylen.

-- Eierwärmer --

Ob Teekanne, Kakaobecher oder Porridge-Schälchen: Es gibt nichts auf dem Frühstückstisch, das man nicht mit einer alten, einsamen Stulpe warm halten könnte. Wenn Sie Ihr 1980er-Jahre-Outfit schon seit Langem entsorgt haben, tun es auch die Ärmel eines alten Wollpullis. Und falls Sie nur einen sehr kleinen Pullover mit sehr kleinen Ärmeln haben, taugt er immer noch als Eierwärmer.

-- Buntglasteller --

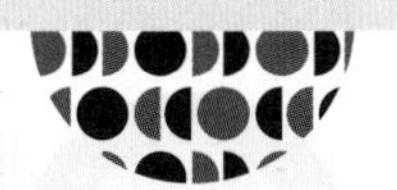

Schliche Glasteller lassen sich mit gemusterten Stoffresten aufpeppen. Die Unterseite der Teller dünn mit Serviettenkleber bestreichen (zügig, der Kleber trocknet schnell) und den Stoff darauflegen. Luftblasen unter dem Stoff herausstreichen, dann überstehenden Stoff am Tellerrand abschneiden. Trocknen lassen und nochmals dünn mit Kleber bestreichen. Sehr gründlich trocknen lassen. Nun den Kleber leicht anschleifen und nur die Tellerunterseite mit Klarlack versiegeln. Der fertige Teller ist nicht mehr spülmaschinenfest, aber das ist ein kleiner Preis für ein so hübsches Dekor.

Design!

Katherine Wardropper

Die Designerin Katherine Wardropper formt dreidimensionale Textilobjekte aus Spiralen und Schlaufen, die sie selbst aus Stoffstreifen zuschneidet. Für ihre kunstvollen, filigranen Werke hat sie bereits eine Reihe von Preisen erhalten und renommierte Auftraggeber als Kunden gewonnen. Die Stoffobjekte, die als Wandschmuck oder Dekorelemente für Spiegel, Kissen, Tische oder Stühle dienen, fertigt die Designerin von Hand in ihrem Londoner Atelier. Es sind ausnahmslos Einzelanfertigungen oder limitierte Serien.

Design!

Abigail Brown

Die Londoner Designerin Abigail Brown wurde mit ihren handgearbeiteten Textilfiguren bekannt, die sie als Auftragsarbeiten aus alten Stoffen und Knöpfen herstellt. Die Technik ist recht vielseitig verwendbar, und so hat Brown ihre Kollektion erweitert und bietet inzwischen auch dreidimensionale, ausgestopfte Wandbilder mit Vögeln und anderen Tieren in verschiedenen märchenhaften Szenerien an.

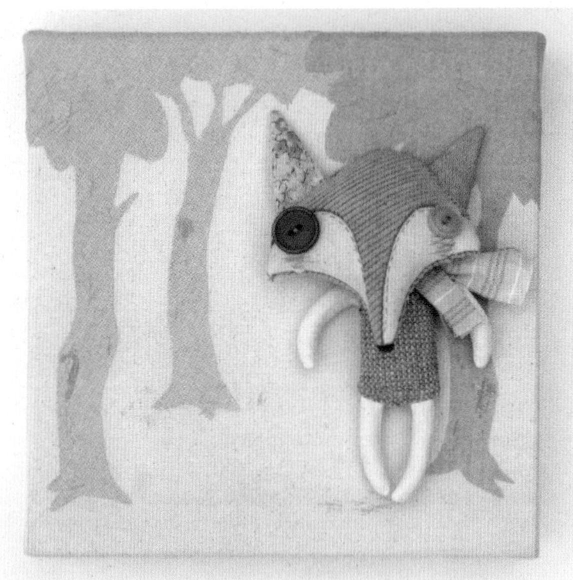

-- Gib mir ein P! --

Eine der einfachsten Methoden zur Verwertung eines vereinsamten Wollknäuels besteht darin, einen Pompon oder Mützenbommel herzustellen. Haben Sie vergessen, wie das geht? Zwei Pappscheiben mit dem Durchmesser des gewünschten Pompons zuschneiden, in die Mitte jeder Scheibe ein rundes Loch schneiden. Die Scheiben aufeinanderlegen und die Wolle von innen nach außen um die Pappe wickeln, bis der Ring von einer dicken Schicht Wolle verdeckt ist. Eine Scherenklinge zwischen die Pappscheiben schieben und alle Wollfänden am Rand ringsherum durchschneiden. Einen Wollfaden zwischen die Pappscheiben schieben, fest um die Wolle in der Mitte wickeln und verknoten. Die Pappscheiben abnehmen – fertig!

-- Gib mir ein O! --

Pompons eignen sich als witzige Dekorationen für die verschiedensten Zwecke. Manche Dinge sind ohne Pompon kaum vorstellbar – zum Beispiel ein Kannenwärmer.

-- Gib mir ein M! --

Nähen Sie Minipompons wie eine Borte um den Rand einer Tischdecke oder knoten Sie einen Pompon an die Schnur Ihres Rollos oder an die Kordel, die als Lichtschalter dient. Rote Pompons sehen im Tannenbaum gut aus, ein extragroßer Pompon kann als Kissen dienen, und kleine Pompons lassen sich zu einer Matte zusammennähen. Experimentieren Sie mit verschiedenen Garntypen. Lurexgarn sieht wunderbar pom-pompös aus.

Donna Wilson

In eingeweihten Kreisen sagt man, die Londoner Designerin Donna Wilson habe einen besonderen Anteil an der Renaissance des Strickens. Nachdem ihre herrlichen, subversiven gestrickten Monster in Großbritannien Kultstatus erlangt hatten, erhielt die Designerin bald Aufträge von Polstermöbelherstellern. Heute entwirft sie unter anderem gestrickte Sitzpolster und Sofabezüge für SCP. Sie gibt zu, davon fasziniert zu sein, dass man aus einem Knäuel Garn einen flächigen Stoff produzieren kann. Recycling betreibt sie schon immer. Auch ihre Monster waren ursprünglich eine effiziente Verwertungslösung – bis sie zum Bestseller wurden.

Design!

Danielle Proud
Fun on the Floor

Um die Kunst des Teppichverlegens in einem neuen Licht zu präsentieren, gestaltete die Raumdesignerin und Handwerksexpertin Danielle Proud in einem fünfstöckigen Haus im Londoner Stadtteil Camden sechs ganz unterschiedliche Themenräume mit traditionellen und modernen Teppichmustern. Das Ergebnis ist eine Offenbarung für alle, die unter der Treppe noch einen Stoß Teppichfliesen liegen haben, „weil man sie vielleicht noch gebrauchen kann“. Prouds Ideen umfassen einen Patchwork-Teppich im Stil traditioneller amerikanischer Quilts und einen Elchkopf als Teppichpuzzle an der Wand.

-- Färben mit Gemüse 1 --

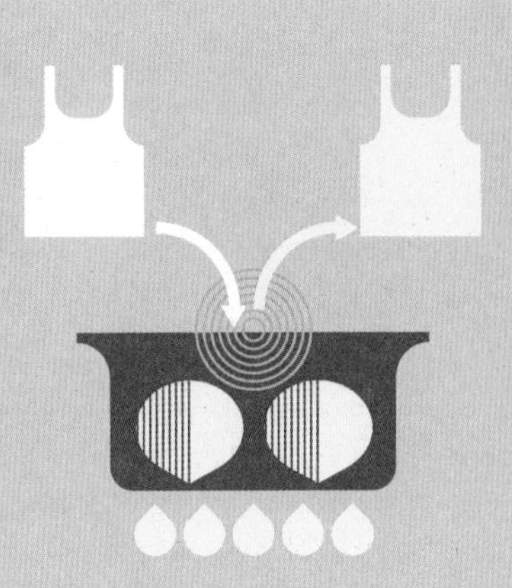

Durch Auskochen von Zwiebelschalen lässt sich ein natürliches Färbemittel für Wolle und Baumwolle gewinnen. Der Farbton hängt von der Zwiebelsorte ab, doch generell ergeben rotschalige Zwiebeln Nuancen von Lachsrosa, während gelbschalige Zwiebeln Orange-Gelb-Töne produzieren. Wenn Sie das nächste Mal Appetit auf Zwiebelkuchen haben, bewahren Sie die Schalen auf und reißen Sie sie in kleine Stücke. 30 bis 60 Minuten in Wasser auskochen und dabei oft umrühren, um ihnen möglichst viel Farbstoff zu entziehen. Dann durch ein Sieb gießen und die Schalen wegwerfen. Den Sud abkühlen lassen und den zu färbenden Stoff einlegen, bis die gewünschte Farbintensität erreicht ist. Von Hand mit kühlem Wasser waschen. Etwas Pfefferminzöl ins Spülwasser geben, um letzte Reste von Zwiebelgeruch zu beseitigen.

-- Färben mit Gemüse 2 --

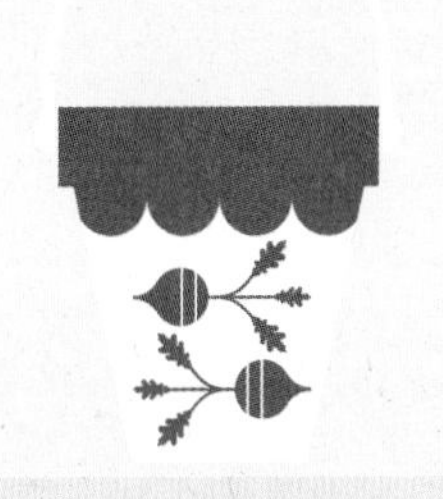

Rote Bete färbt alles, womit sie in Berührung kommt, in ein kräftiges Pink ein. Um mit dem Gemüse zu färben, braucht man die Knollen nur zu reiben, in Salzwasser zu geben und den Stoff einige Stunden darin zu kochen, bis die gewünschte Tönung erreicht ist. Rote-Bete-Saft ist allerdings wasserlöslich und nicht lichtecht, er lässt sich auch nicht mit Essig fixieren. Ihre hinreißende Bordüre in Fuchsienpink mag vielleicht die mit Tee gefärbte Tischdecke der Nachbarin in den Schatten stellen, doch nach einigen Wäschen wird das Pink immer blasser.

-- Hausfrauentipp 1 --

Falls Ihre Mutter es Ihnen nicht beigebracht hat: Reparieren Sie Risse und kleine Löcher in Stoffen immer vor der Wäsche. Andernfalls kann der Schaden im Schleudergang größer werden.

-- Hausfrauentipp 2 --

Wenn Sie ein größeres Loch stopfen wollen, heften Sie zuerst Tüll über die schadhafte Stelle. Auf diesem Gittergrund gelingen gleichmäßige Stiche leichter, und die gestopfte Stelle wellt sich nicht.

Design!

Elisabeth Nossen
Hocker Topi

Weil in Norwegen seit 2009 die Entsorgung von Industrietextilien auf Deponien verboten ist, gibt man Reste meist zur Wiederverwendung an gemeinnützige Organisationen. Stoffe minderer Qualität werden geschreddert und als Isoliermaterial oder zur Füllung von Rettungsdecken verwendet. Die Designerin Elisabeth Nossen setzt das geschredderte Material mit der Bezeichnung *Shoddy* zur Polsterung von Möbeln ein. Der Hocker *Topi* stammt aus einem Laden der Heilsarmee und wurde von ihr neu aufgepolstert.

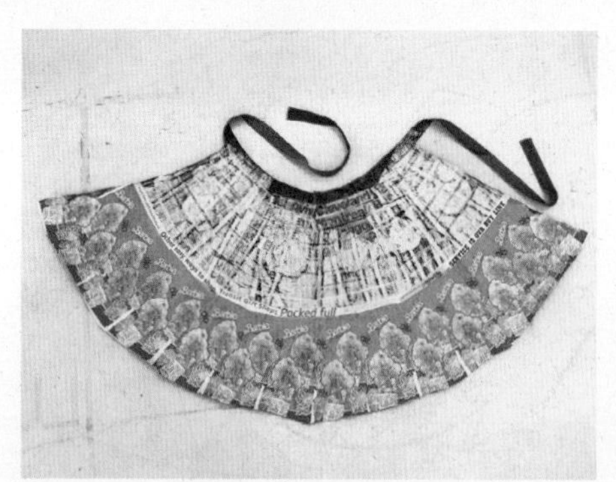

Design!

Emma Neuberg

Die Künstlerin Emma Neuberg hat sich auf die Verarbeitung von Plastik und Kunststoffen spezialisiert. Ihrer Meinung nach ist es besser, die materialtypische Langlebigkeit von Plastiktragetaschen zu nutzen, als die Tüten in den „Gelben Sack“ zu stecken. Sie laminierte beispielsweise Taschen (oder daraus ausgeschnitten Motive) auf alten Jeansstoff, wodurch sie den Stoff farbig aufpeppte und zugleich wasserdicht beschichtete.

Design!

Andreas Linzner
Frotteetiere

Andreas Linzner hat mit seinen witzigen Stofftieren aus alten Frotteehandtüchern der 1950er-, 1960er- und 1970er-Jahre erfolgreich eine Marktlücke erobert. Nach einer Herrenschneiderausbildung an der Nürnberger Oper und einem Studium der Textilkunst an der Kunstakademie Nürnberg entdeckte Linzner auf Flohmärkten seine Leidenschaft für alten Frottee in bunten, originellen Mustern. 2001 entstanden die ersten Tierfiguren, und heute betreibt er sein Atelier im Hamburger Kult-Stadtteil Karolinenviertel.

-- Not + Tugend = Unikat --

Während der mageren Kriegsjahre wurden Haushaltstextilien wieder und wieder verwendet. Bettbezüge beispielsweise konnten noch wertvolle Dienste als Vorhang leisten. Mit Maßband, Nähmaschine und ein paar Spulen Garn sind Vorhänge in wenigen Stunden genäht. Wer es selbst versucht, statt einen Raumausstatter anzurufen, kann eine Menge Geld sparen.

-- A --

Nach einem Umzug passen die alten Vorhänge selten an die neuen Fenster. Nehmen Sie sie trotzdem mit, denn sie lassen sich leicht ändern. Sind sie zu groß, schneidet man sie einfach ab. Sind sie dagegen zu kurz, kann man einen Besatz oder eine Borte annähen.

-- B --

Wenn sich die Vorhänge am Fenster nicht mehr sehen lassen können, zerschneiden Sie sie und nutzen den Stoff für andere praktische Dinge. Für einen Schmutzwäschebeutel brauchen Sie nur zwei rechteckige Stücke Stoff an drei Seiten zusammenzunähen. Vielleicht möchten Sie lieber einen oder zwei hübsche Kissenbezüge daraus nähen oder ein Geschirrtuch und einen passenden Tischläufer …

-- C --

… der wiederum, wenn er seine beste Zeit hinter sich hat, doppelt gelegt, an den Seiten zusammengesteppt und als Wäscheklammerbeutel benutzt werden kann. Und ist dieser verbraucht, taugt der Stoff noch als Spüllappen.

-- D --

Nur Ihre Fantasie setzt dem Potenzial eines alten Bettbezugs Grenzen. Wenn Sie allerdings jedes Mal beim Abtrocknen an die Gutenachtgeschichte denken, die Ihnen vor 20 Jahren vorgelesen wurde, hat Ihnen das Muster der Bettwäsche damals hoffentlich gefallen.

Design!

Seija Lukkala
Globe Hope

Seija Lukkala gründete Globe Hope im Jahre 2002. Ursprünglich zerschnitt sie alte Krankenhaustextilien, Militäruniformen und Reste aus der Industrie, nähte Neues daraus, färbte und bedruckte sie. Sie ging eine Partnerschaft mit Anna Huoviala ein, und gemeinsam entwickelten die Designerinnen weitere Wohnaccessoires und ein Modelabel. Militäruniformen, die auf Strapazierfähigkeit angelegt sind, werden als Kissen, Schürzen und Ofenhandschuhe von *Globe Hope* dem ultimativen Test unterzogen.

SCHRITT FÜR SCHRITT

Hemdkissen

Für alte Kissenbezüge gibt es viele Verwendungsmöglichkeiten. Wer keine ausrangierten Bezüge hat, muss das Pferd andersherum aufzäumen. Ein altes T-Shirt taugt gut für einen Kissenbezug, und haben Sie zwei Laken übrig, nähen Sie sie an drei Seiten zusammen – fertig ist ein Bettbezug. Damit man die Steppdecke einziehen kann, bleibt eine Seite offen und bekommt Knöpfe oder Bänder als Verschluss. Auch aus Pullovern, die aus der Mode gekommen oder in der Wäsche eingelaufen sind, kann man im Handumdrehen gemütliche Kissenbezüge herstellen. Um Stücke von ausreichender Größe zu erhalten, ist es manchmal nötig, Teile von Rumpf und Ärmeln zusammenzusetzen.

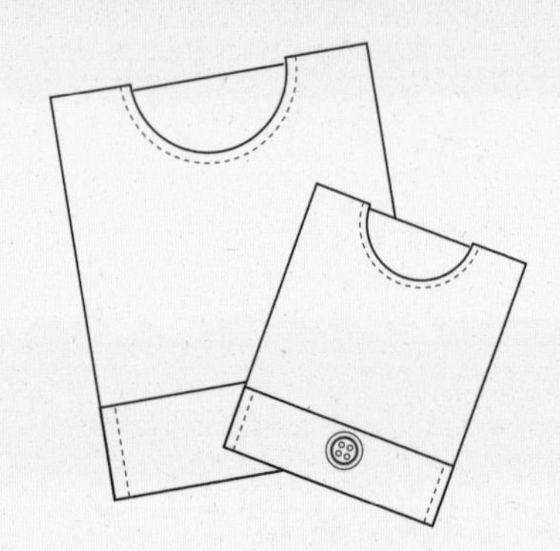

Sie brauchen:

_ 1 Pullover oder T-Shirt mit langen Ärmeln
_ Stecknadeln
_ Nähmaschine und Garn
_ Schere
_ Knöpfe oder Bänder (für den Verschluss)

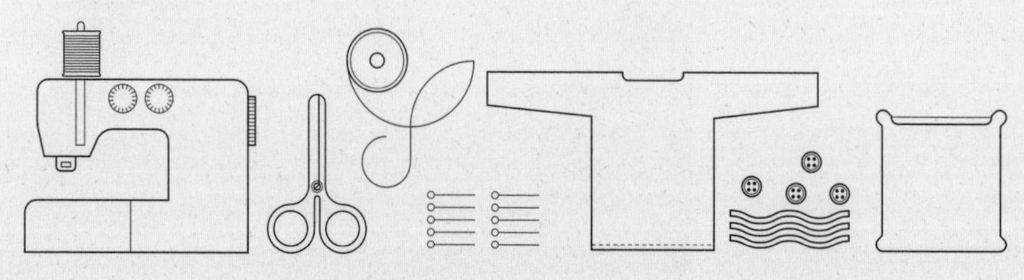

1_ Das Kleidungsstück auf links wenden.

2_ Ärmel und Halsausschnitt zustecken, dann die Seiten abnähen und abschneiden, sodass eine Tasche entsteht.

3_ Das Kleidungsstück wieder auf rechts wenden und das Kissen hineinschieben.

4_ Einen abgeschnittenen Ärmel aufschneiden, einen Streifen davon unter den Halsausschnitt schieben. So schaut das Kissen nicht hervor.

5_ Eine Seite des Streifens an der Innenseite des Ausschnitts wie eine Klappe festnähen. Dann den Streifen unter das Kissen schieben.

6_ Zum Schluss Knöpfe oder Bänder annähen, mit denen der Kissenbezug geschlossen wird.

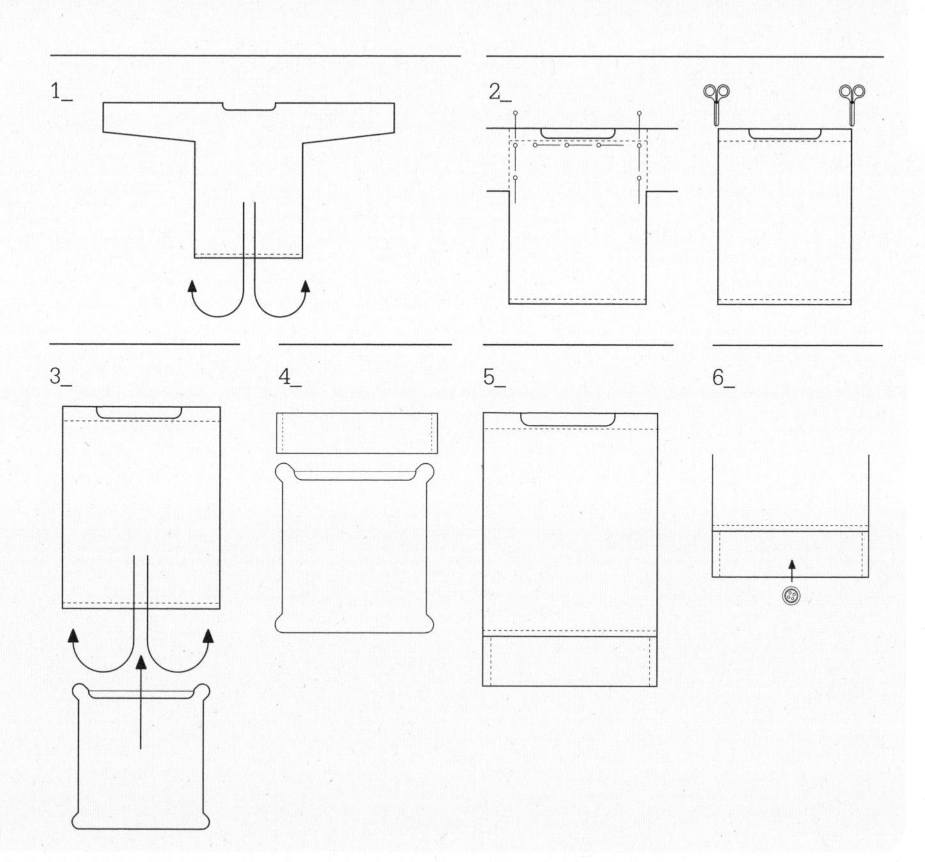

PUTZEN, ORGANISATION & HAUSHALTSGERÄTE

Kühlschränke, Küchenutensilien, Putzmittel, Bügelbretter und Gummibänder

-- Ballonheizung --

Wenn alle Partygäste gegangen sind, fühlt sich die Wohnung oft kalt und leer an. Das muss nicht so sein. Nehmen Sie einen schlappen Heliumballon, schneiden Sie ihn auf und kleben Sie ihn – mit der silbrigen Seite nach außen – auf ein Stück Pappe, das Sie hinter den Heizkörper schieben. Es reflektiert die Wärme im Raum. Die eingesparten Heizkosten können Sie ja für die nächste Party verwenden.

-- Mit Messer und Gabel --

Besteck macht sich nicht nur bei Tisch nützlich, sondern auch im Werkzeugschuppen. Bewahren Sie ruhig ein paar alte Löffel, Gabeln, Messer oder Essstäbchen für künftige Heimwerkerprojekte auf.
Alte Messer sind praktisch zum Auftragen von Spachtelmassen und Verfugen von Fliesen, und mit einem alten Löffel lassen sich verklebte Farbdosen öffnen.

-- Gummibänder, die sich gewaschen haben --

Wenn die guten alten Abwaschhandschuhe nicht mehr dicht sind, taugen sie immer noch für sehr stabile Gummibänder, von denen man nie genug haben kann. Einfach die Handschuhe quer in Streifen schneiden – am besten in verschiedenen Breiten.

-- Zum Einheizen --

Papphülsen von Toilettenpapierrollen, gefüllt mit Tannenzapfen, eignen sich ausgezeichnet zum Anzünden des Kamins und duften dabei noch wunderbar.

Design!

Pervisioni Flaschenöffner

Pervisionis Flaschenöffner-kollektion besteht aus Messern verschiedenster Art, von nagelneuer Markenware über Fabrikausschuss bis hin zu gebrauchten Modellen. Man könnte sie als Muster-beispiel der Zweckentfremdung bezeichnen, zumal ihre frühere Funktion in den meisten Fällen noch erkennbar ist.

Design!

Od-do Arhitekti Spoon Scissors

Mit einigen gezielten Schnitten, einer Niete und einem Schleif-stein hat das Belgrader Design-Team Od-do aus alten Löffeln diese originelle Schere kreiert.

Design!

Heineken
WOBO (World Bottle)

1963 kam Alfred Heineken eine großartige Idee. Auf einer Reise in die Karibik hatte er Hunderte von Flaschen gesehen, die an den Stränden herumlagen. Außerdem war ihm aufgefallen, dass Baumaterial auf der Insel äußerst knapp war. So zählte er zwei und zwei zusammen und erfand den Flaschenziegel. Zusammen mit dem niederländischen Architekten John Habraken entwickelte Heineken eine Glasflasche, die wegen ihrer Form nach dem Austrinken als „Glasbaustein“ verwendet werden konnte.

-- Zitrusfrische --

Zitronensaft ist ein ausgezeichnetes natürliches Putzmittel, das Seifen- und Kalkablagerungen löst und Messing und Kupfer zum Glänzen bringt. Vermischt man es mit Soda, erhält man eine Paste, mit der fast alles sauber wird. Wer es eilig hat, halbiert eine Zitrone, streut Soda auf die Schnittfläche und reibt damit Flecken, Geschirr oder Töpfe ab.

-- Schönschrift --

Ein Geburtstagskuchen wird erst durch Zuckergussschrift richtig perfekt und persönlich. Das Hantieren mit Spritzbeuteln ist aber mühselig, und das Reinigen nach der Arbeit erst recht. Viel einfacher geht es mit einer leeren Ketchup- oder Senfflasche mit spitzer Dosiertülle. Gründlich auswaschen, den Zuckerguss einfüllen und losschreiben. Reste von Zuckerguss können, wenn ein dicht schließender Deckel vorhanden ist, bis zum nächsten Gebrauch im Kühlschrank aufbewahrt werden.

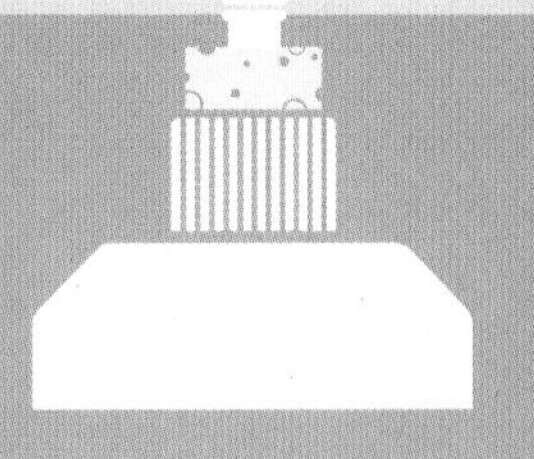

-- Pumpbremse --

Schneiden Sie aus einem alten Schwamm einen Kragen für das Steigrohr einer Pumpflasche mit Flüssigseife. Er erschwert den Druck, sodass beim Pumpen nicht mehr Seife herauskommt, als wirklich gebraucht wird.

-- Zaubertücher --

Für den Wäschetrockner gibt es spezielle Tücher, die statische Aufladung verhüten. Sie eignen sich aber auch ausgezeichnet, um flink über den Fernseher oder den Computerbildschirm zu wischen, auf dem sich gern Staub absetzt. Haustierhaare, Staub und Sägemehl nehmen sie hervorragend auf. Erfahrene Hausfrauen benutzen sie sogar beim Nähen: Um zu verhindern, dass sich die Fäden verheddern, einfach zuerst die Nadel mit einem solchen Tuch abreiben. Wenn Ihnen etwas angebrannt ist, legen Sie ein nasses Antistatiktuch über Nacht auf den Topfboden. Danach lösen sich angebrannte Reste leicht.

-- Sau(b)ere Sache --

Guter Balsamico ist für Salate reserviert, aber milder Weißweinessig löst auch Schmutz und Kalkablagerungen. Ein Teil Essig, gemischt mit zwei Teilen Wasser, säubert Hartholzböden gründlich. Essig bindet Gerüche, statt sie, wie viele chemische Mittel, zu übertönen. Wenn der Essig trocknet, verfliegt sein Eigengeruch. Sie brauchen also nicht zu befürchten, dass Ihr Bad nach dem Putzen wie ein Glas Gurken riecht. Essig löst auch Waschmittelrückstände und eignet sich für Menschen mit empfindlicher Haut gut als Ersatz für Weichspüler. Füllen Sie verdünnten Essig in eine Sprühflasche ab, um schnell Flecken auf Arbeitsflächen und Böden zu beseitigen. Unverdünnter Essig ist praktisch für Härtefälle wie die Toilette oder den Brausekopf der Dusche.

-- Umgefüllt --

Bewahren Sie hübsche Glasflaschen auf, um Putzmittel und Flüssigseifen umzufüllen. Ideal ist eine antike Kristallkaraffe, die zufällig beim Umgraben auftaucht, aber eine alte Ketchupflasche kann neben der Küchenspüle auch gut aussehen. Einen Ausgießer oder einen Korken aufsetzen und das Produkt nach Wunsch verdünnen. Viele Reinigungsmittel sind konzentrierter, als es nötig wäre, und in Haushalten mit weichem Wasser braucht man ohnehin weniger Putzmittel als in Gegenden mit hartem Wasser. Vorsicht im Bad: Glasflaschen können feuchten Händen entgleiten, Scherben auf Fliesenböden sind in Barfußzonen gefährlich.

-- Blank gesprudelt --

Die Zitronensäure in Alka-Seltzer ist – zusammen mit der Sprudelwirkung beim Auflösen – ein hervorragender WC-Reiniger. Einige Tabletten in die Toilettenschüssel fallen lassen und ein paar Stunden abwarten. Dann kurz die Bürste bemühen, und der Thron strahlt wie neu.

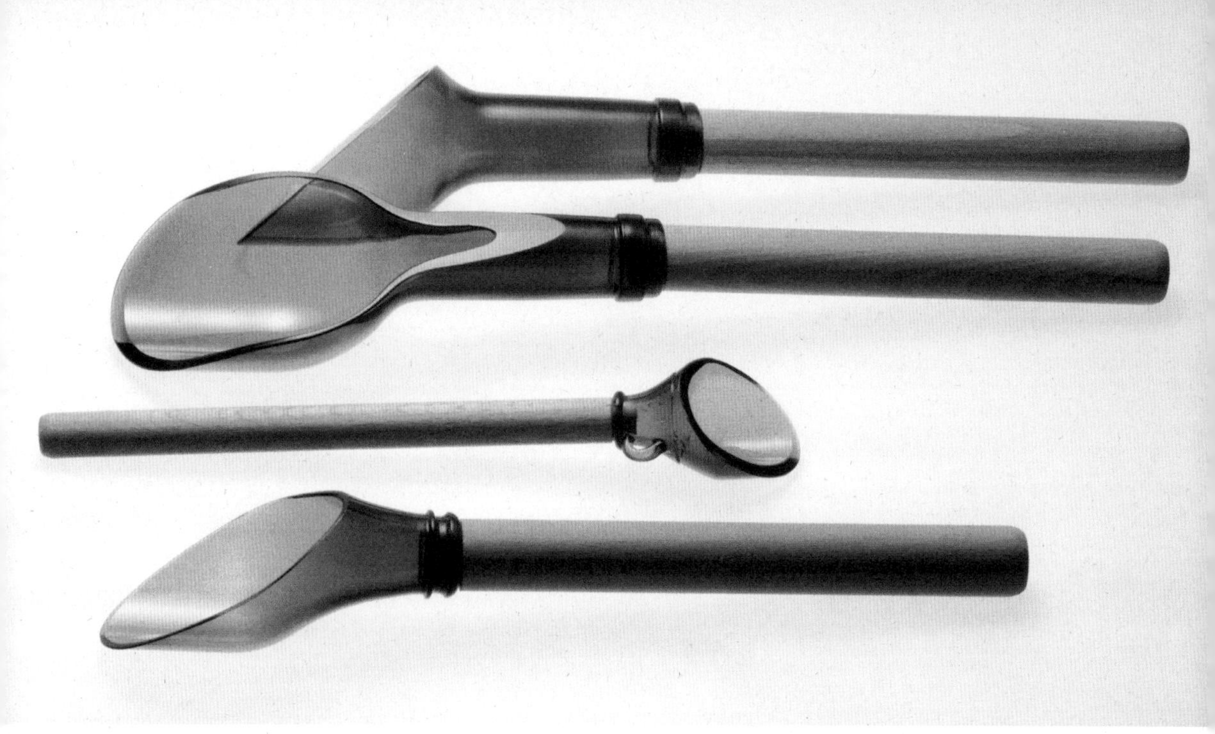

Design!

Laurence Brabant
Cold Cuts

Die Glaskünstlerin Laurence Brabant lebt seit ihrem Abschluss an der École Supérieure des Arts Appliqués Duperré 1997 in Paris. Ihre außergewöhnlichen Geschirrdesigns, die vom FNAC (Fond National d'Art Contemporain) schnell angekauft wurden, haben den Weg zur Zusammenarbeit mit dem venezianischen Glashersteller Salviati, den Modedesignern Martin Margiela und Jean-Paul Gaultier, mit Philippe Starck und dem extravaganten Floristen Christian Tortu geebnet. Normalerweise gestaltet Laurence Brabant ihre Werke von Grund auf neu. *Cold Cuts* ist jedoch eine Serie von Löffeln und Kellen aus Weinflaschen.

SCHRITT FÜR SCHRITT

Eiskalt

Vielleicht kennen Sie diese Methode des Einfrierens ohne Tiefkühlfach zur raschen Herstellung von Eiscreme. Ebenso gut eignet sich das Verfahren, um Wein oder Mineralwasser im Handumdrehen zu kühlen. Aber Vorsicht, den Wein nicht gefrieren lassen – die Kühlung wirkt schneller, als man erwartet. Wasser gefriert zwar bei 0 °C, gemischt mit Salz, bleibt es aber viel länger flüssig. Die Salzlösung kann so kalt sein, dass sie andere Substanzen gefrieren lässt. Wer für die beiden äußeren Schichten alte, strapazierte Reißverschlussbeutel benutzt, beweist eine Extraportion Recyclinggeist.

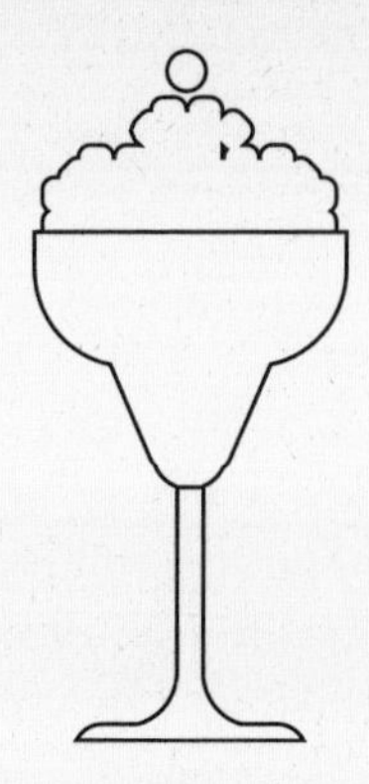

Sie brauchen:

_ 2 Reißverschluss-Gefrierbeutel à 1 Liter Volumen
_ 1 Reißverschluss-Gefrierbeutel, ca. 4 Liter Volumen
_ 4 Tassen zerstoßenes Eis
_ 4 Esslöffel Salz
_ Handschuhe

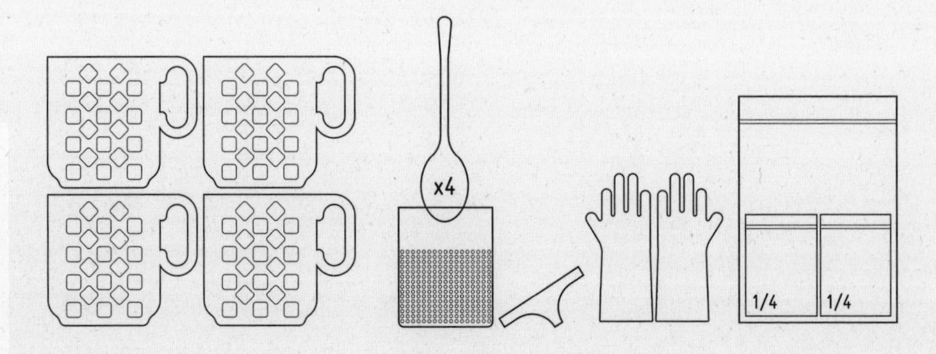

1_ Füllen oder gießen Sie das zu kühlende Produkt in einen der kleinen Gefrierbeutel, verschließen Sie ihn, streichen Sie dabei möglichst viel Luft heraus. (Wenn Sie etwas in einem geschlossenen Behältnis kühlen, wie eine Flasche Wein, lesen Sie bei Schritt 3 weiter.)

2_ Den kleinen Gefrierbeutel in den zweiten kleinen Beutel schieben, auch diesen verschließen, die Luft herausstreichen. (Der zweite Beutel verringert die Gefahr, dass Salz und Eis mit den Lebensmitteln in Berührung kommen.)

3_ Das Päckchen in den großen Beutel stecken und ringsherum Eis einfüllen.

4_ Das Salz auf das Eis streuen, den Beutel verschließen und die Handschuhe anziehen.

5_ Den Beutel schütteln, damit sich Salz und Eis gut mischen und gleichmäßig um den zu kühlenden Beutel verteilen. Weinflaschen nach 2 bis 3 Minuten aus der Kältepackung nehmen. Andere Lebensmittel sind nach 5 bis 8 Minuten gefroren.

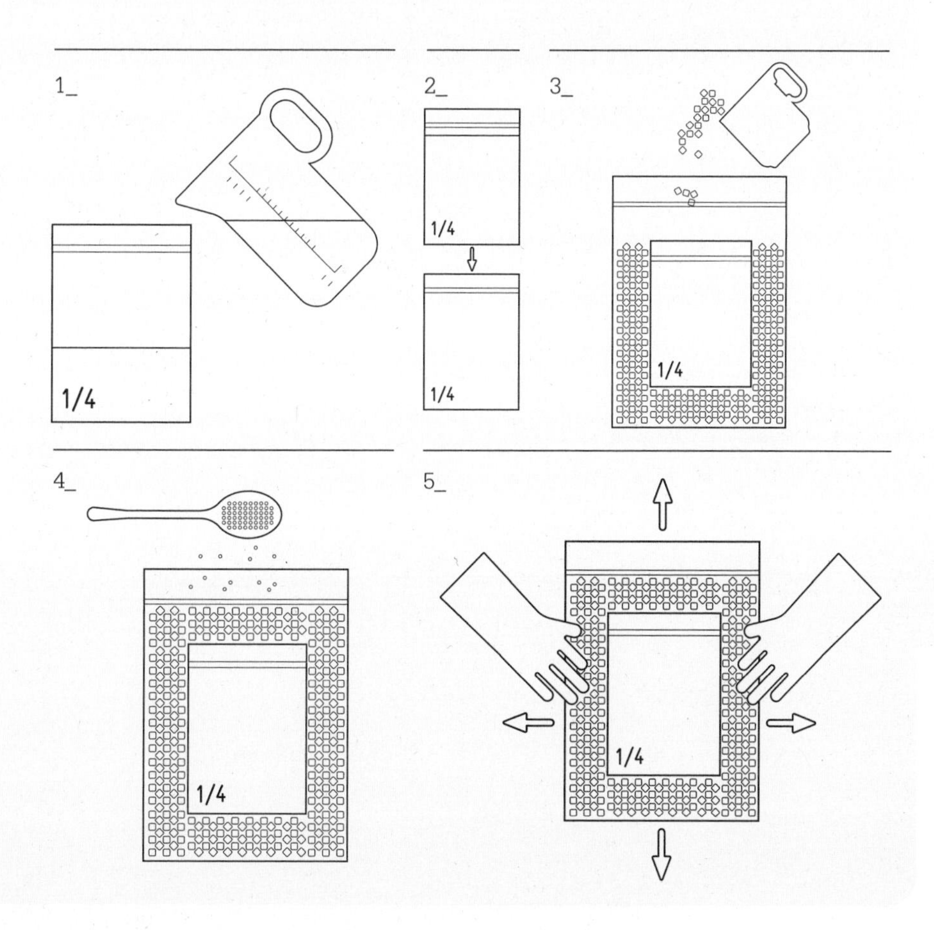

-- Geschlaucht? --

Für einen undichten Gartenschlauch gibt es noch viele Verwendungsmöglichkeiten – fast so viele wie für alte Fahrradschläuche. Schlauchabschnitte ergeben beispielsweise großartige Griffe für Gartenwerkzeuge. Einfach ein Stück Schlauch abschneiden, längs aufschneiden und über den Griff von Handschaufel oder Eimer schieben. Auch die Ketten einer Kinderschaukel sind mit „Manschetten" aus Schlauchstücken für kleine Finger viel angenehmer zu fassen.

-- T-Shirt statt Plastik --

Mehrmals verwendbare Einkaufstaschen kann man flink aus einem alten Hemd oder T-Shirt (je größer, desto besser!) machen. Schneiden Sie einfach die Ärmel ab, vergrößern Sie den Halsausschnitt und nähen Sie die Unterkante des Shirts zu.

-- Klarsicht --

Wenn die Wischerblätter des Autos die (gewölbte!) Windschutzscheibe nicht mehr perfekt säubern, entfernen Sie den Hebel und fügen Sie einen Griff hinzu. Dann können Sie die Wischerblätter noch für Arbeitsflächen und (glatte) Glasscheiben im Haus verwenden.

-- Spritzschutz --

Befestigen Sie die Gummilippe eines alten Scheibenwischers an der Unterkante der Duschkabinentür, dann spritzt kein Wasser mehr heraus. Für breite Duschkabinentüren sind vielleicht zwei Gummilippen nötig.

-- Olympische Salatschleuder --

Wer Geschirrtücher hat, braucht keine Salatschleuder aus Plastik. Legen Sie die gewaschenen Salatblätter in die Mitte eines trockenen Tuchs und halten Sie alle vier Zipfel mit einer Hand fest. Dann gehen Sie ins Freie und schleudern das Geschirrtuchbündel wie ein olympischer Hammerwerfer kräftig im Kreis herum. Aber nicht loslassen!

-- Kartoffelkolben --

Was nützt der Kolben eines Kaffeebereiters, wenn die Glaskanne selbst zerbrochen ist? Entfernen Sie einfach das feinmaschige Metallgitter, und Sie haben einen praktischen Kartoffelstampfer. Wenn Sie ihn in seine Einzelteile zerlegen, lässt er sich sogar bequem transportieren – das könnte für all diejenigen interessant sein, die auch beim Camping kein Kartoffelpüree aus der Tüte mögen.

-- Heiße Kanne --

Und was nützt die Glaskanne eines Kaffeebereiters ohne den Druckkolben? Ganz einfach: Das hitzefeste Glas verträgt auch heiße Milch und süße oder herzhafte Soßen.

-- Eierroulette --

Sind Töpfe bei Ihnen etwas knapp? Kein Problem. Kaffeewasser lässt sich leicht im Kochtopf erhitzen, und im Teekessel kann man Eier kochen. Allerdings sollte man den Kessel nachher gut auswaschen, um den Eiergeschmack zu beseitigen. In elektrischen Wasserkochern, in denen die Heizspirale offen liegt, hat das Kochen von Eiern allerdings etwas von Russischem Roulette: Wenn ein Ei während des Kochvorgangs platzt und die Heizspirale verkleistert, ist es vorbei mit dem Kaffeegenuss.

-- Eingetrichtert --

Schneidet man von einer dicken Plastikflasche mit relativ schmalem Hals den Boden ab (und entfernt den Deckel), hat man einen praktischen Trichter. Wenn Sie ihn für Lebensmittel verwenden wollen, benutzen Sie eine Flasche, in der sich vorher etwas Ess- oder Trinkbares befand. Flaschen von Chemikalien und Reinigungsmitteln dürfen für Lebensmittel natürlich nicht verwendet werden.

Design!

Nicolas Le Moigne
Gießkanne

Einige Ideen des Schweizer Produktdesigners Nicolas Le Moigne wurden schon produziert, als er noch Student an der renommierten ECAL (École Cantonale d'Art Lausanne) war. Dazu gehört auch dieser Entwurf für die italienische Designfirma Viceversa: ein Plastikgriff mit integrierter Tülle, den man auf eine leere Mineralwasserflasche schrauben kann.

Design!

Kyouei
Umbrella Pot

Das japanische Designerteam Kyouei hat mit diesem Keramikschirmständer auf geradezu poetische Weise ein typisches Haushaltsärgernis gelöst: Das abtropfende Wasser bildet keine Pfütze auf dem Boden, sondern versorgt eine kleine Zimmerpflanze.

-- Windmaschine --
Ein Ventilator, dessen Motor noch funktioniert, muss nicht wegen verrosteter Flügel verschrottet werden. Bringen Sie einfach als Ersatz-„Flügel“ Stoffreste an, die kühlend fächeln und obendrein hübsch flattern.

-- Entrosteter Rost --

Ein alter Backofenrost ist – nach gründlicher Reinigung, versteht sich – im Bad noch sehr nützlich. Schraubt man ihn an die Wand, kann man Waschlappen und Handtücher daran aufhängen.

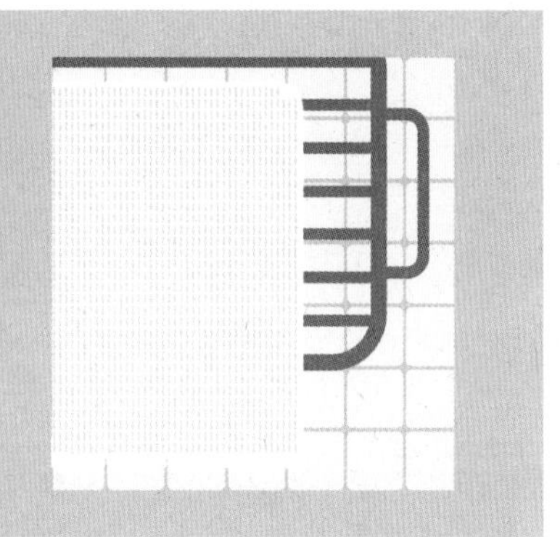

-- Abgefischt --

Im Fischhimmel gibt es wahrscheinlich keine Aquarien, sondern nur riesige, glitzernde Lagunen, in denen die verblichenen geschuppten Freunde bis in alle Ewigkeit frohlocken. Derweil können Sie sehen, was Sie mit dem leeren 50-Liter-Aquarium anfangen. Wer keine Lust mehr auf Fische hat oder es herzlos findet, die armen Guppys einfach so zu ersetzen, könnte stattdessen darin Wasserschildkröten halten oder Kräuter ziehen.

-- Umgestöpselt --
Ist der Badewannenstöpsel spurlos verschwunden? Das kommt in den besten Familien vor, lässt sich aber zum Glück mit einer alten Gummischuhsohle lösen. Dazu den Gummi vorsichtig in der passenden Form zuschneiden, in der Mitte eine kleine Krampe oder Ringschraube anbringen und eine Schnur oder Kette daran befestigen – schon können Sie wieder abtauchen.

-- Nasenschmeichler --

Dufttücher für den Wäschetrockner können fast überall als Lufterfrischer eingesetzt werden. Legen Sie ein Tuch in eine Schublade, in den Kleiderschrank, in den Spind im Fitnessstudio oder unter den Autositz. In Büchern, Koffern und Aufbewahrungskästen, die man selten öffnet, verhindert ein solches Tüchlein muffigen „Lagergeruch". Und wer zu schwitzigen Füßen neigt, kann ein Tuch halbieren und die Stücke in die Schuhe oder Sportschuhe legen, um sie über Nacht zu desodorieren.

-- Luffa-Lifting --

Ein alter Luffaschwamm wird wieder frisch, wenn man ihn in Essig einweicht. Am besten eignet sich weißer oder Apfelessig. Genügt diese Frischekur nicht, können Sie ihn anschließend noch auskochen. Danach ist er wieder wie neu.

-- Staubsocken --

Überlisten Sie den Geist in der Waschmaschine, der immer einzelne Socken stiehlt. Bewahren Sie einfach die frisch gewaschenen Einzelstücke in einer Schachtel auf und verwenden Sie sie zum Staubwischen. Weil man sie wie einen Handschuh über die Hand ziehen kann, lassen sich schwierige Ecken – beispielsweise zwischen Geländerstützen – viel leichter putzen.

-- Schürze gefällig? --

Ein alter Kissenbezug mit hübschem Muster kann eine zweite Chance als Schürze bekommen. Einfach das offene Ende abschneiden oder umfalten und die Seiten absteppen, um vorn zwei tiefe Taschen zu erhalten. Bänder annähen – und umbinden.

-- Etwas auf dem Kasten --

Wenn zu Ihrer Toilette noch ein Spülkasten ohne Spartaste gehört, können Sie die Wassermenge, die bei jedem Spülen verbraucht wird, mit einem einfachen Trick reduzieren: Füllen Sie ein fest schließendes Behältnis, etwa eine alte Plastik- oder Glasflasche, mit Sand, Kies oder Wasser und legen Sie sie in den Spülkasten. Die Größe des Behältnisses bestimmt, wie viel Wasser Sie jeweils einsparen.

-- Satz und Spiel --

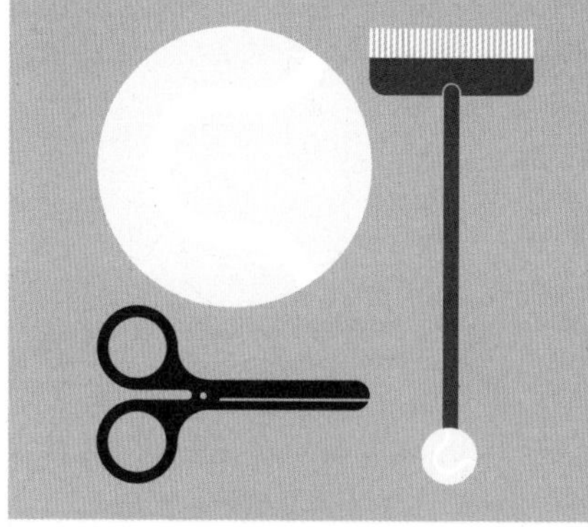

Wohin mit alten Tennisbällen, die ihre beste Zeit hinter sich haben? Man kann sie dem Hund geben. Wenn man aber keinen Hund hat? Dann schneiden Sie ein kleines X in den Ball und stecken Sie einen Besenstiel hinein. Schon haben Sie ein handliches Werkzeug, mit dem sich schwarze Spuren von Gummisohlen von Holzböden entfernen lassen.

-- Für Teppichstoppeln --

Mit Rasierschaum lassen sich auch Flecken von Teppichen und Läufern entfernen. Den Fleck gründlich anfeuchten, den Schaum auftragen, einige Sekunden einwirken lassen und mit einem sauberen Handtuch oder Schwamm abtupfen. Prüfen Sie vorher an einer unauffälligen Stelle, ob der Teppich auch farbecht ist.

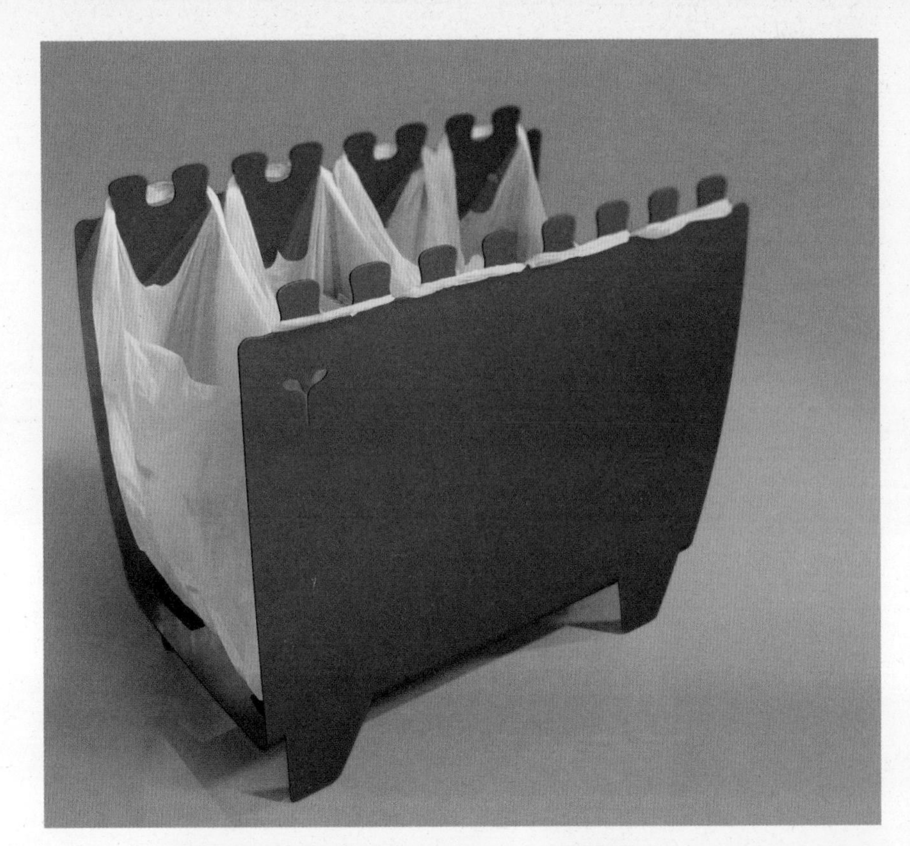

Design!

Sprout Design Binvention

Dem Londoner Designerteam Sprout Design ist es wichtig, bei der Öffentlichkeit ein Bewusstsein für die Bedeutung von Rohstoffen und Wertstoffen wachzuhalten. Ihr erstes selbst initiiertes Design *Binvention* kam 2006 auf den Markt und war ein voller Erfolg. Es handelt sich um ein schlichtes, kompaktes Gestell, in das man vier Plastiktragetaschen einhängen kann, um den Müll nach Wertstoffen zu trennen.

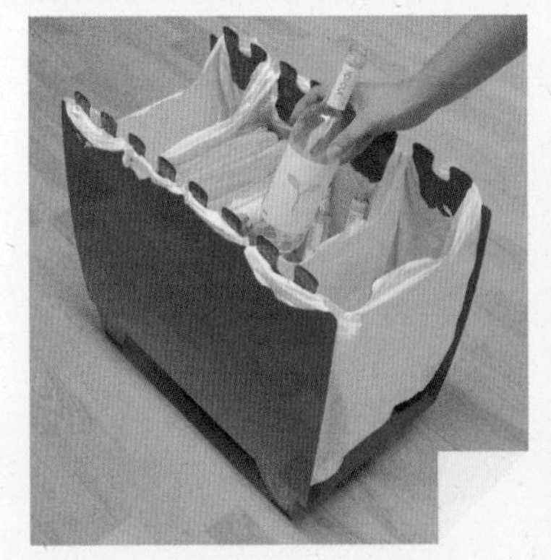

-- Möbel auffrischen --

Alte Holzmöbel lassen sich mit einer selbst gemachten Politur aus 1 Teil Leinöl und 9 Teilen Terpentinersatz auffrischen. Zuerst das Möbelstück mit Seifenwasser säubern und trocknen lassen. Dann die Politur gründlich schütteln und mit einem Wattebausch auftragen. Reste der Mischung in einer fest verschlossenen, beschrifteten Flasche an einem kühlen Platz aufbewahren.

-- Eis für Großverbraucher --

Wenn Sie einmal viele Eiswürfel brauchen, können Sie sich mit einem unbenutzten Eierhalter aus dem Kühlschrank behelfen. Andere gute Kandidaten für diesen Zweck sind Silikon-Backförmchen (insbesondere Muffinbleche), Puddingförmchen, Luftballons (vor allem die langen, dünnen) und sogar Kochtöpfe. Letztere braucht man, um das Eis zu lösen, nur kurz auf dem Herd zu erhitzen. Wem die Eisklötze zu groß sind, der kann sie in einen Gefrierbeutel packen und auf einem Schneidebrett mit einem Nudelholz oder einem Fleischklopfer zerschlagen.

-- Aufgepumpt --

Bewahren Sie alte Sprühflaschen auf, waschen Sie sie sorgfältig aus und verwenden Sie sie für selbst gemachte Salatdressings und Soßen. Flaschen von Hygienemitteln sollten Sie allerdings nicht für Lebensmittel verwenden, sonst schmeckt der selbst gekochte Ketchup womöglich nach Seife. Flaschen von Reinigungsmitteln sind natürlich aufgrund der möglicherweise darin enthaltenen Chemikalien sowieso tabu.

-- Hallo? --

Seiten aus alten Telefonbüchern eignen sich gut zum Anzünden des Kaminofens. Zerknüllte oder geschredderte Seiten sind außerdem ein wesentlich umweltfreundlicheres Füllmaterial für Päckchen und Pakete als Styroporchips.

Design!

Peter van der Jagt
Türklingel Bottoms-up

Diese Türklingel für Droog hat sich seit ihrer Markteinführung 1994 zum Designklassiker entwickelt. Kein Wunder, begrüßt sie doch die Gäste mit dem freundlichen Klang von Weingläsern. Aber sie ist nicht nur ein Kuriosum, das für Gesprächsstoff sorgt, sondern auch die gut durchdachte Neuerfindung eines bekannten Produkts. Van der Jagt wollte die Funktionsweise einer Türklingel sichtbar machen – mit Erfolg.

-- CD zum Tee --
Alte CDs sind hitzebeständig und darum bestens als Untersetzer für heiße Getränke geeignet. Vor allem auf dem Schreibtisch sieht so eine „Untertasse“ unter dem Teebecher sehr stimmig aus.

-- Schieflage --
Legt man zwei Weinkorken (besonders geeignet sind die neueren Typen aus Kunststoff) unter die hinteren Ecken des Laptops, erhält die Tastatur eine Neigung, die beim Tippen die Handgelenke schont. Die Korken in Längsrichtung legen, damit sie nicht wegrollen.

-- Drei auf einen Streich --
Hervorragende Kamin- und Grillanzünder erhalten Sie, wenn Sie die Vertiefungen eines Eierkartons mit dem Fusselfilz aus dem Wäschetrockner füllen und diesen mit geschmolzenen Wachsresten übergießen. So recyceln Sie drei Restprodukte in einem Zug.

-- Da bist du platt! --

Haben Sie ein altes Bügeleisen übrig, das noch funktioniert? Dann sollte es in die Küche umziehen, denn man kann damit hervorragend getoastete Sandwiches und Panini machen.

-- Blitzsauber 1 --
Moderne Staubsauger ohne Beutel sind mit einem herausnehmbaren Staubsammelbehälter ausgestattet. Diesen kann man, wenn der Staubsauger seinen Dienst nicht mehr tut, noch als Aufbewahrungsbehälter, Gießkanne oder Abfallbehälter für die Küchenarbeitsplatte benutzen.

-- Blitzsauber 2 --
Auch der Schlauch eines defekten Staubsaugers lässt sich noch gebrauchen. In Längsrichtung aufschneiden und in kurze Stücke teilen – damit können Sie Kabelsalat gut bändigen.

SCHRITT FÜR SCHRITT

Kühlkammer

In Entwicklungsländern sind Kühlschränke nicht nur teuer und schwer zu beschaffen, sondern ohne Elektrizität auch ziemlich nutzlos. Wer dort Lebensmittel länger aufbewahren will, muss sich etwas anderes einfallen lassen.

In Anlehnung an eine Idee des nigerianischen Lehrers Muhammad Bah Abba stellen die Bauern in heißen Ländern heute oft Kühlvorrichtungen namens *Zeer Pots* her, für die sie einfache Tongefäße, Sand und Wasser verwenden. Bah Abba stammte aus einer Töpferfamilie und wurde berühmt, nachdem er für sein Kühlsystem den mit 57000 Dollar dotierten Rolex Award for Enterprise erhielt. Das System verbesserte die Lebensbedingungen der nigerianischen Landbevölkerung erheblich. Auberginen beispielsweise halten sich damit statt 3 Tagen 27 Tage, Paprika und Tomaten sogar mehrere Wochen.

Das Prinzip ist einfach, aber effektiv: Man stellt einen Topf in den anderen und füllt den Zwischenraum mit feuchtem Sand. Wird der Sand ständig feucht gehalten, bleiben die Lebensmittel im inneren Gefäß durch die Verdunstungskälte auch in heißem Klima länger frisch.

Sie brauchen:

- 2 große, unglasierte Blumentöpfe oder andere Tongefäße in verschiedenen Größen (sie müssen ineinanderpassen, der Zwischenraum sollte 1 bis 3 cm breit sein)
- ggf. Lehm, große Kiesel, Korken oder Ähnliches zum Verschließen von Dränagelöchern in den Töpfen
- Sand
- Wasser
- Tuch oder Handtuch zum Abdecken

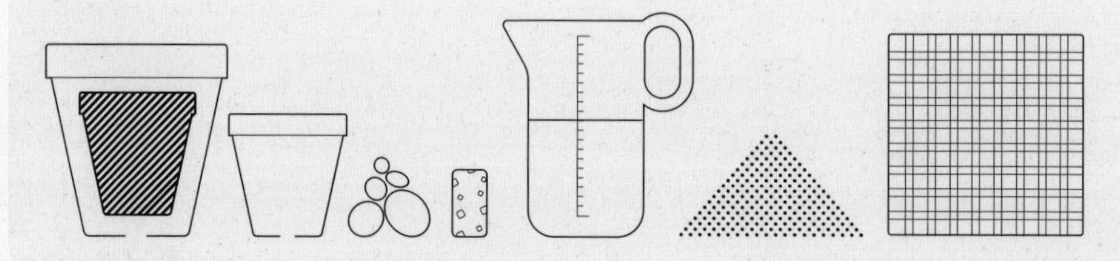

1_ Löcher in den Gefäßböden sorgfältig verschließen, damit kein Wasser austreten oder an die Lebensmittel gelangen kann.

2_ Auf den Boden des größeren Topfs Sand füllen. Den kleineren hineinstellen. Beide Topfränder sollen auf gleicher Höhe liegen. Dann den Zwischenraum zwischen den Töpfen bis zum Rand mit Sand füllen.

3_ Wasser auf den Sand gießen, bis er gründlich durchtränkt ist. Ein Handtuch in Wasser tauchen und über den Rand des inneren Topfs legen; er muss vollständig bedeckt sein.

4_ Der innere Topf wird sich nun abkühlen – fertig ist der neue Kühlschrank.

5_ Die Töpfe an einen kühlen, luftigen Platz stellen, wo das Wasser gut verdunsten kann, aber keine Tiere an den Inhalt gelangen.

6_ Bei Sommerhitze muss zweimal täglich Wasser nachgefüllt werden.

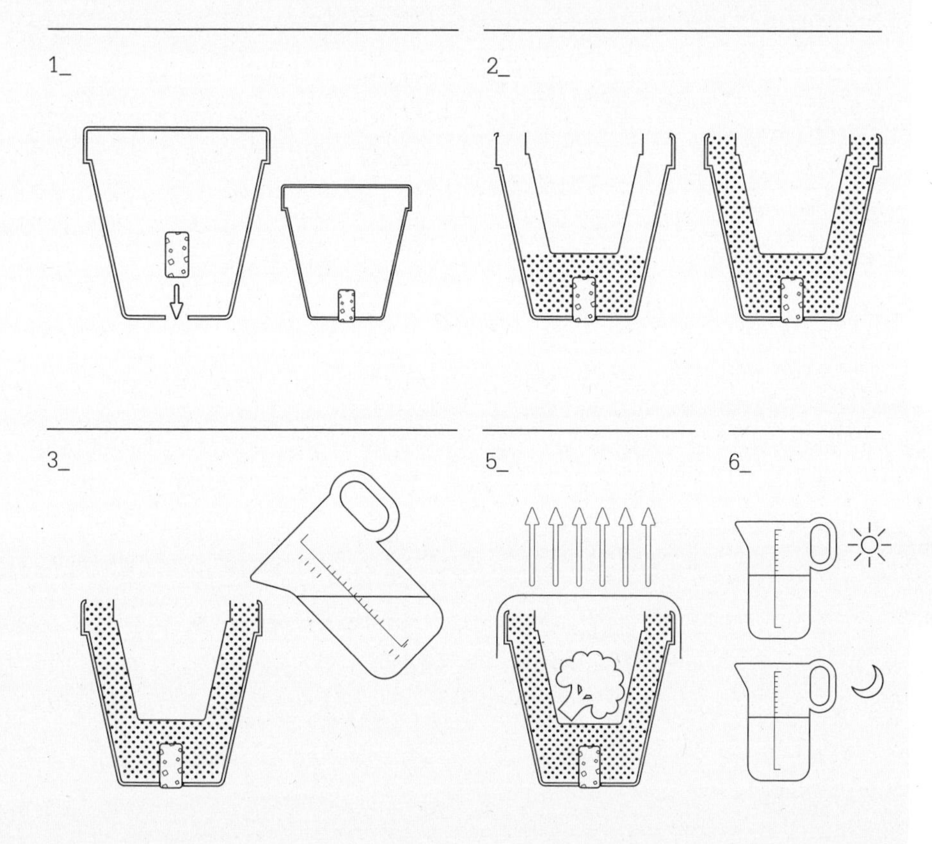

-- Kaffeenotstand --

Kennen Sie das: Kaffeedurst und keine Filtertüten zur Hand? Kein Problem – Küchenpapier von der Rolle, ein sauberes Geschirrtuch oder ein Rest Musselin oder feiner Baumwollstoff funktionieren fast ebenso gut. Kaffee und kochendes Wasser in einem Krug mischen, den Stoff in einen Trichter legen und den Kaffee durchgießen.

-- Brot für übermorgen --

Brot bleibt im Brotkasten länger frisch, wenn Sie es in einen Plastikbeutel vom Gemüsehändler packen. Die Lüftungslöcher in diesen Beuteln lassen das Brot atmen, sodass es nicht trocken wird.

-- Handicap für Hennen --

Wer in der Nähe eines Golfplatzes wohnt und außerdem zufällig Hühner hält, sollte diese Idealkombination nutzen. Verirrte Golfbälle sehen Eiern ähnlich und regen Hennen an, besser zu legen oder neue Legeboxen anzunehmen.

-- Fisch unterwegs --

Einfallsreiche Köche befestigen einen Kronkorken (zackige Öffnung nach außen) an einen Eisstiel und haben im Nu ein Werkzeug, um beim Grillen oder Zelten Fische zu schuppen.

-- Abreibung --

Eine rostige Käsereibe ist noch lange kein Fall für den Müll. Im Werkzeugschuppen tut sie noch gute Dienste als Raspel, zum Beispiel um Holzkanten abzuschrägen.

-- Fettfilter --
Alte Nylonstrümpfe oder -strumpfhosen sind ein guter Ersatz für Kaffeefilter oder Käseleinen zum Durchseihen von Frittierfett, das noch einmal benutzt werden soll. Das flüssige Fett in einen Krug füllen und den – frisch gewaschenen! – Strumpf mit einem Gummiband am Rand befestigen.

-- Das Gelbe vom Ei --
Familien, die viele Eier verbrauchen, sollten die leeren Kartons aufbewahren. Wegen ihrer Form eignen sie sich hervorragend zur Lärmdämmung – für Räume, in denen Bauarbeiten stattfinden, für die Garage oder das Zimmer des halbwüchsigen Juniors.

-- Satellitenhähnchen --

Eine alte Satellitenschüssel kann noch gute Dienste als Tropfschale beim Grillen, als Wok oder Paellapfanne leisten. Gründlich säubern, Kabel und elektronische Bauteile entfernen, auf den Grill oder die Herdplatte legen, etwas Öl einfüllen und leckere Hähnchenkeulen braten.

-- Sauberkeit mit Biss --

Zahnbürsten sind so konstruiert, dass man mit ihnen schwer erreichbare Ecken gut säubern kann. Wenn sie für den Mund nicht mehr taugen, sind sie im Haushalt noch für vieles nütze, zum Beispiel zum Reinigen von Armaturen oder Nischen hinter Rohren, zum Säubern von kleinen Ornamenten oder Schmuck oder zum Entfetten von Fahrradketten und Autoteilen.

Design!

Sante Kim
Wine Bottle Speakers

Der koreanische Designer Sante Kim hat die guten akustischen Eigenschaften von Glas genutzt und aus alten Weinflaschen blütenförmige Lautsprecher konstruiert, die wegen ihres interessanten Aussehens auf dem Regal oder an der Decke hängend viel hermachen.

-- Die richtigen Antennen --

Seit der Erfindung des digitalen Fernsehens haben die gerippeartigen, analogen Fernsehantennen ausgedient. Aber so leicht trennen sich die Menschen nicht von den guten Stücken, die ihnen so lange gute Dienste geleistet haben. Antennen lassen sich vielseitig weiterverwenden: beispielsweise zum Aufhängen von Kaffeebechern oder Handtüchern oder als Klettergerüst für den Sittich.

-- Truhe oder Trog --

Solange Retro im Trend liegt, lässt sich der alte Kühlschrank als pfiffiges Einrichtungselement verwenden. Nach einer Generalreinigung kann man ihn etwa ins Wohnzimmer umziehen und zur Minibar machen. Oder man entfernt die Böden und verwendet ihn – auf den Rücken gelegt – als Truhe in Schuppen oder Werkstatt. Nimmt man auch die Tür heraus, hat man einen praktischen Wassertrog für den Garten.

-- Sie lesen die Nachrichten --

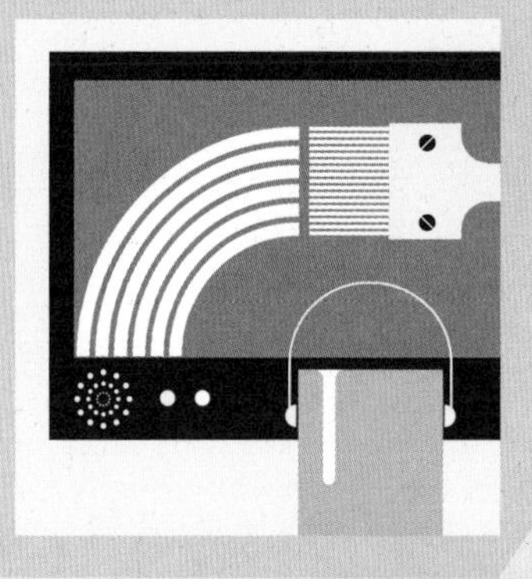

Sie waren einmal so stolz auf Ihren Flachbildfernseher – weil sich jedoch die Zeiten ändern, besitzen Sie inzwischen einen besseren. Streichen Sie einfach den alten Bildschirm mit Tafelfarbe, dann haben Sie ein witziges Notizbrett.

-- Tellergericht --

Mit einem wasserlöslichen Folienstift oder einem Permanent-Marker wird jedes helle, einfarbige Geschirr zum Notizbrett. Befestigen Sie den Stift mit einer Schnur neben einem großen Teller, damit sein Zweck unmissverständlich klar wird und er nicht plötzlich verschollen ist, wenn Sie für die Familie eine Nachricht aufschreiben wollen. Wenn die Schrift wasserfest ist, eignet sie sich auch für Notizen im Freien, zum Beispiel für den Briefträger.

-- Nudelflasche --

Sie haben kein Nudelholz, möchten aber Pizza backen? Kein Problem: Füllen Sie eine schlanke Glasflasche mit geraden Wänden mit Wasser und verschließen Sie sie fest; das Etikett vorher ablösen. Beim Ausrollen nicht zu kräftig auf den Flaschenhals drücken, sonst kann er abbrechen. Wenn Sie Mürbeteig zubereiten – er sollte kalt verarbeitet werden –, stellen Sie die Flasche vor dem Ausrollen ein Weilchen in den Kühlschrank.

-- Magnetismus --

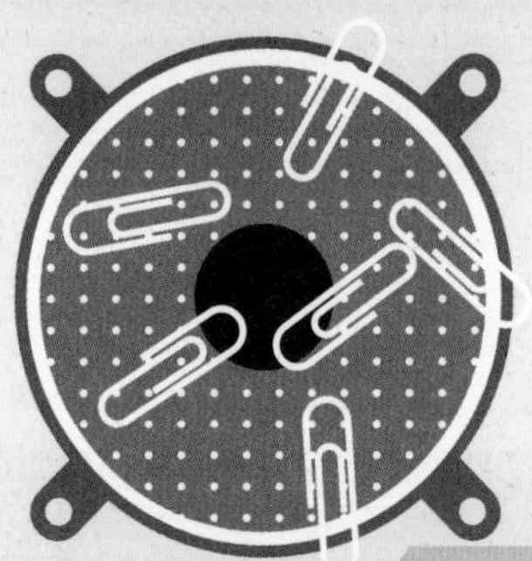

Lautsprecherboxen und die Elektromotoren vieler Haushaltsgeräte enthalten kräftige Magneten, die man aus defekten Geräten ausbauen und anderweitig verwenden kann – etwa für einen Messerhalter, den Kühlschrank oder eine Pinnwand.

-- Dr. Saubers Superweiß --

Zahncreme reinigt nicht nur Backenzähne. Wegen der feinen Putzkörperchen eignet sie sich ausgezeichnet, um die Unterseite eines Bügeleisens zu säubern, Chromarmaturen zu polieren oder Flecken aus der Edelstahlspüle zu beseitigen. Auch Becher, die von Tee oder Kaffee verfärbt sind, werden mit Zahncreme wieder blitzblank.

-- Karamba! --

Schwarze Abriebspuren und Teerflecken auf Hartböden lassen sich mit Multifunktionsöl beseitigen. Das Öl aufsprühen und kurz einwirken lassen, dann lassen sich die Flecken abreiben. Das Öl sorgt dafür, dass der Boden keinen Schaden nimmt.

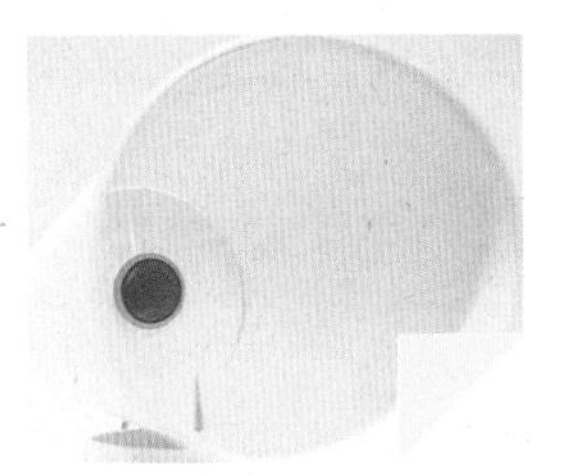

Design!

Dmitry Zagga
Cup Speakers

Der litauische Designer Dmitry Zagga soll diese Lautsprecher für den iPod angeblich erfunden haben, nachdem seine Kreditkarte im Apple Store abgelehnt wurde. In der Blogosphäre wurde das Design aus vier Pappbechern und zwei Zahnstochern begeistert aufgenommen. Sie funktionieren nach demselben Prinzip wie das „Telefon“ aus Dosen und Schnur, das wir alle aus unserer Kindheit kennen. Der Sound kann sich nicht mit dem eines Subwoofers messen, ist aber für eine improvisierte kleine Party besser als gar nichts. Um die Lautsprecher zu basteln, sticht man Löcher in die Böden zweier Becher, legt die anderen darauf und befestigt sie mit Zahnstochern. Dann die Ohrhörer durch die Löcher schieben und losfeiern.

-- Von den Socken --

Seife am Band hatten wir in den 1970er-Jahren. Die Recyclingalternative ist eine alte Nylonstrumpfhose – ein Bein abschneiden, die Seife hineinstecken, zuknoten und aufhängen. Die Seife bleibt, wo sie hingehört, hinterlässt keinen Schmierfilm auf dem Wannenrand und hält länger. Sie können das Strumpfhosenbein auch mit Badesalz und Kräutern füllen und wie einen riesigen Teebeutel in der Wanne ziehen lassen.

-- Antibeschlag --

Wenn Sie sich nach einer heißen Dusche noch im Badezimmerspiegel sehen wollen, verreiben Sie vorher einen kleinen Klecks Rasierschaum auf dem Glas, und er beschlägt nicht. Dauerhafter lässt sich das Beschlagen mit einer rohen Kartoffel verhindern. Den Spiegel wie gewohnt reinigen, die Kartoffel durchschneiden und über das Glas reiben. Dann mit einem sauberen Tuch nachpolieren.

-- Zahnpflege --

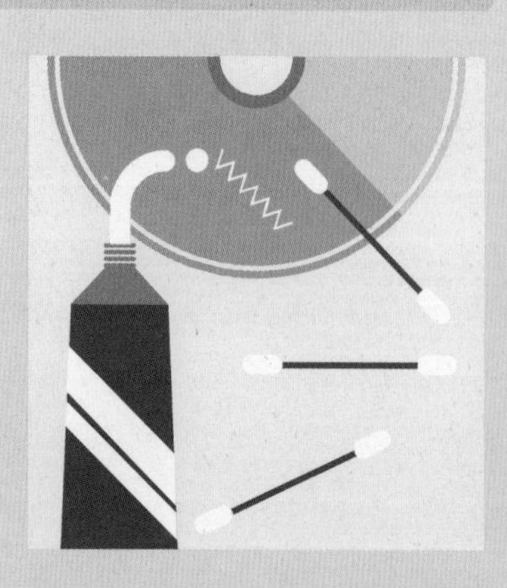

Insider wissen, dass man mit Zahncreme zerkratzte CDs retten kann. Wenn die CD nach einer herkömmlichen Reinigung mit mildem Spülmittel (ohne Schwamm) immer noch springt, geben Sie etwas Zahncreme auf die Kratzer. Mit einem Wattestäbchen nachpolieren, bis sie verschwunden sind. Die CD klar abspülen und vorsichtig abtrocknen – und sie ist wie neu!

-- Für angebackten Schmutz --

Backpulver bindet Gerüche und besitzt eine sanfte Schleifwirkung, darum kann es als Ersatz für Scheuermittel eingesetzt werden. Etwas Backpulver auf einen feuchten Schwamm streuen und die Schmutzränder in der Badewanne wegwischen. Sie können es auch mit Wasser zu einer dicken Paste anrühren, Spüle oder Wanne damit bestreichen und 10 bis 20 Minuten einwirken lassen, um hartnäckige Flecken zu lösen.

-- Durchblick --

Alkohol zum Einreiben (Isopropanol) ergibt mit etwas weißem Essig und Wasser einen selbstverdunstenden Reiniger für Glas. Auch Chrom wird damit wieder blank.

-- Frischer Glanz --

Möbelpolitur aus dem Handel enthält meist Silikonöl, das durch feine Risse im Lack ins Holz eindringen kann und Probleme beschert, wenn ein Neuanstrich nötig ist. Dies lässt sich mit einer selbst gemachten Politur vermeiden. 1 Teil Zitronensaft (löst Schmutz) und 2 Teile Olivenöl (pflegt das Holz und gibt Glanz) mischen, und die Möbel werden so sauber, dass man von ihnen essen kann. Oder wenigstens ab und zu daran lecken.

-- Schluss mit Schrubben --

Wer ein Zimmer streichen will, sollte die Farbwanne zunächst mit einer alten Plastiktüte auslegen und erst dann die Farbe eingießen. Das erleichtert das spätere Saubermachen erheblich.

-- Abflussfrisch --

Besitzen Sie einen Insinkerator? Ein solches Schreddergerät sitzt unterhalb der Spüle und zerkleinert Bio-Küchenabfälle, bevor diese ins Abwasser gelangen. Wenn Sie den Küchenabfallzerkleinerer mit der grob abgeriebenen Schale einer Zitrone füttern, riecht Ihre Spüle wieder ganz frisch. Orangen und Limetten eignen sich ebenso gut.

-- Ausgespült 1 --

Wenn eine Spülmaschine den Dienst quittiert, kann man mit ihr etwa so viel anfangen wie mit einer alten Waschmaschine. Zerlegen Sie den Geschirrspüler in seine Einzelteile. Schubladen und Besteckhalter sind beispielsweise an der Spüle als Abtropfgestelle nützlich.

-- Ausgespült 2 --

Wenn Sie nicht von Hand abwaschen mögen oder bereits ein gutes Abtropfgestell haben, können Sie die Auszüge einer alten Spülmaschine als Büroorganisationssystem benutzen. Akten, Broschüren und andere Papiere lassen sich ebenso gut wie Teller zwischen die aufrechten Streben einordnen, und der Besteckkorb ist praktisch für Stifte. In der Firma findet der Stil vielleicht keinen Anklang, aber wer sein Büro zu Hause hat, kann sich solche unkonventionellen Lösungen leisten.

-- Kissen für den Korb --

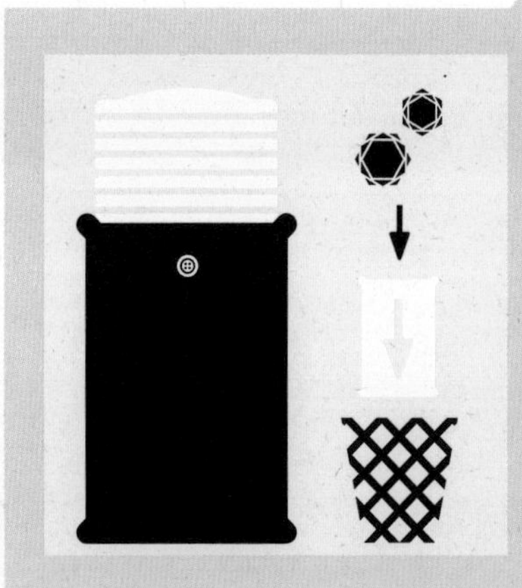

Alte Kissenbezüge sind praktische Einlagen für geflochtene Papierkörbe, vor allem im Schlafzimmer und im Bad, wo Haare aus der Bürste oder abgeschnittene Nägel leicht durch das Geflecht rutschen. Ein alter Kissenbezug sieht hübscher aus als die üblicherweise verwendeten Plastiktüten und kann obendrein nach dem Ausleeren gewaschen werden.

-- Flotter Feger --

Anstatt Ihr sauer verdientes Geld für Kunststoff-Wischmopps auszugeben, sollten Sie lieber eigene zweckdienliche Modelle erfinden. Zum Kehren von Staub, Mehl und Tierhaaren vor dem Aufwischen des Bodens (oder anderer Flächen) wickeln Sie einfach ein ausgemustertes Flanellhemd oder T-Shirt um den Besen und fegen drauflos.

Design!

Gijs Bakker
Dishmop

Diese witzige Version der klassischen Spülbürste hat Gijs Bakker 2004 für Droog Design entwickelt. Das Modell besteht aus einem farbigen Schaumstoffball, der zwischen die Backen einer Stahlzange geklemmt wird. Wer sich nicht in Unkosten stürzen will, kann aus einem Spülschwamm und einem alten Salatbesteck eine eigene Version basteln.

SCHRITT FÜR SCHRITT

Erste Hilfe bei Überschwemmungen

Wer ohne Paddel auf dem Fluss treibt oder ohne Wischlappen vor einer Pfütze auf dem Hartboden steht, muss sich etwas einfallen lassen. Im ersten Fall kann es genügen, eine Planke vom Boot abzureißen. Im zweiten Fall ist etwas mehr Mühe angeraten. Ein praktischer, selbst gemachter Wischmopp hält nicht nur länger als seine Vettern aus dem Laden, sondern überzeugt durch die großartige Saugkraft seines Kopfs aus alten Badehandtüchern.

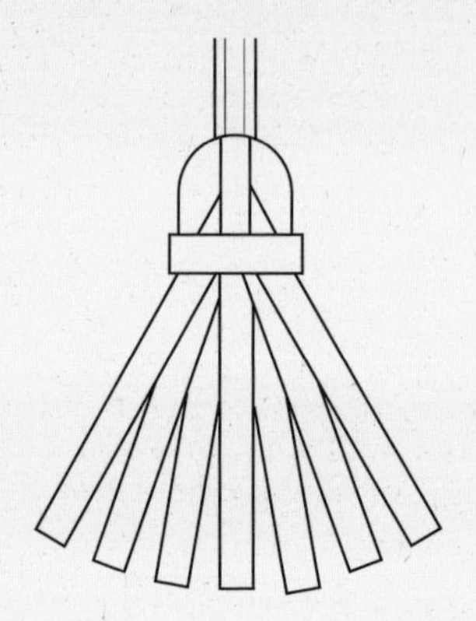

Sie brauchen:

_ 1 altes Badehandtuch
_ Schere
_ 1 Besenstiel aus Holz
_ Kabelbinder

1_ Die Säume des Handtuchs entfernen. Das Handtuch wie einen Kamm in Streifen einschneiden; sie sollen auf einer Seite noch verbunden sein. (Ein Badehandtuch in Standardgröße ergibt etwa 20 Streifen.)

2_ Einen Streifen ganz wegschneiden und beiseite legen, die anderen ausbreiten.

3_ Den Besenstiel auf die Streifen legen. Das Ende liegt in etwa 2 cm Abstand zum nicht ganz durchtrennten Ende des Handtuchs. Fest aufrollen und 2 cm über dem Ende des Besenstiels mit einem Kabelbinder sichern.

4_ Jetzt den Mopp umdrehen, sodass die Streifen herabhängen. Mit einem zweiten Kabelbinder in dieser Richtung befestigen.

5_ Das Ende des Kabelbinders abschneiden. Damit der Mopp schön ordentlich aussieht, den aufbewahrten Streifen um den Kabelbinder wickeln und verknoten.

1_

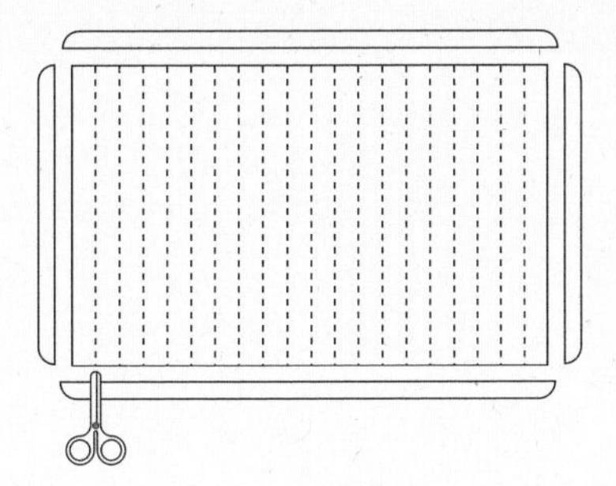

2_

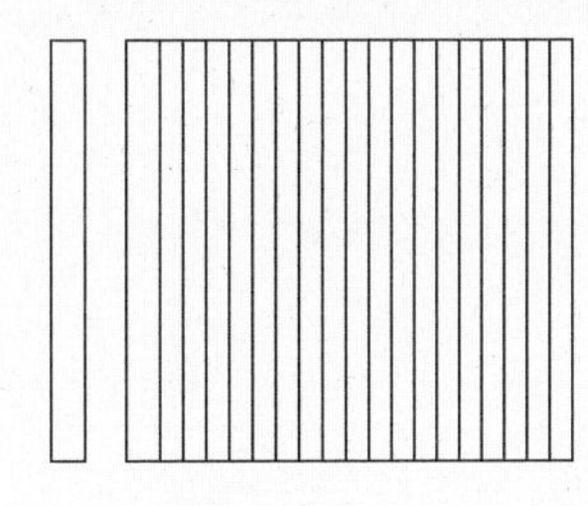

3_

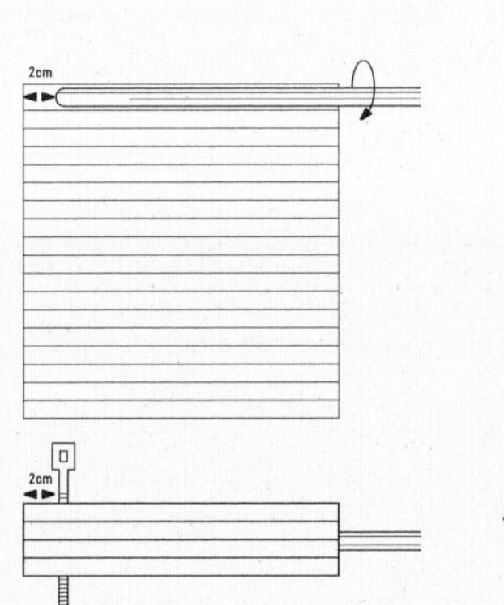

4_

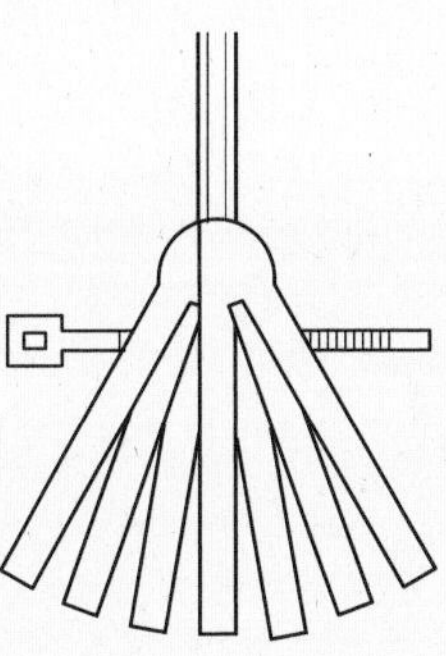

5_

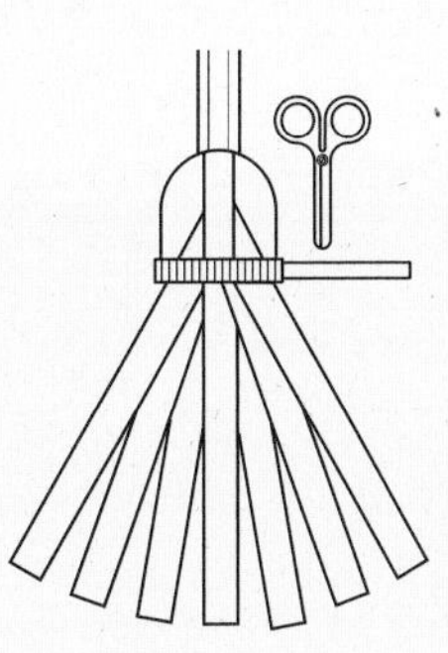

-- Duftvertreiber --
Intensive Gewürzgerüche lassen sich von Mörser und Stößel, Gewürzmühlen oder Küchenmixer nicht so leicht abwaschen. Zerkleinert man jedoch eine Handvoll ungekochten Reis, verschwinden die Gerüche restlos und beeinflussen nicht das Aroma des nächsten Gerichts.

-- Topfpflanzen --
Alte Kochtöpfe und Pfannen kann man aufhängen und als Hängeampeln für Kräuter und Blumen zweckentfremden. Alte Durchschläge bzw. Nudelseiher sind wegen der Dränagelöcher besonders geeignet.

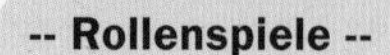

-- Rollenspiele --

Für Papphülsen von Küchen- und Toilettenpapier gibt es viele gute Verwendungen. Falten Sie lange Stromkabel wie eine Ziehharmonika zusammen und schieben Sie sie in eine Röhre – schon ist es vorbei mit dem Kabelsalat.

-- Pulp Fiction --
Sie haben keinen Reißwolf, um alte Kontoauszüge und Kreditkartenabrechnungen zu vernichten? Nehmen Sie einen alten Küchenquirl mit Kurbel. Einen Eimer zur Hälfte mit Wasser füllen und die Dokumente einweichen, dann kräftig rühren. Aus der Pulpe können Sie Papier schöpfen oder Pappmachee herstellen und Formen modellieren. Natürlich können Sie sie auch einfach in den Papiermüll geben, Pulpe aus Recyclingpapier kann sogar kompostiert werden.

-- Haarfänger --
Mit alten Nylonstrümpfen lassen sich Tierhaare von Kleidung und Polstermöbeln entfernen. Durch Reibung lädt sich das Nylon statisch auf, und die Haare bleiben daran hängen.

Design!

Tom Ballhatchet
Hamster Shredder

Der britische Designer Tom Ballhatchet hat eine originelle Kombination aus Hamsterkäfig und Reißwolf erfunden. Wenn der Hamster in seinem Rad läuft, wird die Kraft über einen Antriebsriemen auf den Schredder übertragen, der wiederum vertrauliche Dokumente in Kleintierstreu verwandelt. „Es ist mein Kommentar zu der Idee, dass wir alle Verantwortung für das tragen, was wir mit unserem Planeten tun“, sagt der Designer, „zugleich weise ich damit auf die Mikrogeneration als eine Energiequelle der Zukunft hin.“

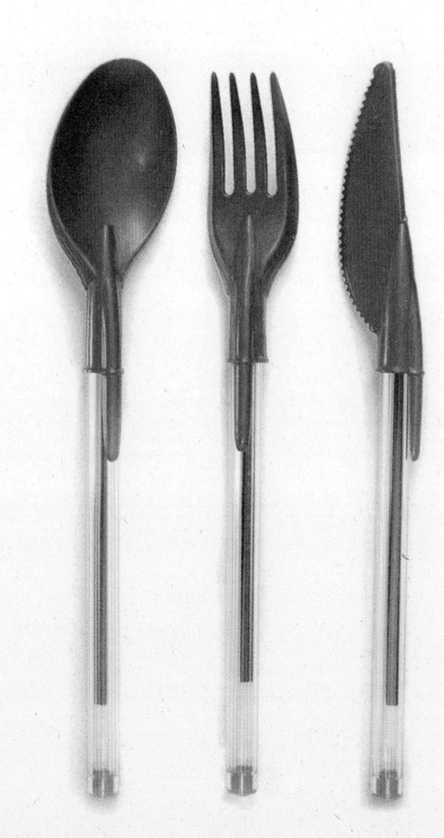

Design!

Zo-loft

Din-ink

Haben wir nicht alle schon mal geistesabwesend auf einer Stiftkappe herumgekaut? Letztlich ist es eine logische Fortführung dieser Tatsache, aus ihnen funktionales Besteck herzustellen. Die Serie *Din-ink* wurde von der italienischen Firma Zo-loft entwickelt. Sie ist vollständig biologisch abbaubar, ungiftig, hygienisch und geradezu prädestiniert für Mahlzeiten *„al desko"*.

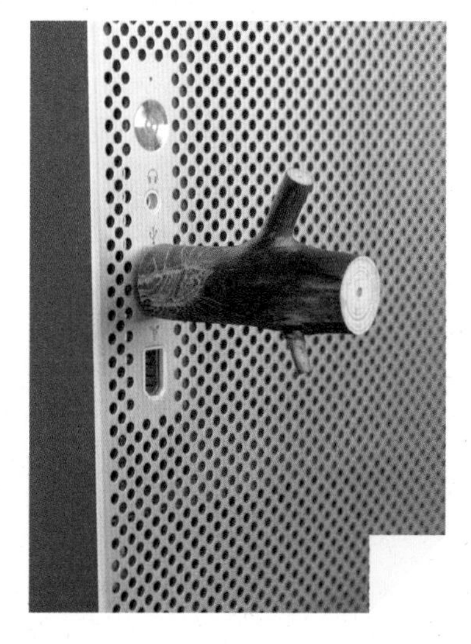

Design!

Studio OOOMS
Twig Memory Stick

Hinter Studio OOOMS verbergen sich die niederländischen Designer Guido Ooms und Karin van Lieshout, die verblüffende Neuinterpretationen alltäglicher Gegenstände entwickeln. Eine davon sind die *Twig Memory Sticks*, die schnell einen breiten Markt eroberten. Die Holzstöckchen werden von OOOMS individuell ausgesucht und von Hand auf die USB-Sticks montiert.

-- Secondhandseife --
Während des Zweiten Weltkriegs waren Luxusgüter streng rationiert, nichts wurde weggeworfen. Seifenreste, die zu klein zum Händewaschen waren, sammelte man in einem Marmeladenglas neben dem Spülbecken. Hatte man genug Reste beisammen, schmolz man sie (wie Schokolade über einem heißen Wasserbad) und goss neue Seifenstücke daraus.

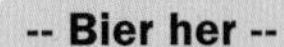

-- Bier her --

Kein Kapselheber im Werkzeugschuppen? Dann bauen Sie schnell selbst einen Flaschenöffner. Zwei Schrauben im Abstand von etwa 2 cm in ein kleines Stück Holz drehen, sodass eine am Flaschenhals anliegt und die andere den Kronkorken hochhebelt.

-- Schaumschlägerei --
Wenn man Sahne mit der Hand schlägt, wird das Handgelenk schnell lahm. Spannen Sie den Schneebesen einfach ins Bohrfutter der Bohrmaschine ein. Aber nur ganz langsam laufen lassen, sonst haben Sie schnell Butter in der Schüssel oder Sahne an der Decke!

-- Öl gegen Kleber --
Mit Multifunktionsöl lässt sich Klebstoff von harten Oberflächen entfernen. Das Öl auf den Fleck sprühen, eine halbe Minute einwirken lassen und mit einem feuchten Tuch abwischen. Klebereste von Etiketten auf Gläsern lassen sich mit dem Öl, das Lösemittel enthält, auch sehr gut entfernen.

-- Eisen stemmen --
Fettflecke an Tapeten lassen sich mit dem Bügeleisen entfernen; das wusste man schon in der Vorkriegszeit, als es noch üblich war, die Küche zu tapezieren. Das Eisen aufheizen, dann den Stecker ziehen. Den Fleck mit einem Rest Baumwollstoff abdecken und das Bügeleisen an die Wand drücken. Vorsicht: Vinyltapeten vertragen die Hitze nicht, sie schmelzen.

-- Kuh-Schuhglanz --
Manche Menschen glauben, eine milchfreie Ernährung sei gut für den Darm. Ihre Handtaschen und Schuhe sind allerdings vermutlich nicht so schön wie die von Milchgenießern – Milch ist nämlich ein gutes Pflegemittel für Glattleder. Auftragen, nachpolieren und den spiegelnden Glanz bewundern.

-- Fegeposten --

Haben Sie die Kehrschaufel verlegt? Dann schneiden Sie sich mit dem Teppichmesser schnell eine aus einer leeren Waschmittelflasche zurecht. Die flache Seite muss breit genug sein, um den Staub aufzunehmen. Und wenn der Besen fehlt, tut es zur Not ein alter, großer Pinsel.

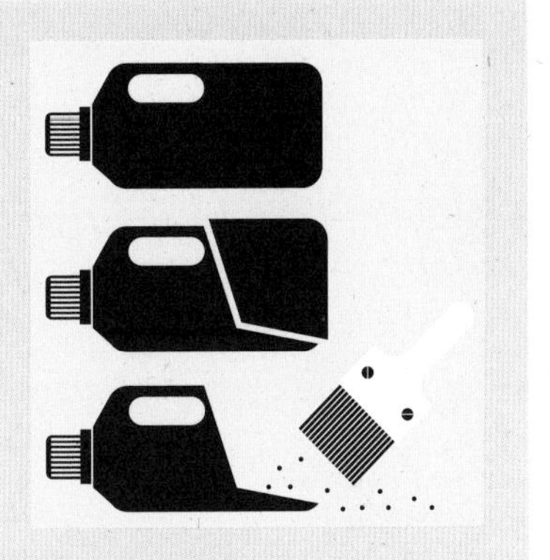

-- Versalzen --
Eine Mischung aus Salz und Wasser lässt Wasserflecken (wie Ringe von Gläsern) von Holztischen verschwinden. Salz mit wenigen Tropfen Wasser zu einer Paste anrühren und mit einem weichen Lappen oder Schwamm behutsam auf dem Fleck verreiben, bis er nicht mehr zu sehen ist. Anschließend das Holz mit Möbelpolitur wieder zum Glänzen bringen.

Design!

Creative Paper Wales
Sheep Poo Paper Air Freshener

Schafkötel gehören nicht gerade selbstverständlich in einen Lufterfrischer, doch Creative Paper Wales wollte ein Statement abgeben. Das handgefertigte Papier und die Papierprodukte der Firma sind genauso hygienisch und sauber wie alle anderen. Papier lässt sich aus praktisch allen Materialien herstellen, die hochwertige Zellulosefasern enthalten (etwa Verschnitt aus der Teppich- und Textilindustrie). Da Schafe nur die Hälfte der Zellulose verdauen, die sie fressen, eignen sich ihre Hinterlassenschaften besonders gut. Der Kot wird gesammelt, durch Erhitzen sterilisiert, immer wieder gewaschen, bis sich das Gewicht auf etwa die Hälfte reduziert hat – übrig bleiben die verwertbaren Fasern.

-- Abendlicher Brandschutz --

Was tun, wenn Sie ins Bett gehen wollen, aber das Kaminfeuer noch brennt? Streuen Sie etwas Salz auf die Flammen, um die Verbrennung zu beschleunigen. So bleibt der Kamin trocken und es entsteht weniger Ruß, als wenn man das Feuer langsam verglimmen lässt. Außerdem erleichtert das Salz das Auskehren des Kamins.

-- Entfettung --

Fettflecken auf dem Teppich lassen sich mit einer Mischung aus 1 Teil Salz und 4 Teilen Methylalkohol beseitigen. Den Fleck kräftig mit der Mischung einreiben.

-- Freigesprudelt --

Alka-Seltzer macht nicht nur einen klaren Kopf am Morgen, sondern entfernt auch hartnäckige Verfärbungen in der Kaffeekanne. Den Tank Ihrer Kaffeemaschine oder Ihres Espressobereiters für den Herd mit Wasser füllen und die Tabletten hineingeben. Wenn sie aufgelöst sind, das Wasser durchlaufen lassen. Den Vorgang eventuell wiederholen, dann gründlich klar nachspülen. Auch Vasen, Geschirr und Thermoskannen werden so wieder blitzsauber.

-- Kleine Aufmerksamkeiten --

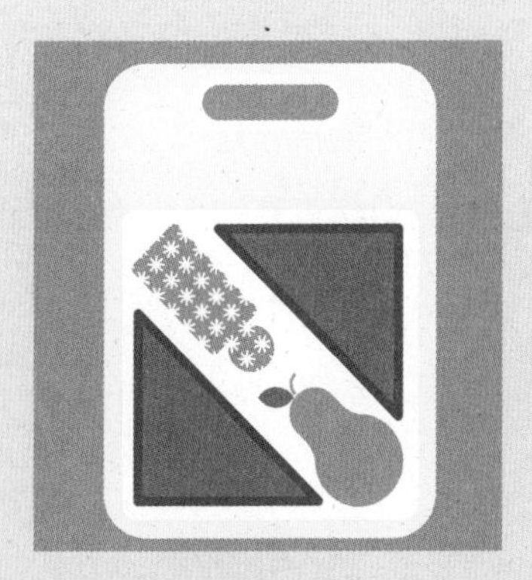

Nette Urlaubshotels legen im Bad kleine Shampoo- und Duschgelfläschchen bereit, die viele Gäste gern mit nach Hause nehmen. Wenn der Inhalt verbraucht ist, wäre es schade, die so weit gereisten Flaschen einfach wegzuwerfen. Waschen Sie sie lieber gut aus, füllen Sie sie mit Wasser und frieren Sie sie ein – dann haben Sie originelle Mini-Kühlakkus für die Frühstücksbrotdose.

-- Spießig --

Irgendwann braucht jeder einmal dringend einen Schaschlikspieß. Wenn Sie dann keinen zur Hand haben, kann das Rad eines ausrangierten Fahrrads helfen. Man muss nur ein Ende einer Speiche spitz feilen, um sie als Spieß zu benutzen. Wenn aber nicht einmal ein Fahrrad da ist? Tja, vielleicht haben Sie dann ein Essstäbchen aus Holz und einen Anspitzer zur Hand.

-- Immer rundherum --

Eine defekte Waschmaschine birgt noch viele verwertbare Schätze. Gibt sie im Sommer den Geist auf, kann man die Metalltrommel – natürlich ohne die Gummi- und Plastikteile – als Grill benutzen. Bei gekonnter Montage lässt sie sich sogar mitsamt der Kohle drehen, was die Glutbildung beschleunigt. Zu anderen Jahreszeiten lässt sich die Trommel als Salatschleuder nutzen. Und wenn Sie das gläserne Bullauge aus der Tür ausbauen, können Sie den Salat darin sogar stilecht servieren.

-- Entfusseln --

Mindestens so gut wie mit einer Kleiderbürste lassen sich Tierhaare von Polstermöbeln und Vorhängen mit Malerkrepp entfernen. Einfach um die Hand wickeln und den Stoff abtupfen. Universalklebebänder haben eine so starke Klebewirkung, dass an ihnen sogar die Knötchen von Kissen und Kleidung aus Wolle hängen bleiben.

-- Weiche Landung --

Legen Sie eine gefaltete alte Tischdecke auf den Boden der Spüle, bevor Sie empfindliches Geschirr oder edle Gläser abwaschen. Sie hilft, Scherben zu verhindern, falls Ihnen etwas aus der Hand fällt.

-- Bügelhilfe --

Der Fußboden taugt nicht als Ersatz für ein Bügelbrett. Teppichhaare bleiben an den Kleidern hängen, auf Holzböden rutschen Geschirrtücher bei Bügelversuchen weg, und die Kleidung wird durch den Dampf feucht. Wer auf die Schnelle ein Hemd bügeln muss, sollte es auf einer Zeitung versuchen, die (wegen der Druckerschwärze) in einem Kissenbezug steckt.

Design!

&made
Ceramic Putty

Das Designerduo &made plädiert dafür, zerbrochenes oder angeschlagenes Geschirr nicht wegzuwerfen, sondern die Schäden zur Schau zu stellen. Teller, Vasen und Schüsseln können mit Ceramic Putty oder einem anderen Keramikkitt in freundlichen Farben repariert werden, sodass die Klebelinien neue, dekorative Muster ergeben.

-- Waschbeutel --

Was benutzt man zum Abtropfen, wenn alle Durchschläge bzw. Seiher zu Lampenschirmen und Hängeampeln umfunktioniert worden sind? Einen sauberen Plastikbeutel mit ein paar Löchern im Boden. Zum Abgießen heißer Nudeln sind solche Beutel nicht ganz ideal, wohl aber zum Waschen von Gemüse.

-- Weinselig --

Manche Leute behaupten, dass sich Rotweinflecken aus dem Teppich am besten entfernen lassen, indem man Weißwein daraufgießt.
Bei Partys liegt diese Lösung nahe, weil Weißwein schnell zur Hand ist und weil man handeln muss, solange der Fleck feucht ist.
Der Weißwein verdünnt den Rotwein und verhindert das Antrocknen, während Sie klares Wasser, einen Schwamm und Salz holen. Zuerst den Fleck mit Wasser abtupfen, dann Salz aufstreuen, 20 Minuten warten und alles absaugen.

-- Krümelige Idee --

Früher reinigten manche Leute Tapeten mit altem Brot – eine seltsame und etwas fragwürdige Idee. Zuerst fegt man den Staub ab, dann wischt man die Wand von oben nach unten mit einer großen Scheibe Brot sauber. Natürlich können Sie mit dem Brot auch Enten füttern ...

-- Schlagzeilen --

Fensterscheiben werden mit Zeitungspapier viel sauberer als mit Schwamm oder Tuch. Das Papier in 5 cm breite Streifen reißen und zu einer lockeren Kugel knüllen. Im Gegensatz zu einem Lappen ist Zeitungspapier recht starr und hinterlässt darum keine Fusseln auf dem Glas. Es besteht keine Gefahr, dass es abfärbt, denn das feuchte Papier saugt die Druckerschwärze auf, und an glatten Flächen wie Glas findet die Farbe ohnehin keinen Halt.

-- Eiskalt --

Bewohner kalter Länder wissen, dass man einen Teppich leicht reinigen kann, wenn man ihn an einem trockenen Tag in den Schnee legt, bis er gefroren ist, und dann kräftig mit einem Besen oder Teppichklopfer ausklopft. Umdrehen, nochmals ausklopfen und ein Weilchen draußen liegen lassen, bis der restliche Schmutz von allein herausfällt. Dann den Schnee abbürsten und den Teppich ins Haus holen.

-- Wen kratzt es? --

Schuhcreme enthält die gleiche Substanz wie Möbelpolitur: Wachs. Darum kann man sie auch benutzen, um kleine Kratzer auszubessern. Sie enthält allerdings Farbstoffe; für Ihr gutes Mahagoni sollten Sie einen passenden Ton wählen. Warme Schuhcreme lässt sich am besten verarbeiten. Wer sie im kalten Keller aufbewahrt, sollte sie vor dem Gebrauch eine Weile ins geheizte Zimmer stellen.

-- Wisch und futsch --

Fusselfreie Staubtücher können Sie selbst herstellen, indem Sie saubere Lappen in einer Lösung aus Zitronenöl und Wasser einweichen (1 Teil Zitronenöl auf etwa 20 Teile heißes Wasser). Die Lappen auswringen und an einem kühlen Platz 24 Stunden trocknen lassen. Nach dem Gebrauch kann man sie wie gewohnt in der Maschine waschen und erneut einweichen.

-- Wie aus dem Ei gepellt --

Beläge in Vasen, Kaffeekannen oder Weinkaraffen lassen sich mit gewaschenen, zerdrückten Eierschalen entfernen. Einfach die Schalen mit etwas Wasser in dem Gefäß schwenken.

Design!

Jane ní Dhulchaointigh
SUGRU

SUGRU ist eine Erfindung, mit der man Hunderte von Alltagsgegenständen reparieren und wieder benutzen kann, indem man neue Griffe oder Knöpfe selbst herstellt. Das Produkt auf Silikonbasis hat eine kittartige Konsistenz und lässt sich in jede beliebige Form modellieren. Danach härtet es bei Zimmertemperatur aus, ist stabil und fühlt sich wie Hartgummi an. Entwickelt wurde es von der irischen Designerin Jane ní Dhulchaointigh 2004 während ihres Studiums am Royal College of Art in London.

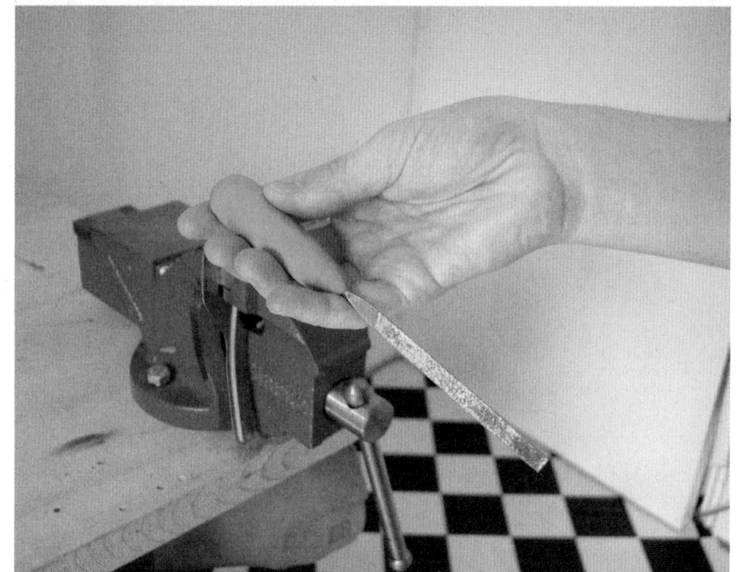

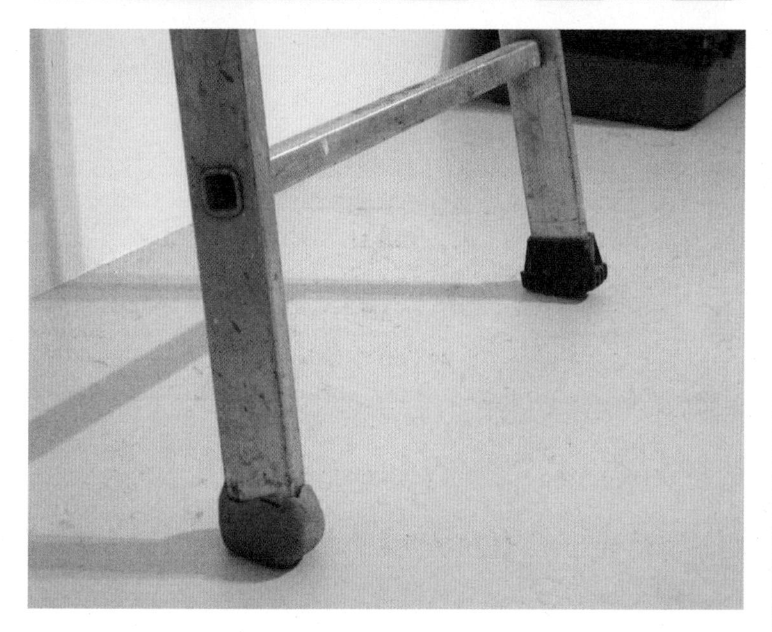

NOKIA
Alarm!
Stop
Snooze

-- Süße Lösung --

Mit Zucker lassen sich Teeflecken aus Tischwäsche gut entfernen. Nach einer besonders wüsten Teeparty weichen Sie das Tischtuch in einer starken Lösung aus Zucker und Wasser ein. Nehmen Sie so viel Zucker, dass er sich nicht vollständig auflöst. Danach ausspülen und wie gewohnt waschen.

-- Wäsche mit Pep --

Nicht nur Zucker und Salz können als Reinigungsmittel dienen. 1 Teelöffel Pfefferkörner in der Waschmaschine verhindert, dass leuchtende Farben verblassen oder auf andere Kleidungsstücke abfärben.

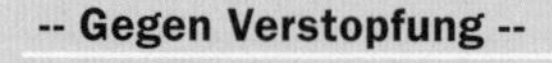

-- Gegen Verstopfung --

Mit einem halbierten Tennisball lässt sich eine Abflussverstopfung beseitigen, wenn kein Saugpümpel zur Hand ist. Den Ball mit der Öffnung nach unten auf den Abfluss setzen und mehrmals kräftig hinabdrücken, um die Verstopfung zu lösen.

-- Glanzpolitur --

Eine wirkungsvolle Politur für Messing, Bronze, Kupfer und Zinn können Sie aus gleichen Teilen Mehl, Salz und weißem Essig selbst mixen. Zuerst Salz und Mehl in einer kleinen Schüssel mischen, dann mit Essig zu einer Paste anrühren. Mit einem feuchten Tuch auf dem Metall verreiben und trocknen lassen (das dauert etwa eine Stunde). Dann mit warmem Wasser abspülen und polieren. Für Silber ist die Paste nicht geeignet.

-- Gewichtstraining --

Leere Plastikflaschen, gefüllt mit Sand oder Kies, geben gute Gewichte ab. Kleinere Gefäße sind in der Küche nützlich, größere ersetzen Hanteln. Wenn die Flaschen auch noch hübsch aussehen sollen, wählen Sie eine fantasievolle Füllung, beispielsweise Kugeln aus Kugellagern, Murmeln oder gefärbtes Wasser.

-- Vitamine gegen Rost --

Gemüse ist eine Geheimwaffe, die weit mehr bewirkt, als den Hunger zu stillen. Zwiebeln beispielsweise dienen als probates Mittel gegen Rost. Stechen Sie mit einem alten, rostigen Küchenmesser einige Male in eine rohe Zwiebel, danach sieht es wieder aus wie neu.

-- Fettlöser --

Wenn Ihre edlen Seidenvorhänge oder -kissenbezüge Fettflecken haben, sollten Sie Kartoffeln zum Essen servieren. Nichts wirkt besser gegen solche Flecken als Kartoffelkochwasser mit etwas Salmiakgeist. (1 Teelöffel Salmiakgeist genügt für einen mittelgroßen Topf Kartoffelwasser.) Die Mischung mit einem Schwamm auf den Fleck tupfen, den feuchten Stoff zusammenfalten und mit einem lauwarmen Bügeleisen bügeln.

-- Fliegenfalle --

Fliegen sind lästig, aber man kann sie mit einer Literflasche aus Plastik überlisten. Das obere Drittel abschneiden und wie einen Trichter in das untere stecken. Auf den Boden der Falle einen Köder legen – Fleisch, Honig, faulendes Obst, abgestandenen Wein oder Hundekötel (je nachdem, wie nahe Sie sich bei der Falle aufhalten müssen). Die beiden Flaschenteile mit Klebeband zusammenkleben und an einen Platz hängen, an dem besonders viele Fliegen sind. Die Fliegen kriechen durch den „Trichter“ hinein, finden aber nicht wieder hinaus. Sie können natürlich auch einen normalen Trichter und eine Weinflasche oder einen Papiertrichter und ein Marmeladenglas verwenden.

Kreatives Recycling: Das müssen Sie wissen

Um Wiederverwender und Umgestalter zu werden, braucht man nicht viel: etwas gesunden Menschenverstand, ein bisschen Planung – und natürlich diese Sammlung praktischer Tipps.

Ein weitverbreitetes Missverständnis besteht darin, dass jemand, der sich dem Recycling verschrieben hat, zum sammelwütigen Hamsterer werden muss. Das ist nicht korrekt. Das Sammeln und Anlegen von Vorräten ist völlig unmodern; es verträgt sich nicht mit dem heutigen Lebensstil, der auf Reduktion und Geradlinigkeit setzt. Ein Sammelsurium von Krimskrams gilt grundsätzlich nicht als attraktiv. Wer in einer kleinen Wohnung lebt und nicht über den Luxus einer geräumigen Abstellkammer verfügt, wird sich außerdem schwer damit tun, alle möglicherweise noch verwendbaren Dinge zu horten.

Es liegt an Ihnen, wie viel Unordnung durch das Aufbewahren dieser und jener Kleinigkeiten entsteht. Sie müssen ja kein Großlager anlegen. Dinge, für die Ihnen nicht gleich eine neue Verwendung einfällt, bleiben oft auf ewig liegen, setzen Staub oder Rost an und vermitteln etwas Deprimierendes. Benutzen Sie Brauchbares oder trennen Sie sich davon – so einfach ist das. Und wenn Ihnen die Verwertungsideen ausgehen, blättern Sie in diesem Buch.

Einige Dinge SOLLTEN Sie jedoch aufbewahren, weil man sie tatsächlich immer gebrauchen kann:

_ Schraubgläser
_ Plastikbehälter
_ Mäntel und Schläuche von Reifen
_ Stoffreste
_ Papierreste
_ Schachteln
_ Plastiktüten
_ Weinkorken

Sind von diesen Dingen viele zusammengekommen, dann sollten Sie allerdings mit dem Sammeln aufhören und mit dem Recyceln und Wiederverwerten beginnen. Zum kreativen Zweckentfremden benötigen Sie natürlich den ultimativen Recycler-Werkzeugkasten. Standardwerkzeug sollte immer zur Hand sein, ebenso einige andere Utensilien, wie beispielsweise Nähzeug.

Folgendes gehört in den Werkzeugkasten:

_ Hammer, Nägel und Zange
_ verschiedene Schrauben und Schraubendreher
_ verschiedene Dübel
_ Schrauben und Muttern
_ Säge
_ Teppichmesser
_ Wasserwaage
_ verstellbarer Schraubenschlüssel
_ Schraubzwinge
_ Allzweckklebeband oder Isolierband (manche Menschen behaupten, damit könne man alles reparieren, wenn man nur genug davon nimmt)
_ Malerkrepp
_ Schleifpapier in verschiedenen Körnungen
_ Bohrmaschine oder Akku-Bohrschrauber
_ Maßband
_ Holzleim und Bastelkleber
_ Heißklebepistole mit Munition

Folgendes gehört zum Nähzeug:

_ Garn in verschiedenen Stärken und Farben
_ Nadeln (Näh-, Stick- und Polsterernadeln)
_ Bänder
_ Schere
_ Knöpfe

_ Haken und Ösen und andere Verschlüsse
_ Sicherheitsnadeln und Stecknadeln
_ Fingerhut (optional)
_ Stopfpilz (optional, aber sehr nützlich)
_ Nähmaschine (damit geht vieles schneller)

Es ist praktisch, wenn man Folgendes daheim hat:

_ verschiedene Farben (Sprühlacke, Dispersionsfarben, Glasfarben etc.)
_ Farbwannen und Pinsel
_ Bleistifte und Filzschreiber
_ Magneten
_ Haken
_ Bindfaden oder stabile Kordel
_ Seil
_ verschiedene Kabel und Drähte
_ Klarlack
_ Abdeckplanen
_ doppelseitiges Klebeband (eine saubere Alternative zu Flüssigkleber)
_ Glasschneider
_ Spann- oder Koffergurte (oder alte Gürtel, Hosenträger)
_ Gummibänder
_ Schaschlikspieße
_ Doppelgewinde-Schrauben (unerlässlich zum Anbringen von gekauften und selbst gemachten Griffen)
_ Flitter (zum Dekorieren)
_ Kinder (die das Dekorieren übernehmen)
_ Reißwolf (oder fragen Sie die Kinder)
_ Satinierlösung für Glas (kann man kaufen, macht Klarglas milchig)
_ Gummihandschuhe
_ Etiketten zum Aufkleben
_ Tee und Kekse (optional, aber dringend empfohlen)

Warnung

Die Tipps und Anleitungen in diesem Buch sollen Ihnen Anregungen geben. Es liegt in der Natur des Recycelns und Umfunktionierens, dass Materialien, Werkzeuge und Resultate sich von Fall zu Fall stark unterscheiden können. Wir möchten Ihnen helfen, alltäglichen Dingen eine neue Funktion zu geben – die genaue Vorgehensweise bleibt dabei aber Ihrem Einfallsreichtum überlassen. Gehen Sie mit Fantasie und Experimentierfreude ans Werk, aber auch mit Verstand und Sicherheitsbewusstsein.

Adressen

A

Afroditi Krassa Ltd
Unit 37
DRCA Business Centre
Charlotte Despard Avenue
London SW11 5HD
Großbritannien
T: +44 20 7627 3463
www.afroditi.com

AMPLIFIER
Florian Kremb
Studio 34
Sara Lane Studios
60 Stanway Street
London N1 6RH
Großbritannien
T: +44 7941 419 962
www.myamplifier.co.uk

Anarchitect
6 St Margarets House
21 Old Ford Road
London E2 9PL
Großbritannien
T: +44 20 8880 7666
www.
weareanarchitect.com

Claudia Araujo
r. Pelotas, 367
CEP 04012-001
São Paulo, Brasilien
T: +55 11 5539 7429
www.claudiaaraujo.com.br

Majid Asif
27 Halifax Road
Shirley
Solihull B90 2BS
Großbritannien
T: +44 7944 562 463
www.masifdesigns.com

Jorre van Ast
35 Bentley Road
London N1 4BY
Großbritannien
T: +44 20 8880 0690
www.jorrevanast.com

B

Maarten Baas
Studio Baas & Den
Herder BV
Eindhovenseweg 102c
5582 HW Waalre
Niederlande
T: +31 6 2450 2082
www.maartenbaas.com

Gijs Bakker
Keizersgracht 518
1017 EK Amsterdam
Niederlande
www.gijsbakker.com

Tom Ballhatchet
13 Myddleton Avenue
London N4 2FA
Großbritannien
T: +44 7795 692 704
www.tomballhatchet.com

Huda Baroudi und Maria Hibri
Al Sabah Collection
Chatham/Mosaic Building
Design Miami District
155 NE 40th Street
Suite #101, Miami
FL 33137, USA
www.alsabahcollection.com

Marina Bautier
14 rue Raphaëla
Brüssel 1070, Belgien
T: +32 2520 0319
www.
lamaisondemarina.com

Denise Bird
Fine Fayre
60 Drake Avenue
Worcester WR2 5RZ
Großbritannien
T: +44 1905 425 480
www.finefayre.co.uk/
denisebirdwoventextiles

Tord Boontje
La Cour
Route de Graix
42220 Bourg-Argental
Frankreich
T: +33 4 7739 6604
www.tordboontje.com

Rita Botelho
Rua do Trevo 4
Quinta do Rouxinol
2855-206 Corroios
Portugal
T: +351 2 1254 5389
www.ritabotelho.com

Boym Partners Inc.
131 Varick Street
Room 915
New York, NY 10013
USA
T: +1 212 807 8210
www.boym.com

Laurence Brabant
134 rue des Couronnes
75020 Paris, Frankreich
T: +33 1 4036 1148
www.laurencebrabant.com

Brave Space Design
449 Troutman St.
Studio 2A
Brooklyn NY 11237, USA
T: +1 718 417 3180
www.
bravespacedesign.com

Abigail Brown
Textilkünstlerin, Illustratorin
Studio E2R Cockpit Arts
Cockpit Yard,
Northington St.
London WC1N 2NP
Großbritannien
www.abigail-brown.co.uk

Tim Brown
SomeRightsReserved
T: +44 20 7502 0408
www.kith-kin.co.uk/shop/
idea

C

Fernando und Humberto Capana
www.campanas.com.br

Maarten De Ceulaer
Interior-Industrial Designer
Vanderschrickstraat 59
1060 Brüssel, Belgien
T: +32 49 489 4730
www.
maartendeceulaer.com

Alabama Chanin
462 Lane Drive
Florence
Alabama 35630, USA
T: +1 256 760 1090
www.alabamachanin.com

Checkland Kindleysides
Charnwood, Cossington
Leicestershire LE7 4UZ
Großbritannien
T: +44 116 264 4700
www.checkland
kindleysides.com

Roman Christov
QUBUS design
Ramova 3
Prag 1 110 00
Tschechische Republik
T: +420 222 313 151
www.qubus.cz

Paul Cocksedge
2A Brenthouse Road
Soloman's Yard
London E9 6QG
Großbritannien
T: +44 20 8985 0907
www.paulcocksedge.co.uk

Brent Comber
1657 Columbia Street
North Vancouver, BC
V7J 1A5, Kanada
T: +1 604 980 4467
www.brentcomber.com

Committee Gallop Workshop
198 Deptford High Street
London SE8 3PR
Großbritannien
T: +44 20 8694 8601
www.gallop.co.uk

Complett
Jan Korbes
Kepplerstraat 304
2562vx Den Haag
Niederlande
T: +31 615094323
www.refunc.nl

Creative Paper Wales
Broniestyn House
Trecynon, Aberdare
Mid Glamorgan
South Wales CF44 8EF
Großbritannien
T: +44 1685 872453
www.CreativePaperWales.
co.uk

**Michael Cross
und Julie Mathias**
WOKmedia
London Production
2 Leswin Place, Unit HQ
London N16 7NJ
Großbritannien
www.wokmedia.com

Shanghai Production
WOKmedia
Rujin Road 500 (South)
Shanghai
www.wokmedia.com

Margaret Cusack
124 Hoyt Street in Boerum
Hill Brooklyn
New York 11217-2215
USA
T: +1 718 2370145
www.MargaretCusack.com

D

Jane ní Dhulchaointigh
FORMEROL® / SUGRU
FormFormForm Ltd 13
Hague Street
London E2 6HN
Großbritannien
T: +44 20 7739 9446
www.formformform.com

Droog Press
Staalstraat 7a
1011 JJ Amsterdam
Niederlande
T: +31 20 523 5050
www.droog.com

E

**Piet Hein Eek
Eek & Ruijgrok BV**
Nuenenseweg 167
5667 KP Geldrop
Niederlande
T: +31 40 285 6610
www.pietheineek.nl

Emiliana Design Studio
Ana Mir und Emili Padrós
Aribau 230–240, 8° N
08006 Barcelona
Spanien
T: +34 93 414 34 80
www.emilianadesign.com

Estudio en Pieza
Belmonte de Tajo
628019 Madrid
Spanien
T: +34 91 1968571
www.enpieza.com

Ellie Evans
21 Woodside Denby Dale
Huddersfield
West Yorkshire HD8 8QX
Großbritannien
T: +44 7745 528609
www.ellie-evans.co.uk

F

Jens Fager
A&D
Körsbärsvägen 9
11423 Stockholm
Schweden
T: +46 73 7272748
www.jensfager.se

Lucy Fergus
Re-Silicone
Studio 200, Cockpit Arts
18–22 Creekside, Deptford
London SE8 3DZ
Großbritannien
T: +44 7815 089 121
www.re-silicone.co.uk

Leo Fitzmaurice
T: +44 7939 761640

Freitag
Hardstrasse 219/L
8005 Zürich
Schweiz
T: +41 43 210 33 11
www.freitag.ch

G

Martino Gamper
Gamper Ltd.
65 Marlborough Avenue
E8 4JR London
Großbritannien
T: +44 7989 512 239
www.gampermartino.com

David Gardner
T: +1 792 984 0206
www.davidgardener.co.uk

Kate Goldsworthy
www.kategoldsworthy.
co.uk

Graypants Inc.
1506 11th Avenue
Seattle, WA 98122
USA
T: +1 206 420 3912
www.graypants.com

Will Gurley
T: US- +1 505 333 4105
DK- +45 29 87 12 34
UK- +44 20 8123 6100
www.willgurley.com

H

Catherine Hammerton
Printed & Embroidered
Textiles
Studio E14, Cockpit Arts
Cockpit Yard
Northington Street
London WC1N 2NP
Großbritannien
T: +44 20 7603 8851
www.
catherinehammerton.com

Ineke Hans
Dijkstraat 105
6828JS Arnheim
Niederlande
T: +31 26 389 3892
www.inekehans.com

Stuart Haygarth
33 Dunloe Street
London E2 8JR
Großbritannien
T:+44 20 7503 4142
www.stuarthaygarth.com

Simon Heijdens
17 Sunbury Workshops
Swanfield Street
London E2 7LF
Großbritannien
T: +44 7853 464 303
www.simonheijdens.com

Heineken N.V.
Media relations
Tweede
Weteringplantsoen 21
1017 ZD Amsterdam
Niederlande
T: +31 20 5239 355
www.
heinekeninternational.com

Alex Hellum
64 Birch Green
Hertford, Herts SG14 2LU
Großbritannien
T:+44 1992 550 021
www.alexhellum.com

Amy Hunting
Flat C, 17–19 Mare Street
London E8 4RS
Großbritannien
T: +44 7501 821 218
www.amyhunting.com

J

Peter van der Jagt
Sumatrakade 275
1019PK Amsterdam
Niederlande
T: +31 20 419 8731
www.petervanderjagt.com

Anneke Jakobs
Haverstaadt 5 Bis
3511 NA, Utrecht
Niederlande
www.annekejakobs.com

JAM, The Art of Branding
103 The Timber Yard
Drysdale Street
London N1 6ND
Großbritannien
T. +44 20 7739 6600
www.jamdesign.co.uk

Junktion Workshop
Gurit Magen
Junktion studio
Rosh Pina st. 22/9
Tel Aviv 66026, Israel
T: +972 52 3637104
www.junktion.co.il

K

Kako.ko Design Studio
Dositejeva 30a
11000 Belgrad
Serbien
T: +381 11262 4001
www.kako-ko.com

Johanna Keimeyer
Motzstr. 5
10777 Berlin
Deutschland
T: +49 179 35 91 657
www.keimeyer.com

Sante Kim
T: +82 10 4143 3075
www.santekim.com

Diaz Kleefstra
Studio Kleefstra
P.O. Box 11253G
Amsterdam
Niederlande
T: +31 6 5353 5503
www.studiokleefstra.nl

Jan Körbes
Tyre Furniture
Kepplerstraat 304
2562vx Den Haag
Niederlande
T: +31 6 1509 4323
www.refunc.nl

Kyouei Design
1326–15 Kusanagi
Shimizu-ku
Shizuoka City
Shizuoka 424-0886
Japan
www.kyouei-ltd.co.jp

L

Andreas Linzner
Marktstraße 6
20357 Hamburg
Deutschland
T: +49 40 433 435
www.andreaslinzner.com

London Transport Museum
39 Wellington Street,
Covent Garden
London WC2E 7BB
Großbritannien
T: +44 20 7379 6344
www.ltmuseum.co.uk

Lost & Found
Becky Oldfield
Studio 108, Cockpit Arts
18–22 Creekside, Deptford
London SE8 3DZ
Großbritannien
T: +44 7958 324038
www.
lostandfounddesign.co.uk

Loyal Loot Collective
75 Gainsborough Ave
St. Albert, Alberta
T8N 1Z5 Kanada
T: +1 780 916 9148
www.loyalloot.com

Seija Lukkala
Globe Hope Tld.
Harjutie 14
FIN 03100 Nummela
Finnland
T: +35 89223 8150
www.globehope.com

Greg Lynn
Form
1817 Lincoln Boulevard
Venice CA 90291, USA
T: +1 310 821 2629
www.glform.com

M

&made
Studio 214
18–22 Creekside, Deptford
London, SE8 3DZ
Großbritannien
T: +44 7916 170 293
www.and-made.com

Michael Marriott
Unit F2
2–4 Southgate Road
London N1 3JJ
Großbritannien
www.michaelmarriott.com

Barley Massey
Fabrications
7 Broadway Market
Hackney
London E8 4PH
Großbritannien
T: +44 20 7275 8043
M: +44 7958 424 808
www.fabrications1.co.uk

Franz Maurer
Büro und Schauraum:
Rechte Bahngasse 40
1030 Wien;
Atelier: Haugschlag 12
3874 Haugschlag
Österreich
M: +43 699 10 101 102
T: +43 1 512 10 30
www.fmaurer.com

Maybe Design Studio Wien
Börsegasse 9
1013 Wien
Österreich
T: +43 1 533 26 36
F: +43 1 533 26 65
www.maybeproduct.at

Maybe Design Studio Istanbul
Akin Plaza K.3 Sisli
34382 Istanbul
Türkei
T: +90 212 320 9561
F: +90 212 320 9562

Ryan McElhinney
72 Blackfriars Road
Waterloo
London SE1 8HA
Großbritannien
T: +4420 7928 5466
www.ryanmcelhinney.com

Jo Meesters
Kanaalstraat 4
5611 CT, Eindhoven
Niederlande
T: +31 65 422 31 88
www.jomeesters.nl

Menimal
Francisco Cavada Cantú
Monterrey, New Mexico
USA
T: +52 045 (81) 16900160
www.fcocantu.
carbonmade.com

M:ome
www.mome.org/

Nicolas Le Moigne
17, Avenue de Jurigoz
1006 Lausanne
Schweiz
www.
nicholaslemoigne.com

Jasper Morrison
2b Kingsland Road
London E2 8DA
Großbritannien
www.jaspermorrison.com

Muji
James Lawless
Press Officer MUJI (UK)
Press Office
1 Carnaby Street
London 1F 7DX
Großbritannien
T: +44 20 7221 9360

Zoe Murphy
Studio 4
The Pie Factory
9 Broad Street
Margate, Kent CT9 1EW
Großbritannien
T: +44 778 057 4314
www.zoemurphy.com

N

Heath Nash
T: +27 21 447 5757

Nendo
2-2-16-5F Shimomeguro
Meguro-ku
Tokio 153-0064, Japan
T: +81 3 6661 3750
www.nendo.jp

Emma Neuberg
www.emmaneuberg.
blogspot.com

Elisabeth Nossen
Elisabeth N. Ellefsen
Nygaardsgaten 2A
5015 Bergen
Norwegen
T: +47 99 70 08 63
www.rebelledesign.
blogspot.com

O

Od-Do Arhitekti
Aleksinackih Rudara 31
Belgrad, Serbien
T: +38 1606906069
www.od-do.com

P

Marije van der Park
Terwestenstraat 49
5613 HH Eindhoven
Niederlande
T: +31 6 24184787
www.
marijevanderpark.nl

Pervisioni
Paul Kogelnig,
Gabriel Heusser
Institut für Visionen
& Co. KG
Mariahilferstraße 45
1060 Wien
Österreich
T: +43 699 1408 5911
www.pervisioni.com

Jens Praet
via Chiantigiana 4
50020 Panzano, Chianti
Italien
T: +39 334 309 1223
www.jenspraet.com

R

Tal R.
Fritz Hansen
Allerødvej 8
3450 Allerød
Dänemark
T: +45 4817 2300
www.fritzhansen.com

Raw Nerve Ltd
B109, Faircharm Studios
Creekside
London SE8 3DX
Großbritannien
T: +44 20 8692 4343
www.raw-nerve.co.uk

Tejo Remy
Uraniumweg 17
3542 AK, Utrecht
Niederlande
T: +31 30 2944945
www.remyveenhuizen.nl

Rotor
Maarten Gielen
Laekensestraat 101
1000 Brüssel
Belgien
T: +32 485 87 5763
www.rotordb.org

Adrien Rovero Studio
Chemin des Roses 11
1020 Renens
Schweiz
T: +41 21 634 34 35
www.adrienrovero.com

Galya Rosenfeld
12 Rabbi Meir Street
Tel Aviv, 65605
Israel
T: +972 50 259 4627
www.galyarosenfeld.com

Karen Ryan
www.bykarenryan.co.uk

S

Alyce Santoro
P.O Box 176
Fort Davis, Texas 79734
USA
www.alycesantoro.com
www.sonicfabric.com

Scrapile
70 North 6th Street
Brooklyn
New York 11211
USA
T: +1 917 826 3141
www.scrapile.com

Sergio Silva
196 Clinton Ave A44
Brooklyn, NY 11205
USA
T: +1 917 841 7075
www.sergiosilva.us

Sprout Design Ltd.
1 Bermondsey Square
London SE1 3UN
Großbritannien
T: +44 20 7645 3790
www.sproutdesign.co.uk

Stanker Design
Motxo Design
F. Royer
4 Rue P. Mendès France
34830 Clapiers
Frankreich
T: +33 681644740
http://stanker.design.
free.fr

Studio Mama
21–23 Voss Street
London E2 6JE
Großbritannien
T: +44 20 7033 0408
www.studiomama.com

Studio Ooms
Gagelstraat 6a, ingang C
5611 BH Eindhoven
Niederlande
T: +31 40 293 8326
www.oooms.nl

Studio Stallinga
Silodam 1 D
1013 AL Amsterdam
Niederlande
T: +31 20 420 0876
www.stallinga.nl

Studio Verissimo
www.studioverissimo.net

T

Greetje van Tiem
Startumsedijk 18X
5611 ND, Eindhoven
Niederlande
T: +31 65 3260222
www.greetjevantiem.nl

Ting
16 Chelsea Farmers Market
Sydney Street
London SW3 6NP
Großbritannien
T: +44 20 7751 4424
www.tinglondon.com

U

Uhuru Design
160 Van Brunt Street
Brooklyn, NY 11231
USA
T: +1 718 855 6519
www.uhurudesign.com

V

Maxim Velcovsky
QUBUS design
Ramova 3
Prag 1, 110 00
Tschechische Republik
T: +42 222 313 151
www.qubus.cz

Elmo Vermijs
Oude Haagseweg 63-1B
1066 DC Amsterdam
Niederlande
T: +31 6 435832911
www.elmovermijs.com

Clara Vuletich
Heafford & Hall
7 Prescott Place
London SW4 6BS
Großbritannien
T: +44 7733 072 337
www.claravuletich.com
www.loveandthrift.com

W

Katherine Wardropper
Studio 100
Cockpit Arts Deptford
18–22 Creekside
Deptford
London SE8 3DZ
Großbritannien
T: +44 7762 593 363
www.
katherinewardropper.com

Silke Wawro
Volksware
Koburger Str. 95
51103 Köln
Deutschland
T: +49 173 447 44 16
www.volksware.nl

WEmake
Jason Allcorn and
Sarah Johnson
1 Summit way
Crystal Palace
London SE19 2PU
Großbritannien
Tel: +44 7962 108782
www.wemake.co.uk

Dominic Wilcox
www.dominicwilcox.com

Frank Willems
Studio Frank Willems
Lucas Gasselstraat 7A
5611 ST Eindhoven
Niederlande
T: +31 6 283 405 98

Donna Wilson
BJ House 12, Third floor
10–14 Hollybush Gardens
London E2 9QP
Großbritannien
T:+44 20 7749 0768
www.donnawilson.com

Emma Woffenden
Marsden Woo Gallery
17–18 Great Sutton Street
London EC1V 0DN
Großbritannien
T: +44 20 7336 6396
www.bmgallery.co.uk

Z

Dmitry Zagga
www.zagga.org

Zo_loft Architecture & Design s.r.l.
Andrea Cingoli
Paolo Emilio Bellisario
Francesca Fontana
Cristian Cellini
Via Piave 91
65100 Pescara, Italien
T: +39 338 193 1673
www.zo-loft.com

Literatur

Bücher:

Arkhipov, V.
Home-Made: Contemporary Russian Folk Artifacts
FUEL Publishing
2006

Berger, S., und G. Hawthorne,
Readymade: How to Make (Almost) Everything
Clarkson Potter
2005

Dixon, T.
Rethink
Conran Octopus
2000

Gibson, J. J.
The Theory of Affordances in *Perceiving, Acting and Knowing*
R. Shaw und J. Bransford (eds.), Hillsdale
1977

Hanaor, Z., und V. Woodcock
Making Stuff: An Alternative Craft Book
Black Dog Publishing
2006

Jencks, C., und N. S. Jencks
Adhocism
Doubleday and Co.
1972

Lupton, E.
D.I.Y. Design it Yourself. Kreative Ideen leicht gemacht.
Princeton Architectural Press
2008

Norman, J.
Make Do and Mend: Keeping Family and Home Afloat on War Rations (Official WWII Info Reproductions)
Michael O'Mara
2007

Readers Digest Association
Extraordinary Uses for Ordinary Things
2005

Warner, M.
Richard Wentworth
Thames and Hudson
1993

Magazine:

Schöner Wohnen
Living at Home
H.O.M.E.
Make Magazine
Crafts Magazine
Design Week
Wallpaper
Metropolis
Dwell
Icon

Websites:

www.recyclingboerse.org
www.zweitsinn.de
www.secondhand-online.de
www.werkhof-hagen.de
www.oekopro.de
www.instructables.com
www.superuse.org
www.treehugger.com
www.dezeen.com
www.marthaStewart.com
www.apartmenttherapy.com
www.inhabitat.com
www.coolhunting.com
www.wemakemoneynotart.com

Danksagung

Henrietta Thompson möchte sich gleichermaßen bedanken bei (die Reihenfolge ist willkürlich): Jubi, Simon, Alan, Jacquie, Olivia, Angus, Neal, Emmi, Charlie, Tim, Adala, Andrew, Jo, Joey, Jess, Simon J., Simon W., Jon H., bei allen von Thames & Hudson und bei Katie The Cat.

Neal Whittington möchte Mum, Dad und Mark danken.

Bildnachweis

Legende:

o = oben
u = unten
m = Mitte
l = links
r = rechts

6u Knüpfsessel für Droog von Marcel Wanders, Foto: Robaard/ Theuwkens, Styling: Marjo Kranenbourg, CMK

7or Bank Tree Trunk für Droog von Jürgen Bey, Foto: Gerard van Hees

7ur Set Up Shades für Droog von Marcel Wanders, Foto: Robaard/ Theuwkens, Styling: Marjo Kranenbourg, CMK

9o, u Kokon Furniture von Jürgen Bey

10o, u; 11o, u Leo Fitzmaurice

15o Francisco Cantú

16–17 Angus Mill

18o NEMECHEK photography studio, Israel

18ul Copyright © Rotor

20ol Morrison Studio, Jasper Morrison Ltd. Flower Pot Table produziert von Cappellini

20ul Peter Guenzel, Jasper Morrison Ltd., Crate produziert von Established and Sons

25ol, or Tom Ballhatchet

25u Uhuru

26o, u Design von Fernando und Humberto Campana, produziert von Estudio Campana 2002, Foto: Luiz Calazans

27ol Rag Chair für Droog von Tejo Remy, Foto: Robaard/Theuwkens, Styling: Marjo Kranenbourg, CMK

27or Rag Chair für Droog von Tejo Remy, Foto: Gerard van Hees

29o Design Maarten Baas, Foto: Maarten van Houten

31o www.wemake.co.uk

31ul Raef Grohne

32u Jonathan Junker

33o, u Scrapile Studio

35o, ul, um, ur Masayuki Hayashi

38ol, or, u © Motxo Design 2008

39u MUUTO

40o, ul, ur Foto: Tomas Leach

41 Xavier Padros

43o, m, u Jan Korbes/ REFUNC.NL

46 Roma Levin

47o, ul, ur Fracture Furniture von Ineke Hans für Cappellini

48ol, or, u Serge Hagemeier

50ol, or, u © Stine Raarup

51o Life Is Suite – www.lifeissuite.co.uk

51u Majid Asif

57u mit freundlicher Genehmigung von Alessi

79o Foto: Zechany, Wien

79u Jo Meesters

80 One Day Paper Waste für Droog von Jens Praet, Foto: Bas Helders

81or, ur, l One Day Paper Waste für Droog von Jens Praet, Foto: Gerard van Hees

82 Foto: Olivier Pasqual

89o Foto: David Cripps

101o Foto: Bradley Walker

101u Pelle Crepin

103o, m NEMECHEK photography studio, Israel

111 Foto: Connect Architecture

113o, u Design von Maarten de Ceulaer und Julien van Havere

114 Dian Simpson

115 Emiliana Design

119l Ricardo João Faria

124, 125ol, om, or, ul, ur Foto: Angela Moore

128 TIDE (2004), Foto: Stuart Haygarth

129ol, om, or MILLENIUM, Foto: Stuart Haygarth

129ul SPECTACLE (2006), Foto: Stuart Haygarth

138o, ul, ur; 139o, ul, ur David Southwood

142l, or, mr, ur David Gardner

143l, r © Richard Brine

148o, u NEMECHEK photography studio, Israel

158 Foto: Full Focus

158or Kate Goldsworthy

158ur Styling: Kate Parkin, Foto: Lucy Pope

163 Künstler/Designer: Margaret Cusack, Auftraggeber: Vanity Fair Magazine, Art Director: Julie Weiss, Fotograf: Michael Hnatov

164 Jo Meesters und Marielle Leenders

165ol, om, or, u Foto: Rob Brodman

166o, or, mr, ur Muji

172o, u Foto: Tim Bjørn, www.fritzhansen.com

173o, m, u Robert Rausch/GAS Design Center

179o, m, u James Champion

180ol, om, or, u TINGLONDON.COM

181ol, or, ml, mr, u Matthew Murphy (2008)

183o, u Foto: Julian Mock

184ol, or, ul, ur London Transport Museum, www.ltmuseum.co.uk

185o Destination Blinds, Foto: James Gardiner

185u Foto: Kevin Dutton

186ol, or, u Lucy Fergus

188l, mr, ur; 189 Roberto Setton – São Paulo, Brasilien

190o Vincent van Gurp

194o, u; 195o, m, u Arooj Hussein

197ol, or, m, u SCP

200u Foto vom Künstler, © 2007, alle Rechte vorbehalten

201o, u Paul Schimweg, www.whitehall-photographie.de

203o, u Nina Merikallio

209o Foto: Michael Rathmayr

213o, u Xavier Nicostrate

218, 219o, u Produzent: Viceversa, Foto: Anoush Abrar

220 Kyouei Design

224o, ul, ur Sprout Design Ltd

226 Türklingel Bottoms-up für Droog von Peter van der Jagt, Foto: Gerard van Hees

232 Sante Kim

235ol, or, u Olga Telesh

239o, u Dishmop für Droog von Gijs Bakker, Foto: Gerard van Hees

243 Tom Ballhatchet

244o, u © Zo-loft Architecture & Design S.r.l.

251 Roma Levin

254ol, or, u; 255ol, ul, or, mr, ur © FormFormForm Ltd, 2009

Register